D0489132

COLLECTION ANTICIPATIONS

OUVRAGES PARUS DANS CETTE COLLECTION:

Le diable du Mahani, de Jean-François Somcynsky, roman, 1978.

Le plan Rubicon, de Dennis Jones, traduit de l'anglais par Michelle Tisseyre, roman, 1984.

L'étrange monument du désert libyque, de Claude d'Astous, roman, 1986.

Les visiteurs du pôle Nord, de Jean-François Somcynsky, roman, 1987.

Les visiteurs
du pôle Nord

DU MÊME AUTEUR

Les rapides, roman, Montréal, Le Cercle du Livre de France, 1966, 224 p.

Encore faim, roman, Montréal, Le Cercle du Livre de France, 1971, 264 p.

Les grimaces, nouvelles, Montréal, Éditions Pierre Tisseyre, 1975, 248 p.

Le diable du Mahani, roman, Montréal, Éditions Pierre Tisseyre, 1978, 176 p. Collection Anticipations.

Les incendiaires, roman, Montréal, Éditions Pierre Tisseyre, 1980, 144 p.

Peut-être à Tokyo, nouvelles, Sherbrooke, Éditions Naaman, 1981, 144 p.

Trois Voyages, chants poétiques, Hull, Éditions Asticou, 1982, 80 p.

La planète amoureuse, roman, Longueuil, Éditions du Préambule, 1982, 176 p.

Vingt minutes d'amour, roman, Montréal, Éditions Pierre Tisseyre, 1983, 100 p.

La frontière du milieu, roman, Montréal, Éditions Pierre Tisseyre, 1983, 152 p. Prix littéraire Esso 1983 du Cercle du Livre de France.

J'ai entendu parler d'amour, nouvelles, Hull, Éditions Asticou, 1984, 180 p.

Données de catalogage avant publication (Canada)

Somcynsky, Jean-François, 1943-

    Les visiteurs du pôle Nord

    2-89051-322-X

    I. Titre.

PS8537.042V57 1987   C843'.54   C87-096024-5
PS9537.042V57 1987
PQ3919.2.S65V57 1987

JEAN-FRANÇOIS SOMCYNSKY

Les visiteurs du pôle Nord

roman

PIERRE TISSEYRE
8925, boulevard Saint-Laurent — Montréal, H2N 1M5

Dépôt légal: 1er trimestre 1987
Bibliothèque nationale du Canada
Bibliothèque nationale du Québec

Illustration de la couverture:
Aurore boréale
Photo:
Mike Beedell — Réflexion Photothèque

Copyright© Ottawa, Canada, 1987
Le Cercle du Livre de France Ltée.
ISBN-2-89051-322-X

Pour Micheline

Le lundi 20 avril 2043

Lewis Franklin avait l'humeur aussi basse que les nuages qui surplombaient l'île Ellef Ringnes depuis un mois. Ses blagues se faisaient de plus en plus sarcastiques. Même s'il venait de passer une semaine chez lui, en Californie, et s'il s'agissait de son cinquième congé depuis septembre, neuf mois de séjour dans l'Arctique avaient fini par user ses nerfs.

La base Sir James Ross était située, approximativement, à 78° N et 102° W. Établie en l'an 2027, elle comprenait quatre énormes coupoles de cinquante mètres de diamètre. Chacune pouvait loger un cinquantaine de personnes, ainsi que les laboratoires, les cuisines, les salles de repos, les ateliers. Plusieurs de ces installations avaient été creusées sous terre. À l'origine, on prévoyait que deux des coupoles seraient réservées aux équipes scientifiques, tandis que les autres accueilleraient des touristes, des journalistes et tous les visiteurs attirés par une telle expérience. Mais, en dépit de la publicité, la saison touristique ne débutait qu'à la fin mai et s'achevait en octobre, ce qui faisait qu'une des coupoles demeurait inutilisée durant le long hiver.

Le gouvernement canadien, de qui relevait la base, en cédait gratuitement l'usage aux membres de l'Alliance pacifique, tout en comptabilisant les dépenses dans le budget approprié. Une année sur deux, la direction en était confiée à un pays membre de l'Alliance. Ainsi, durant la saison 2042-2043, le colonel Lewis Franklin se trouvait en charge des opérations. Parmi les quinze membres de l'équipe, on trouvait des Canadiens, des Chinois, des Américains, des Japonais, deux Australiens, un Thaïlandais, et même un Chilien, par courtoisie, puisque le Chili ne faisait pas partie de l'Alliance. Le traité de l'Alliance n'avait pas été signé par tous les pays du Pacifique; en revanche, quelques pays périphériques y avaient adhéré. Franklin n'exerçait sur ses collègues qu'une autorité fonctionnelle, limitée non pas par leur nationalité mais parce que chacun, magnéticien, géographe, géologue, météorologue, astrophysicien, biotechnicien, informaticien, chimiste ou électrotechnicien, avait une très haute idée de son autonomie d'homme ou de femme de science.

Depuis quelques années, la base n'était plus gérée comme une seule unité. Après la scission de l'Alliance atlantique, les Européens, en se réclamant de droits acquis, avaient obtenu, en location, l'usage d'une coupole. L'équipe européenne, qui incluait des savants russes, gardait de très bons rapports avec l'équipe de l'Alliance pacifique. La troisième coupole était louée à une équipe asiate, qui comprenait des Sibériens, des Mongols, des Kazakhstanais, des Afghans et même des Iraniens, tous ces peuples qui, après l'éclatement de l'Union soviétique, s'étaient ralliés au régime de Tachkent. Pour beaucoup, les Asiates se trouvaient depuis dix ans en état de guerre virtuelle avec les pays de l'Alliance pacifique, surtout contre les Chinois et, jusqu'à un certain point, les Russo-européens. Dans un geste de bonne volonté, en espérant qu'un peu de diplomatie scientifique allégerait les tensions entre les grands blocs, le gouvernement canadien, malgré les réticences américaines, et peut-être à cause de ces réticences, qui lui permettaient de souligner sa marge de manœuvre, avait consenti à louer une des coupoles à une équipe asiate. La quatrième était toujours réservée aux groupes de visiteurs éventuels.

Après le dîner, qui se prenait généralement en commun entre six et huit heures du soir, Lewis Franklin alla déguster un dernier whisky avec le professeur chilien, José Quiroga.

— Ah, si on était venus il y a cinquante millions d'années!

Quiroga le regarda, interloqué. Puis, se ressaisissant:

— C'est vrai, fit-il. Là, je serais venu avec ma femme.

Et il se mit à rêver. À l'époque indiquée par le colonel, l'île Ellef Ringnes abritait des tapirs, des lémuriens, des cousins de rhinocéros et d'hippopotames. Les forêts de séquoias s'étendaient jusqu'aux plages où se promenaient sans doute des tortues et des crocodiles. Après ces longs mois de solitude et de vents glacés, on pouvait bien se permettre de rêver au temps où l'Arctique accueillait une vie tropicale.

— Ça avance quand même, tes travaux?

— Ce n'est pas pour demain, répondit Quiroga, prudemment. Mais je suis sûr qu'avant la fin du siècle...

On parlait très peu de ses recherches, même entre savants. Le professeur Quiroga était le plus grand spécialiste de son époque en matière d'aurores boréales. Mais, s'il voulait bien expliquer ses théories sur les vents solaires qui frappaient la magnétosphère terrestre à cinq ou huit cents kilomètres à la seconde et éparpillaient leurs électrons verts d'oxygène ou rouges de nitrogène dans les cieux arctiques, il se gardait bien de fournir trop d'indications sur l'objet précis de ses travaux, qui visaient, ce n'était un secret pour personne, à trouver moyen de capter au moins une partie de l'énorme charge électrique contenue dans chaque aurore boréale, diurne ou nocturne.

— La fin du siècle! ricana Franklin. Vous autres, les savants, vous vous croyez toujours éternels. Quand je pense à ce qu'on pourrait faire maintenant, si on avait accès à toute cette énergie... On pourrait...

— ... faire fonctionner l'industrie américaine à peu de frais, dessaler autant d'eau de mer qu'on en aurait besoin...

— ... et dessécher un tantinet la Sibérie, pour donner une petite leçon à nos amis asiates, ajouta le colonel, qui ne manquait pas de franchise.

Quiroga craignait grandement ces applications militaires de ses recherches et se sentait mal à l'aise lorsque Franklin abordait le sujet. Il songeait même parfois à travailler parmi les

Asiates, qui lui semblaient moins viscéralement belliqueux que leurs adversaires de l'Alliance. Heureusement, Mary Robinson et Clémence Dumoulin détournèrent la conversation en se joignant à eux. Lewis aimait les deux femmes, d'abord à cause de leur sexe, ensuite parce qu'elles ne faisaient pas de mystère sur leurs travaux. La position géographique du pôle Nord magnétique avait été établie pour la première fois par Sir James Ross — d'où le nom de la base — en 1831, près de la péninsule de Boothia. Le pôle s'était ensuite déplacé vers le nord. On le trouvait au nord de l'île Prince-de-Galles en 1947, sur l'île Bathurst en 1975, dans le détroit de Maclean à la fin du vingtième siècle, et maintenant sur l'île Ellef Ringnes. Depuis quelques années, on se demandait s'il continuerait à se déplacer en direction du nord géographique, avec une tendance vers l'ouest, ou s'il rebrousserait chemin. C'était difficile à mesurer, car le pôle magnétique effectuait presque chaque jour des mouvements elliptiques qui l'envoyaient, pour quelques heures, à cinquante, cent, ou même cent cinquante kilomètres de sa position normale.

Clémence mentionna que le pôle se trouvait ce jour-là à l'emplacement même de la base. En feignant un certain dégoût, Franklin souhaita que ce ne fût pas sous la coupole asiate. Mary, qui le connaissait bien, éclata de rire. Clémence expliqua qu'on ne pouvait localiser le pôle avec plus d'un kilomètre de précision. Peu à peu, la conversation s'éloigna du domaine scientifique pour explorer les intérêts plus personnels qui poussent deux hommes et deux femmes à s'attarder ensemble avant d'aller se coucher. La fin de la soirée s'annonçait prometteuse pour chacun lorsqu'un jeune militaire s'approcha de leur table : le commandant Djanzo désirait parler au colonel Franklin.

Lewis crispa le poing, contrarié. Sukhe Djanzo, qui dirigeait l'équipe asiate, se plaignait parfois des interférences que les équipements américains, trop puissants, provoquaient sur ses propres instruments. Ou bien, il accusait les uns et les autres d'espionnage, ce qui était contraire à l'entente qui gouvernait l'utilisation de la base.

— Est-il venu en personne?

— Non, mon colonel. Il a logé un appel dans votre bureau.

Il était déraisonnable de s'attendre à une visite de Djanzo par un froid de -35° C, mais Franklin n'y pensa même pas:

— Si ce n'est pas assez important pour qu'il vienne ici, ça peut attendre à demain, décréta-t-il.

— Il invoque l'article 3, mon colonel.

— Le salaud! À neuf heures du soir! Vraiment, ces gens-là ne savent pas vivre. Mesdames, je vous prie de m'excuser.

L'article trois du règlement statutaire de la base spécifiait qu'en cas d'extrême urgence, les responsables des équipes pouvaient avoir immédiatement accès à leurs homologues. Il n'avait jamais été invoqué depuis cinq ans.

Le colonel Franklin fit appeler Maya Golinsky, une ethno-linguiste dont la présence à la base s'expliquait davantage par sa liaison avec le lieutenant Ferguson que par ses études des langues inuit. Mais elle parlait le français, sa langue maternelle, l'anglais, l'espagnol, le russe, le chinois mandarin et le japonais, et ses services d'interprète étaient hautement appréciés, même si presque tous les savants comprenaient l'anglais et communiquaient entre eux dans cette langue.

Arrivé dans son bureau, Lewis contempla le visage de son collègue sur l'écran. Djanzo semblait plus soucieux qu'irrité. Lewis attendit Maya avant de brancher l'appareil téléphonique. Celle-ci traduisit les salutations du colonel, puis les paroles du commandant mongol, qui parlait en russe.

— J'ai invoqué l'article 3. Je suis extrêmement préoccupé. L'article 2 stipule que la base Sir James Ross ne doit servir qu'à des fins scientifiques. L'article 8 précise qu'aucune équipe ne doit ouvrir un nouveau domaine de recherche sans en informer les autres commandants. L'article 13 impose trois jours de préavis avant de retirer ou d'ajouter des effectifs.

— Je connais les statuts par cœur, commandant.

— Je rappelle aussi la deuxième clause de l'entente canado-asiate, dont vous devez assurer l'application.

— Cette clause garantit l'inviolabilité des installations et l'immunité de chaque équipe dans sa coupole. Je vous assure, commandant, que j'ai la ferme intention de respecter et de faire respecter les règlements dans leur intégralité.

Maya Golinsky traduisait au fur et à mesure.

— Eh bien! fit le commandant Djanzo, je proteste contre l'arrivée d'un navire spatial non autorisé et non annoncé, et j'accuse l'équipe pacifique, en collusion probable avec l'équipe européenne, de tenter un coup de force contre nous. Je vous préviens que nous nous défendrons.

— Mais quel navire...? tenta de dire Lewis.

— Vous avez encore le temps de lui ordonner de faire demi-tour. Au revoir, colonel Franklin.

L'écran s'éteignit. Lewis se tourna vers la jeune femme.

— Mais il est fou, ce type-là! Cherchez-moi Ferguson.

Maya crut bon de rappeler que Djanzo avait l'air très sérieux. Quant à Jim Ferguson, elle ignorait où il se trouvait, et Franklin n'insista pas. Tout le monde était au courant des difficultés que traversaient Maya et son ami. La vie dans l'Arctique restait pénible, même dans le cocon d'une base scientifique, et Jim et Maya avaient surtout réussi, au cours des derniers mois, à mettre en évidence leurs multiples incompatibilités, qu'un engouement passager, l'été précédent, avait tout juste masquées. Ils partageaient toujours le même appartement, et peut-être le même lit, mais pas davantage.

Les années où le Canada cédait la direction de la base à un autre membre de l'Alliance, un Canadien était nommé commandant-adjoint. C'était le cas du lieutenant Ferguson, qui assurait en outre la sécurité de la base. Quand on lui fit part du problème, il réunit aussitôt son équipe. Une demi-heure plus tard, il faisait son rapport au colonel. Sukhe Djanzo avait raison: un vaisseau non identifié se dirigeait sur la base. On avait pris contact avec Ottawa, Vancouver, Washington, Tokyo, Londres et Berlin: aucun observatoire ne l'avait repéré. Le vaisseau descendait presque à la verticale. On avait calculé sa vitesse. En suivant sa courbe, il se poserait à onze heures dans un rayon de quinze kilomètres de la base.

Franklin se gratta la lèvre supérieure, ce qu'il faisait lorsqu'il était préoccupé. On avait donc une heure et quart pour identifier le vaisseau et entrer en communication avec lui. Ou, songeait le colonel, avec sa prudence militaire, pour se préparer à repousser l'attaque.

— Qu'on mette la base sur pied d'alerte, fit-il. Qu'on soit prêt à détruire les dossiers et les équipements. Il est fort possible que cet hypocrite de Djanzo nous ait annoncé l'arrivée du vaisseau pour détourner notre attention et qu'il s'agisse d'un navire asiate venu pour investir la base.

Sukhe Djanzo pensait la même chose: les Américains avaient décidé de déclencher les hostilités et l'équipe asiate à Sir James Ross serait la première victime. En occupant leur coupole, les Américains se feraient une excellente idée de l'état d'avancement de leur technologie scientifique. Il fit donc préparer les dispositifs d'auto-destruction de la coupole et donna l'ordre de mettre en marche les procédures d'évacuation.

À dix heures et demie, l'ingénieur Konrad Böckler, qui dirigeait l'équipe européenne, sollicita un entretien avec le colonel Franklin.

— Un vaisseau non identifié! Vous auriez dû m'avertir!

— Je ne voulais pas faire injure à vos services de détection, fit Lewis, en souriant.

Franklin se méfiait de Böckler: trop de savant russes travaillaient dans l'équipe européenne. On n'efface pas rapidement plus d'un siècle d'inimitié. Ce qui préoccupait Böckler, c'était que les Asiates avaient décidé de plier boutique. Deux de leurs avions étaient prêts à décoller. On ne pouvait observer ces manœuvres que de la coupole européenne.

— En échange de ce renseignement, j'espère que vous consentirez à m'expliquer ce qui se passe.

— Ce qui se passe? lança Lewis. Ce qui se passe, c'est que Djanzo nous prend pour des idiots. Tout ça, c'est une ruse. Il veut nous faire croire, jusqu'à la fin, qu'il ne s'agit pas d'un appareil asiate. Lieutenant Ferguson! Qu'on nous prépare un avion. Qu'on commence à embarquer les dossiers les plus importants. Qu'on dispose les canons de courte portée: nous ne nous rendrons pas facilement. Et vous, Konrad?

— Nous avons décidé de ne pas bouger. Nous ne sommes en guerre avec personne. Si on nous attaque, nous protesterons par les voies normales.

Vingt minutes plus tard, le lieutenant Ferguson invitait le colonel et Böckler à se rendre à la cabine supérieure, en haut de la coupole. Il montra du doigt un endroit dans le ciel. Le point, lumineux comme une grande étoile, traversait la barrière des nuages et grossissait à une vitesse extraordinaire, en traçant une ligne jaune dans les masses verdâtres du firmament. À cette distance, on ne pouvait pas évaluer le volume de la boule incandescente. On remarqua qu'elle ralentissait; donc, elle ne tombait pas en chute libre. Lewis était perplexe: les Asiates n'avaient jamais eu ce genre d'engin.

— Ils ont pu en fabriquer.

— Nous l'aurions su.

La boule, devenue très blanche, parut flotter, pendant trente secondes, puis se posa doucement sur le sol, à un kilomètre de la base. Il était exactement 23 heures, le lundi 20 avril 2043.

Le mardi 21 avril

À minuit, avec l'accord tacite du colonel Franklin, le lieutenant Ferguson prenait l'initiative de convoquer une rencontre au sommet. Pour ne blesser aucune susceptibilité, la réunion aurait lieu dans une salle de la quatrième coupole, rapidement aménagée pour l'événement. Il s'agissait de la première rencontre de ce genre depuis l'ouverture de la base.

À minuit et quart, Franklin, accompagné de deux collègues, dont Clémence Dumoulin, entrait dans la salle, suivi de près de Konrad Böckler et du commandant Sukhe Djanzo, chacun entouré de deux adjoints. Maya Golinsky s'y trouvait aussi, mais à l'écart, au cas où l'on aurait besoin de ses services, même si Jim Ferguson se débrouillait en russe. Ce dernier prit la parole.

— Mesdames, messieurs, j'ai pris la liberté de vous réunir, au nom de mon gouvernement, afin de traiter des circonstances exceptionnelles que nous connaissons depuis quelques heures, et qui dépassent peut-être le mandat de chacun. Je n'ai pas à vous rappeler que cette base a été mise au service de vos équipes respectives dans le but de poursuivre des recherches scientifiques dûment approuvées. La présence de... de cet engin n'a pas été mentionnée dans les programmes soumis à l'approbation du gouvernement canadien. La première question est donc la suivante: est-ce que l'un ou l'autre d'entre vous est en mesure d'identifier cet engin et d'expliquer sa présence, en contravention avec les directives qui régissent nos activités?

Il dévisagea les trois chefs d'équipe. Franklin prononça les mots que chacun pensait tout bas:

— Je suis prêt à prendre la responsabilité de ce nouveau domaine de recherches.

— Pouvez-vous identifier l'engin, expliquer sa provenance, justifier sa présence?

— Pas encore, admit Franklin, prudemment.

— Dans ce cas-là, colonel, fit Ferguson, votre offre me semble, pour l'instant, irrecevable, du moins à mon niveau. Les autorités canadiennes se réservent donc le droit de déterminer les modalités de l'étude de cet engin non identifié, conformément aux législations en vigueur concernant l'exercice de la souveraineté de l'État sur son territoire national.

Maintenant qu'il avait bien établi sa position, en suivant les instructions reçues trente minutes plus tôt après une série d'appels à Ottawa, il pouvait donner du lest.

— Notre position étant claire et, je le crois, bien acceptée, je veux m'adresser aux gens de science. Depuis une heure et demie, nous avons tous observé cet engin. Je suggère que nous combinions nos efforts. Il va de soi que je dois assumer la direction de toutes les opérations à l'extérieur de la base, mais je me propose de le faire dans un esprit collégial.

Quoique habitués à la plus haute rigueur scientifique, les participants ne pouvaient s'empêcher de discuter à bâtons rompus. Au bout d'une demi-heure de discussion, on avait établi que l'engin pouvait difficilement avoir une origine terrestre; qu'il s'agissait d'une sphère de trente mètres de diamètre, d'un métal inconnu, que les spectrographes et les échoscopes ne parvenaient pas à définir; qu'il ne semblait pas s'agir d'un appareil de guerre; qu'il n'émettait pas de radiations; qu'il pouvait être habité ou automatisé; qu'il pouvait s'agir d'un navire ou d'une sonde spatiale et qu'il avait sans doute été attiré par le pôle Nord magnétique.

— Nous avons repéré l'engin à une altitude de 27 000 mètres, mentionna Djanzo. Nous avons suivi sa trajectoire jusqu'à 12 000 mètres. Là, il a paru rebondir, pour descendre en pente aiguë jusqu'à l'endroit où il s'est échoué.

C'était intriguant: une sonde programmée n'aurait pas modifié ainsi son angle de pénétration. Par contre, un engin habité aurait évité de se poser près d'une base. Ou alors, ses occupants auraient déjà donné signe de vie.

— Je suppose, suggéra Böckler, en dissimulant son émotion sous une boutade, que les Extra-terrestres aussi peuvent connaître des avaries.

On entendit quelques soupirs de soulagement; enfin, quelqu'un avait osé évoquer explicitement la possibilité qu'il s'agisse d'Extra-terrestres.

— Si c'est le cas, murmura Djanzo, il faut se méfier. Ces... ces êtres pourraient attendre qu'on s'approche, et soudainement...

— C'est juste, fit Lewis. Mais si, comme le prétend notre ami Böckler, nos... nos visiteurs ont eu un accident, on devrait tenter de... de leur porter secours.

— Il faut agir avec précaution, réfléchit Ferguson. Admettons qu'il y ait, dans cet engin, des êtres qui ont besoin d'aide, et peut-être urgemment. Nous ne désirons pas endommager leur vaisseau, ni leur sembler hostiles. Nous devrons procéder lentement, en étant toujours prêts à cesser ou à ralentir nos opérations. Vous êtes les savants, les techniciens, les experts. Je suis à votre service, et j'attends vos propositions.

Encore une fois, il soulignait sa responsabilité globale. Après une heure de discussion, on avait élaboré un plan pour gagner accès à l'engin. Vers trois heures du matin, les trois équipes se mettaient en route, avec neuf véhicules chargés d'instruments de toute sorte, y compris des caméras.

La boule métallique, d'un superbe blanc chromé, brillait dans la nuit boréale qui étendait ses franges vertes sur la froide aridité de l'île Ellef Ringnes. Maya, comme bien d'autres, se sentait subjuguée par la beauté grandiose que dégageait la boule étrange. Était-ce vraiment possible? Pouvait-il s'agir enfin du premier contact indiscutable avec un objet manufacturé à l'extérieur de la Terre? Et, surtout, y avait-il des êtres vivants dans cette boule absolument polie, hermétique, dépourvue de hublots?

Böckler fut le premier à toucher la surface de l'engin, après que la lecture des instruments lui eut confirmé l'absence de radiation et la température du métal. On s'étonnait que la boule n'ait pas dévalé la plaine. Qu'est-ce qui la maintenait en équilibre? Elle devait être creuse, autrement sa masse l'obligerait à s'enfoncer. On ne remarquait aucune voie d'accès. Il faudrait donc percer cette croûte de métal solide et uniforme. Mais à quel endroit?

Franklin remarqua que le commandant Djanzo donnait un ordre à un de ses adjoints — un militaire trop jeune pour être un expert en quoi que ce soit, raisonna Lewis — qui se dirigea alors vers la coupole asiate. «Ce salaud trame quelque chose», songea le colonel. Il demanda à son aide de camp de s'assurer que toutes les mesures défensives demeuraient en vigueur, y compris celles d'évacuation. Ensuite, il s'approcha de Ferguson, qui échangeait quelques mots avec Böckler. Le chef mongol les rejoignit, un vague sourire dans les yeux.

— Allons-y, décida Ferguson. Mais lentement: donnons-leur une chance de nous faire signe.

L'assaut commençait. Il fallait s'arranger avec les moyens du bord, mais l'ingéniosité des savants avait fait des merveilles. Un escalier roulant permettait d'opérer à huit mètres de hauteur. On appliqua contre la paroi courbe une cabine plastique qui adhérait à la surface comme une ventouse. Quatre hommes, vêtus de scaphandres, pouvaient y manœuvrer facilement. On créa un vide dans le sas. Après plusieurs tentatives, on réussit à percer un trou de dix centimètres de rayon dans la paroi, à l'aide d'un fusil au maser dont on réglait progressivement la portée pour ne pas dépasser l'épaisseur de la couche métallique. On put voir contre le scaphandre de l'opérateur, le brusque jaillissement d'un coup de vent. La cabine était maintenant remplie des mêmes gaz que l'intérieur de l'engin. L'un des techniciens installa une caméra dans l'ouverture, tandis que les autres procédaient aux analyses.

— Alors? murmura Ferguson, la bouche collée au walkie-talkie.

— Je vois une pièce, le début d'un couloir, des panneaux d'instruments. Aucun mouvement. C'est bien éclairé. Je mesure 21 % d'oxygène, légèrement ozonisé, 78 % d'azote, 1 % de gaz carbonique. Pression à peine supérieure à la pression extérieure. Le biomètre indique zéro. Pas de microbes, de virus, de bactéries. Silence absolu.

— Attendons dix minutes, décida Ferguson.

Il fallait laisser aux habitants de l'engin, s'il y en avait, l'occasion de se manifester. Après ce délai, Ferguson donna l'ordre d'agrandir l'orifice de façon à ce qu'on puisse pénétrer dans l'engin. Entre-temps, le lieutenant et les trois chefs d'équipe, chacun accompagné d'un adjoint, revêtaient un scaphandre. Maya s'approcha de Jim:

— Je veux y aller, moi aussi.

— Impossible. Je n'ai accepté qu'un adjoint par équipe. C'est convenu ainsi. Tu y étais.

— Tu me dois au moins cela, fit-elle, en lui serrant le bras. Toi aussi, tu as droit à un adjoint. C'est la seule chose que je te demanderai jamais.

Même si leur expérience de cohabitation s'était soldée par un échec, elle l'avait quand même accompagné jusqu'à cette base perdue et avait vécu neuf mois avec lui dans des conditions très difficiles. Il hocha la tête. Dans l'excitation générale, personne ne discuterait sa décision.

— Merci, Jim, fit elle, les yeux brillants.

Elle revêtit un scaphandre. Ils étaient quatorze à s'être accoutrés ainsi: six d'entre eux resteraient dehors, en réserve. Les huit autres grimpèrent l'escalier. Les techniciens bloquèrent le hublot qu'ils avaient percé et s'employèrent à faciliter l'entrée des élus, qui s'introduisaient deux par deux dans le sas. Il fallait, à chaque fois, refaire le vide dans la cabine, aider les gens à se glisser dans l'engin, et recommencer.

Ferguson pénétra le premier, suivi de Maya. Il était impossible de distinguer qui était qui dans son scaphandre. Les experts avançaient lentement, autant en raison de leur émerveillement et de leur méconnaissance de l'endroit que du souci de rassurer les occupants, s'il y en avait.

La boule était divisée en trois étages, maintenus en équilibre horizontal. L'étage inférieur consistait en quatre pièces aux murs tapissés de panneaux lumineux, une immense mosaïque multicolore. Le second étage, dépourvu de cloisons intérieures, contenait des rangées d'équipements en hauteur faisant office de paravents, ce qui retarda l'exploration de l'endroit. Böckler s'attarda devant des écrans qui montraient les extérieurs du vaisseau. Donc, cette boule hermétique était dotée de senseurs qui permettaient d'observer et sans doute d'analyser l'environnement dans lequel on se déplaçait. Enfin, on trouva deux escaliers qui menaient à l'étage supérieur. Il s'agissait, visiblement, des pièces de séjour. Il y en avait au moins douze.

On était encore en train d'explorer les premières lorsque quelqu'un — Roger Vaudois, un chimiste suisse — rejoignit le groupe en faisant de grands gestes. On le suivit. Dans une pièce nue, tous assis à califourchon, on aperçut un groupe d'êtres, des humanoïdes, immobiles. Ils étaient sept, tous vêtus de longues tuniques soyeuses. Les premiers Extra-terrestres! Et ils étaient sept Terriens, car Böckler, fasciné par les équipements, était demeuré à l'étage en dessous.

— Aidez-moi, murmura Sikhe Djanzo en s'adressant à son voisin, qui s'avéra être le colonel Franklin.

Doucement, ils se saisirent de l'un des naufragés et l'allongèrent sur le sol, en commençant à tâter ses articulations. Maya s'approcha. Les yeux humides, elle regardait le visage de l'Extra-terrestre: le teint vert, très pâle, la peau légèrement velue, le poil plus fourni sur le crâne, les traits allongés, les oreilles à peine pointues, les paupières closes. «C'est vraiment un homme, songea-t-elle. Ou une femme, mais... Ils sont presque comme nous.»

Elle prit dans sa main le poignet de l'être immobile. Surtout, se calmer. Ne pas prendre ses propres frémissements pour ceux de l'autre.

— Il vit, fit-elle. Je le sens.

Franklin se redressa. Il hésita, puis sortit précipitamment. Ferguson s'accroupit à côté de Djanzo et palpa l'Extraterrestre.

— Il est étourdi. Mais il faut faire vite.

— Attention! On ne les connaît pas. Je vais appeler Goulnaï. Il est médecin.

Maya contemplait les autres étrangers. Tous semblaient dans le même état, assommés mais vivants. Elle croyait reconnaître trois hommes et trois femmes. Elle hésitait quant au sexe du septième.

Trois personnes en scaphandre arrivèrent. Franklin apportait des sacs munis d'un filtre. Il fallait emmener rapidement les rescapés à l'infirmerie pour leur faire subir un premier examen médical tout en les gardant à l'abri de l'atmosphère terrestre et de ses microbes. Une fois les sept patients dans leurs sacs protecteurs, les scaphandres devenaient inutiles.

— Mais... s'écria Franklin, en retirant son masque.

Ferguson ouvrit le sien. On pouvait enfin parler normalement.

— Ah, non! hurla le colonel. Regardez-les! Ils les emportent!

En effet, les Asiates embarquaient déjà quatre Extraterrestres dans leurs véhicules.

— Gardez les autres! ordonna Franklin. À l'avion, tout de suite! Évacuation!

— Messieurs, nous avions convenu... commença à dire Ferguson.

Personne ne l'écoutait. Sauf Böckler, qui protestait :

— Lieutenant, je trouve inadmissible...

— Vous n'aviez qu'à être ici, au lieu de perdre votre temps à regarder les machines.!

— Nous faisions équipe! Nous devions travailler ensemble!

— Eh bien! il est trop tard.

Un avion asiate décollait déjà. Presque aussitôt, l'avion américain faisait de même.

— Mais ça ne se passera pas comme ça, je le jure! lança Ferguson.

Et il se fit conduire à toute vitesse à la coupole.

Le mercredi 29 avril

Même s'il avait déjà commencé la seconde moitié de son terme, ayant été élu président des États-Unis à la fin de l'année 2040, et qu'il n'en fût pas à son premier séjour à Atlanta, Hamed Collinson n'aimait pas tenir une réunion du conseil dans cette ville. Dès sa jeunesse, il avait raccourci son prénom, Mohamed, afin de ne pas rappeler qu'il provenait d'une famille de musulmans noirs. Quand le conseil siégeait à Atlanta, il avait l'impression de souligner la couleur de sa peau. Par contre, il ne voulait pas se dérober à la tradition qui poussait le gouvernement à se réunir, tous les deux ou trois mois, dans les différentes régions du pays.

Collinson avait toujours évité de se présenter comme noir ou comme musulman, d'autant plus qu'il se sentait parfaitement athée. Il se considérait comme un citoyen moyen que le goût de la politique et un peu de chance avaient conduit au poste suprême de son pays. Il frémissait lorsque Gouri, le président du Magéria, lui écrivait: «Monsieur le Président et cher frère», à la mode africaine. Il s'irritait lorsqu'on le qualifiait de premier président sudiste depuis vingt ans. Toutefois, même à son corps défendant, Collinson était avant tout l'élu des minorités. Sa campagne contre son prédécesseur, qui représentait les grands intérêts industriels et financiers, avait été bâtie autour de slogans tels que: «Faisons place à l'Amérique moyenne», «Votons pour le candidat des classes moyennes», «Hamed Collinson: un homme comme vous, un président pour tous.» Ce style de propagande lui avait attiré le vote des grandes minorités: musulmans et bouddhistes, homosexuels et polygames, *Chicanos* et Vietnamiens, chômeurs et travailleurs saisonniers, rentiers et assistés sociaux. Tous les marginaux sympathisaient avec lui. À la veille d'une année pré-électorale, son indice de popularité lui garantissait déjà une réélection facile.

La réunion se tenait à la Maison Verte, un grand manoir de style colonial, le toit couvert de tuiles vertes, situé dans un quadrilatère de deux cents mètres de côté, une énorme surface plane, bien gazonnée et bordée d'arbres. Collinson, selon son habitude, prenait un jus d'orange, seul, sur la véranda, avant le début de la réunion, afin de se rafraîchir les idées. Embrumés, à deux kilomètres de là, les premiers gratte-ciel d'Atlanta appartenaient à un autre monde. Hamed Collinson n'aimait pas les grandes villes. La tranquillité de la maison, avec son vaste jardin, l'aidait à supporter les quelques jours qu'il y passait.

Il regarda, l'air fatigué, les groupes de sentinelles qui circulaient derrière les arbres. Un autre avantage de la Maison Verte, c'est qu'il n'avait rien à y craindre. L'isolement de la maison décourageait aussi bien les assassins solitaires que les dizaines de groupes extrémistes dont il subissait constamment la menace, tout simplement parce qu'il était le président du pays le plus puissant. Le plus puissant, mais pour combien de temps? La réunion de cet après-midi éclairerait un peu cette question. Collinson se leva et entra dans la maison. Quelques gardes le saluèrent. Il hocha la tête, toujours cordial, et pénétra dans la salle de conférence, où l'attendaient une douzaine de ses collaborateurs.

— Mesdames, messieurs, aujourd'hui, nous parlons de sécurité. Vous avez vu l'ordre du jour, vous avez lu les documents, je ne les répéterai pas. Je dirai seulement ceci: en dix ans, l'Union asiate s'est consolidée au point de menacer sérieusement l'Alliance des pays du Pacifique. Celle-ci est notre première ligne de défense. Nous devons éviter que l'Alliance ne s'affaiblisse, et nous devons éviter que les Asiates ne marquent d'autres points. Je suis très préoccupé par les événements des derniers mois. Là, je cède la parole à Mme Irving.

Cynthia Irving dirigeait depuis dix-sept ans l'agence nationale de sécurité. Elle connaissait la situation internationale mieux que tous les membres du gouvernement, y compris le secrétaire d'État chargé des affaires étrangères. Elle pouvait faire l'inventaire des forces armées et des équipements militaires de tous les pays du monde, en décrivant dans le détail leurs positions, leurs points forts, leurs faiblesses. On la craignait, car son réseau d'espionnage agissait dans le pays comme à l'étranger. On respectait la stratège incomparable, efficace et précise. Cependant, elle ne donnait sa pleine mesure que dans son bureau. Elle n'aimait pas côtoyer les gens et parlait très peu, même dans les réunions du conseil. Son intervention s'avéra d'un laconisme exemplaire:

— Depuis trois semaines, les Asiates ont eu plusieurs contacts, à un niveau élevé, avec les Magérians, avec les Brésiliens et avec les Indonésiens.

C'était tout, et cela suffisait à imposer un silence lourd dans la salle. Peu de nouvelles auraient pu être plus inquiétantes. Si ces trois pays, encore neutres, penchaient du côté asiate, l'équilibre mondial en serait affecté, et pas dans le meilleur intérêt des États-Unis.

— Bob, fit Collinson, en s'adressant au secrétaire d'État, je crois qu'il est temps que tu ailles faire un tour au Brésil et au Magéria. Mais d'abord, tu trouveras moyen de... tu sais... quelques troubles ici et là, de sorte qu'ils se sentent vulnérables. Les trois quarts de leur équipement militaire viennent de chez nous. Les Asiates ne seront pas en mesure de prendre la relève assez vite.

— Très bien, monsieur le président. Et l'Indonésie?

— Je m'en occuperai, soupira Collinson. J'inviterai Suwono. S'il flirte avec les Asiates, ce n'est pas parce qu'il les aime. Il veut nous forcer la main sur la question des pêches.

L'Indonésie, membre éventuel de l'Alliance pacifique, valait d'être traitée avec des gants blancs. Bob Danburg, le secrétaire d'État, reprit la parole. Ce qu'il allait dire, Cynthia Irving le savait sans doute, mais elle n'avait pas jugé utile de le mentionner. Il avait là une occasion de démontrer au président qu'il connaissait quand même son métier, tout en rappelant à sa collègue que les affaires étrangères, c'était son domaine.

— Valine, fit-il, n'a jamais vraiment accepté la scission de l'Union soviétique.

Valine était le commandant militaire suprême de l'Union asiate. Il avait appuyé Moljoïkan quand ce dernier s'était soulevé contre Golonov, le dernier président de l'Union soviétique, qui avait repris, dans un instant d'égarement, le titre de tsar de toutes les Russies. Mais Valine avait espéré que Moljoïkan remplacerait Golonov, tout simplement, au lieu de créer l'Union asiate à partir des républiques à l'est de l'Oural, en y ajoutant quelques autres pays limitrophes.

— Je sais, poursuivit Danburg, que Valine est en train de sonder quelques-uns de ses anciens collaborateurs au sujet d'une éventuelle réunification.

— Il ne faut surtout pas, fit Collinson, que les Russes et les Asiates se réconcilient. Surtout pas!

— Nous y veillons, intervint Irving. C'est pour cela que nous avons systématiquement poussé les Européens à resserrer leurs liens avec la Russie. Les intérêts de la Russie sont maintenant à l'ouest. Et les Européens se méfieront toujours des Asiates.

— Gengis Khan a bien failli prendre l'Europe, riposta Danburg.

— Cynthia, Bob, arrangez-vous, prenez toutes les mesures nécessaires, mais il nous faut l'Europe comme zone de sécurité. L'union russo-européenne nous convient, mais une union euro-asiate serait... insupportable.

Le secrétaire à la Défense rappela qu'on pouvait assener un coup très dur aux Asiates. Depuis six ans, les armées asiates et chinoises se faisaient face au sud de la Mongolie. De type traditionnel, cette guerre avait déjà fait six cent mille morts mais demeurait localisée, sans engager l'Alliance pacifique, même si la Chine en était membre.

— Pékin nous demande trente missiles Z9. Acceptons. Les Chinois les équiperont d'ogives atomiques de courte portée, à notre insu, évidemment, et ils balaieront le tiers de l'armée asiate.

La proposition présentait de sérieux dangers. Personne n'avait utilisé d'armes nucléaires depuis un siècle.

— Et ensuite? demanda Cynthia Irving.

Elle vit qu'on ne comprenait pas. Elle ajouta:

— Les Asiates perdent, les Chinois l'emportent. Et alors?

Hamed Collinson sourit. Vraiment, Cynthia était extraordinaire.

— Bien sûr, fit-il. Il ne faut pas que les Chinois gagnent. S'ils occupent l'Union asiate, ils découvriront que c'est trop gros. Ils s'affaibliront, et ils affaibliront l'Alliance. Et s'ils ne s'affaiblissent pas, ils auront créé un empire asiate deux fois plus puissant que le présent. Il faut faire durer cette guerre. Si Pékin veut des Z9, qu'il les demande au sein du conseil de l'Alliance. Et la réponse sera négative. C'est tout?

Personne ne bougeait. Il appuya sur un bouton. Trente secondes plus tard, on apportait du café, du thé, de la bière, des rafraîchissements. Après quinze minutes de bavardage, Collinson aborda le second point à l'ordre du jour.

— Maintenant, quittons un peu nos problèmes terrestres. Je dois vous faire part d'un événement rare, encore très secret, mais qui ne le restera pas longtemps.

Irving et Danburg étaient déjà au courant. Les autres décachetèrent les enveloppes qu'on venait de leur remettre. Le président sourit devant la stupéfaction et l'incrédulité qui gagnaient les visages.

— Il ne s'agit pas d'une blague ni d'un truquage. Il y a neuf jours, un vaisseau s'est échoué dans l'Arctique, avec les sept passagers que vous voyez sur ces photos. La question n'est plus: Y a-t-il des Extra-terrestres? mais: Qu'en ferons-nous? Leur vaisseau a atterri en territoire canadien, près d'une base utilisée par nos savants, mais aussi par des Européens et des Asiates. C'était la nuit du 20 au 21 avril. Je ferai circuler un rapport détaillé à ce sujet. Les Asiates en ont profité pour s'emparer de quatre des Extra-terrestres. Le gouvernement canadien s'apprête à loger une plainte pour kidnapping auprès de la Cour internationale de justice. Mais est-ce que nos traités protègent les Extra-terrestres? De toute façon, les Asiates ne bougeront pas. Ils ont l'esprit juridique, ils feront traîner l'affaire. Voici notre premier problème.

Collinson ressemblait à un hypnotiseur face à une salle subjuguée.

— Je continue. Le colonel Franklin, un Américain, a immédiatement fait embarquer les trois autres sur un avion à destination de l'Alaska. Les autorités canadiennes ont forcé l'avion à changer de cap et à atterrir à la base militaire d'Inowa, au nord du Québec. Dans les circonstances, il a fallu respecter la souveraineté de nos voisins. Les Canadiens me font savoir que nos trois visiteurs ne quitteront pas la base d'Inowa avant d'être en mesure de le décider eux-mêmes. Deuxième problème. Les trois Extra-terrestres sont encore sous état de choc. On les nourrit par intraveineuse. Une équipe de nos meilleurs médecins se trouve à leur chevet. On me dit que ça va mieux, on les réanimera sans doute d'ici quelques jours, mais ça leur prendra un mois avant d'être immunisés contre nos microbes. Ensuite, il faudra les familiariser avec... avec la Terre. Plusieurs mois s'écouleront donc avant que nous puissions vraiment commencer à avoir... des échanges avec eux. C'est notre troisième problème

Il regarda ses collègues. Il ne les aurait jamais crus capables de garder un silence aussi profond.

— Évidemment, poursuivit-il, même sous le sceau du secret, les savants se sont abouchés avec leurs autorités respectives. Les Japonais et les Européens m'ont fait parvenir des requêtes formelles pour disposer chacun, pour fins d'étude, d'un Extra-terrestre. Les Japonais sont nos alliés et nous

30

devons ménager les Européens. En attendant, j'ai transmis leurs demandes aux autorités canadiennes, qui les mettront en veilleuse. On gagne du temps, mais les Japonais et les Européens sont coriaces et persistants. Je ne veux ni leur céder, ni leur déplaire. C'est notre quatrième problème. Et voici le cinquième: devons-nous convaincre nos amis du Nord de nous laisser le leadership des opérations, et alors leur donner quelque chose en échange, ou est-il dans notre intérêt de leur laisser contrôler ce premier contact avec nos visiteurs? Je vous laisse réfléchir à ces questions, et nous reprendrons la séance dans quinze minutes.

Il se leva. Lui aussi, il voulait s'aérer les idées. Non seulement il n'aimait pas les salles climatisées, mais il devait se ménager, après l'implantation récente d'une nouvelle capsule de plutonium 238 dans le cœur artificiel qu'il portait depuis ses quarante ans. Flanqué de trois de ses collaborateurs, il sortit sur la terrasse. Vraiment, quelle belle journée, chaude et lumineuse, comme il les aimait! Il respira profondément en admirant les fleurs qui poussaient contre le mur.

— Tiens, qu'est-ce que c'est?

Deux taches bleues bougeaient légèrement sur le mur, au-dessus des fleurs. Des papillons? Non, il s'agissait de cercles de couleur, gros comme des pièces de monnaie. Il s'en approcha, suivi de ses collaborateurs, également intrigués.

On ne voyait plus les taches.

L'un de ses adjoints les repéra bientôt. Le président s'était simplement interposé entre le mur et leur source: les deux points bleus restaient posés sur lui, l'un sur la cuisse gauche et l'autre sur son dos.

Collinson poussa un cri, et s'affaissa, le visage tordu.

On se précipita à son secours. Deux balles venaient de le frapper, à l'endroit indiqué par chaque tache.

Hamed Collinson, les mâchoires serrées, murmura:

— Incompétents... Peuvent même pas viser juste...

Et il perdit connaissance.

Le samedi 13 juin

Le commandant Bourgault souhaita la bienvenue à Maya. Il accueillait rarement des civils à la base d'Inowa, mais la présence des Extra-terrestres changeait bien des habitudes.

— On vous a sans doute dit que cette base, sans être inutile, ne joue pas un rôle important dans notre système de défense. Nous n'avons donc jamais bénéficié d'une grande générosité budgétaire, et vous trouverez l'endroit plutôt austère.

— Tant mieux: je pourrai faire mon travail sans distractions, dit Maya, en souriant.

Bourgault commençait à éprouver une affection paternelle pour cette jeune femme de trente-deux ans qui s'était portée volontaire pour passer quelques mois dans ce coin inhospitalier. Elle semblait de disposition facile et sûre d'elle-même, deux qualités que le commandant appréciait vivement.

— On a quand même un gymnase, un bar, une salle de jeux et toute la quincaillerie électronique d'usage courant. Les effectifs de la base, y compris les recrues à l'entraînement, se chiffrent à quatre-vingts personnes, plus leurs familles et, maintenant, nos trois «invités» et les spécialistes qui s'en occupent. Vous pourrez avoir une vie sociale raisonnablement satisfaisante.

— Vous voulez dire, commandant, fit Maya, absolument sérieuse, que sur le tas, j'ai une chance de me trouver un amoureux?

— Euh... C'est-à-dire... Enfin, le tiers des effectifs est composé de femmes. Je pensais à des compagnes, des amies... Bien sûr, il y a des hommes célibataires...

— Commandant, je viens ici pour travailler et j'ai l'intention d'y consacrer tout mon temps. J'ai aussi étudié les règlements de discipline. Je porterai même l'uniforme durant la journée.

— Maya — vous permettez que je vous appelle Maya? —, vous me plaisez. Je suis sûr que vous vous acclimaterez fort bien à Inowa. Venez donc, nous allons déjeuner.

Maya Golinsky avait réussi à se faire affecter à la base d'Inowa grâce à Jim Ferguson, son ancien amant. Celui-ci avait envoyé à ses supérieurs un rapport détaillé des événements du 20 et du 21 avril. Le document avait été longuement étudié. On avait discrètement interrogé Maya à son sujet, vu qu'elle avait été le seul témoin canadien d'une bonne partie de ces péripéties. On en avait conclu que, dans les circonstances, Ferguson avait fait preuve d'une excellente initiative en assumant la direction des opérations et d'un jugement solide et rapide en prenant les mesures nécessaires pour empêcher l'évacuation des trois Extra-terrestres hors du territoire canadien. On avait estimé que l'enlèvement des quatre autres par l'équipe asiate ne découlait nullement d'une négligence de sa part. Il avait été convoqué à Ottawa, où il avait eu une courte entrevue avec son supérieur immédiat: «Lieutenant Ferguson, nous avons lu votre rapport. Et nous vous en remercions, *capitaine* Ferguson.» Ayant appris, par la suite, l'importance qu'on avait accordée au témoignage de Maya dans sa promotion, il avait plaidé, lors d'une réunion, pour que celle-ci soit intégrée à l'équipe qui devrait s'occuper des Extra-terrestres. Il fallait absolument compter sur quelqu'un qui puisse apprendre la langue des visiteurs et Maya Golinsky, ethnolinguiste et polyglotte, remplissait amplement les exigences du poste. Comme on voulait éviter d'élargir le cercle des gens au courant de ces événements, et cédant aussi à la facilité, on avait finalement accepté la recommandation de Ferguson. Pour ce dernier, il s'agissait non seulement d'un échange de bons procédés, mais d'un splendide cadeau d'adieu, dont Maya lui était infiniment reconnaissante.

Après avoir passé plus d'une semaine dans un état comateux, les Extra-terrestres avaient finalement été réanimés le 29 avril, le jour même de l'attentat contre le président Collinson. La première ministre du Canada, la très honorable Aurélia David, annonça la nouvelle à la Chambre des communes et au monde entier :

«Dans la nuit du 20 avril 2043, un vaisseau spatial s'est échoué sur l'île Ellef Ringnes. Il était occupé par sept personnes d'origine extra-terrestre, dont des photographies seront distribuées à la presse à la fin de cette séance. Je regrette d'annoncer que, en contravention flagrante avec le principe du respect des frontières, quatre d'entre eux ont été kidnappés par des ressortissants asiates dans des circonstances qui feront l'objet d'un communiqué distinct et d'une plainte formelle auprès de la Cour internationale de justice. Je suis heureuse, par contre, d'annoncer que les trois autres sont toujours en territoire canadien, dans un endroit que des raisons de sécurité m'empêchent encore de révéler. Je suis également heureuse d'annoncer que, après le choc de leur arrivée, dont les effets nous ont fait craindre pour leur santé et même leur vie, ils sont déjà en bonne voie de rétablissement. Vous comprendrez cependant que nos invités, car nous les considérons comme tels, auront besoin de longues semaines, et même de plusieurs mois, avant d'être en mesure de faire face à quelque public que ce soit. Je vous tiendrai au courant, une fois par mois, de leur état de santé et de l'évolution de la situation. Je voudrais toutefois saisir cette occasion pour leur souhaiter, au nom de mon gouvernement, au nom du peuple canadien et au nom de tous les habitants de la Terre,

notre plus chaleureuse bienvenue. J'espère qu'ils seront bientôt en mesure d'apprécier les sentiments de joie et de fraternité que nous éprouvons à leur égard. Enfin, je voudrais souligner notre ferme volonté d'assumer toute la responsabilité de leur bien-être et de nous montrer à la hauteur de la situation, pour que cet événement capital dans l'histoire de l'humanité soit un événement heureux.»

En apprenant que les Extra-terrestres se rétablissaient et resteraient plusieurs mois sous observation, Maya avait décidé que sa place serait auprès d'eux. Même si l'amour qui l'avait conduite à accompagner Jim à la base Sir James Ross s'était effrité et désintégré, elle avait toujours beaucoup d'amitié pour lui et elle lui avait tout naturellement fait part de ce souhait profond, qu'il avait réussi à combler. Les procédures avaient quand même pris plusieurs semaines, et sa nomination n'avait été confirmée qu'au début de juin. Mais, enfin, elle était arrivée à la base d'Inowa et, après le déjeuner, elle allait enfin rencontrer les Extra-terrestres.

— Vous avez parlé de discipline, lui rappela le commandant, durant le repas, et vous aviez raison. Je n'en suis pas maniaque, mais c'est une exigence du métier. Dans ce cas en particulier, car, je ne vous le cache pas, la sécurité de nos invités est vraiment menacée. Je suis responsable de leur protection, et même si je ne voulais pas qu'ils prennent la base pour une prison, je compte sur vous pour m'aider à veiller sur eux. Après tout, pendant quelque temps, c'est avec vous qu'ils auront le plus de contacts personnels.

Le commandant avait l'air tellement affable, et son accueil tellement dégagé, que Maya éprouvait quelque mal à comprendre cette insistance sur la sécurité des Extra-terrestres. Qui pouvait bien les menacer? Et pourquoi?

— Tout le monde veut accueillir des Extra-terrestres! Les Japonais invoquent le traité de solidarité scientifique de l'Alliance, par lequel nous nous engageons à mettre en commun certains domaines de recherche, et les Européens s'appuient sur des accords d'échanges scientifiques que nous n'avons pas dénoncés malgré l'effondrement de l'Alliance atlantique. Les pourparlers ont été interrompus par l'attentat contre le Président Collinson, mais ils reprendront. Cependant, vous savez combien les Japonais et les Européens sont tenaces. Et puis, entre vous et moi, je ne vous cache pas que les Américains sont très irrités par notre attitude. Si quelqu'un enlevait nos invités, ils seraient fort bien reçus par nos amis, et nous aurions du mal à les récupérer.

Maya baissa les yeux. Elle trouvait cela tellement triste, que ces visiteurs d'un autre monde fassent l'objet d'une concurrence scientifique! Cela n'avait pourtant rien d'étonnant, et elle comprenait très bien la réaction des Asiates, la nuit de l'arrivée des Extra-terrestres : s'ils venaient, comme on pouvait le supporter, d'une civilisation plus évoluée, le pays qui bénéficierait de leur collaboration pourrait prendre une bonne longueur d'avance sur les autres, tant dans le domaine industriel que militaire. Depuis un mois et demi, on étudiait leur vaisseau à la loupe. Les Asiates, sentant bien que l'accès à l'engin leur aurait été refusé, s'étaient immédiatement rabattus sur l'équipage.

— Et ce n'est pas tout, Maya. Ceux que je crains le plus, ce sont les commandos afghans. Nous venons d'avoir une autre preuve de leur efficacité. Ils sont toujours en quête de publicité, et nous savons qu'ils ont au moins examiné la possibilité d'enlever les Extra-terrestres, pour des fins qui leur sont propres.

Quelques instants après l'attentat contre Collinson, on avait pratiquement immobilisé la ville d'Atlanta. Les services de sécurité avaient rapidement identifié l'immeuble d'où on avait tiré sur le président, en projetant sur la véranda de la Maison Verte les rayons laser, à une distance de deux kilomètres. Les balles, lancées depuis un pavillon de banlieue en direction de la maison et munies de mini-ordinateurs, avaient frappé leur cible aux endroits précis où elle interceptait les rayons. Une des balles avait explosé dans la cuisse du président, en fracturant le fémur ; l'autre lui avait perforé le poumon gauche sans éclater. Son cœur artificiel, en continuant à fonctionner, avait contribué à lui sauver la vie. C'étaient quand même des blessures sérieuses, et la convalescence du président se prolongerait encore un mois ou deux.

Comme toute circulation de personnes et de voitures avait été rigoureusement arrêtée, on avait réussi à mettre la main sur les coupables, dont le procès allait commencer à l'automne. Il s'agissait d'un commando afghan. Ces commandos représentaient une des menaces les plus sérieuses à la sécurité, non pas en raison de leur nombre ni de leurs objectifs, mais à cause de leur exaspérante efficacité. Apparus au début du siècle, ils s'attaquaient exclusivement aux Russes, pour venger l'occupation de leur territoire vingt-cinq ans plus tôt, et aux Américains, qu'ils accusaient de les avoir abandonnés, ce que bien des historiens contestaient. Même si l'Afghanistan faisait désormais partie de l'Union asiate, les commandos, composés depuis toujours de déracinés et d'enfants de déracinés, continuaient à assassiner, régulièrement, des personnalités russes et américaines. C'était la première fois, cependant, qu'ils frappaient à un si haut niveau, ce qui témoignait de leur dangereuse vitalité.

— Quant à nos invités... Vous les avez déjà vus, à leur arrivée. Moi, on m'a réveillé en pleine nuit pour mettre en marche les procédures d'accueil. Ils ont passé près de deux semaines dans la salle de réanimation, puis quinze jours sous soins intensifs. Je n'ai jamais vu autant de médecins et de spécialistes de toute ma vie. Quand on racontera cela, ça prendra dix volumes et ça donnera un exemple remarquable de notre science médicale. Depuis un mois, ils sont logés dans des appartements. Même là, ils sont sous observation vingt-quatre heures sur vingt-quatre. Microphones, caméras... Tout ce qu'ils font et tout ce qu'ils disent, même si nous ne le comprenons pas, est enregistré. Vous y aurez accès.

— C'est-à-dire, s'exclama la jeune femme, que même dans leur intimité...?

— Que voulez-vous? C'est cela, une surveillance maximale.

— Je trouve cela... immoral.

Bourgault réfléchit. Décidément, cette femme-là faisait preuve d'un bon sens qui lui plaisait.

— Vous avez raison. Nous commencerons à les traiter vraiment comme nos invités. Moi non plus, je n'aimerais pas qu'on me filme aux toilettes ou dans ma vie sexuelle.

— Parce que... ils en ont?

— Mais oui, mais oui. Plus je les connais, plus j'ai l'impression qu'ils sont... comme nous. Des êtres humains à la peau verte. Oh! il y a d'autres différences. Je vous passerai quelques dossiers. Ainsi, il n'ont pas... comment on l'appelle... d'appendice vermiforme. Leur cœur est plus petit que le nôtre. Ils ont six doigts et six orteils, et ceux-ci sont un peu palmés. Ils mesurent entre un mètre quatre-vingts et deux mètres de hauteur, et leur poids est pareillement plus élevé que le nôtre, mais peut être sommes-nous tombés sur des gens particulièrement bien bâtis. La femme a des menstruations, mais on en ignore encore la... la périodicité. Leur température moyenne est de 33,8°C, et leur rythme cardiaque est le tiers du nôtre. Enfin, vous lirez cela vous-mêmes.

— Mais comment sont-ils, comme personnes?

Le commandant vida son verre de vin. Son métier l'avait entraîné à juger les gens rapidement et bien, mais ce qu'il pouvait dire des visiteurs était bien maigre.

— Je les trouve dociles et laconiques. Même entre eux, ils ne bavardent pas longtemps. À moins que leur langage soit... comment dirais-je... très concentré. Ça vous prendra combien de temps à apprendre leur langue?

Maya éclata de rire.

— Comment le savoir? Il me faudra apprendre les sons, les comprendre, découvrir la structure de leur langue, leur grammaire, les mots. S'ils coopèrent, s'ils m'aident, dans un mois ou deux, je commencerai peut-être à me débrouiller. Mais apprendre leur langue, ça prendra six mois, un an, deux ans, je l'ignore.

— Eux, ils font des progrès remarquables. Vous savez qu'on a convenu de leur enseigner l'anglais. Le professeur Paul Orwell s'occupe d'eux depuis deux mois. Ils connaissent et utilisent déjà un nombre impressionnant de mots. Orwell dit qu'ils ont maîtrisé un vocabulaire de base pour les choses essentiels. En quinze jours! Il n'y a pas à dire, ils sont intelligents.

— Qu'est-ce qu'ils font toute la journée, à part leurs cours?

— Ils regardent la télévision. Oui, beaucoup. On leur montre surtout des films, des documentaires. Pour les familiariser avec la Terre, quoi! On a commencé à adapter pour eux des films pédagogiques, pour qu'ils se rendent compte de l'état de nos connaissances. Il y a, bien sûr, tous les films que leur fait passer Orwell pour leur enseigner le nom des choses. Souvent, ils restent à la fenêtre, à regarder la base et les environs. On leur a fourni des jumelles. Mais ils ne sortent pas encore. Mais venez, nous allons les rencontrer.

Ils traversèrent la cafétéria et s'engagèrent dans un long corridor qui traversait l'immeuble central de la base. Après avoir passé deux postes de sécurité, ils prirent un ascenseur jusqu'à la section des appartements. Un garde les fit entrer. Ils suivirent un couloir, et se trouvèrent devant une porte. Le commandant cogna poliment, et entra. À l'autre extrémité du salon, près de la fenêtre, les Extra-terrestres, que le bruit avait alertés, les regardaient. Bourgault avança de quelques pas, et attendit. Les trois invités s'approchèrent. Il les salua, cordialement.

— Bonjour... commandant... lui répondit-on d'une voix ferme, quoique en cherchant les mots.

Au moins, pensa Maya, on avait pris la peine de leur enseigner les civilités.

— Voici Maya, fit le commandant, qui, pour simplifier avait décidé de ne pas ajouter le nom de famille de la jeune femme. Maya est venue ici pour vous connaître.

Il parlait lentement, en détachant les mots et en faisant des gestes qui illustraient ses paroles. Après les présentations, comme convenu au préalable avec Maya, il quitta la pièce.

La jeune femme regarda les trois Extra-terrestres, qui la dévisageaient avec autant de curiosité que de calme. Contrairement à ce qu'elle avait cru la première fois, c'étaient les hommes qui avaient les lèvres plus charnues et les traits arrondis, tandis que la femme arborait des lèvres minces et un visage un peu allongé. La femme s'appelait Jinik. Elle gardait une expression douce mais déterminée, avec un regard perçant. Le plus robuste des hommes, Vlakoda, avait presque l'air de s'amuser. L'autre, Garou, plus svelte et plus haut, dégageait une tranquillité qu'on aurait pu prendre pour de l'indifférence s'il n'avait pas eu des yeux aussi vivants.

Elle les contempla, l'un après l'autre, en souriant. En suivant le commandant, elle s'était rendue près des fauteuils. Elle s'assit. Les trois autres firent de même, en pliant les genoux comme les Orientaux. Maya, qui avait fait du yoga, les imita. Les invités, ravis, semblèrent apprécier le geste.

Elle montra la fenêtre du doigt.

— C'est un bel après-midi.

— Oui-oui, fit Jinik.

— Je suis contente.

Vlakoda avança le buste et dit, clairement :

— Vous... aimez... faire l'amour... après-midi?

Décontenancée, elle regarda ses compagnons. Aucun d'eux n'avait bronché. Décidément, le commandant avait raison : les visiteurs maîtrisaient le vocabulaire des choses essentielles. Elle interrogerait cependant le professeur Orwell à ce sujet, pour essayer de se faire une idée du champ de curiosité des visiteurs.

Vlakoda la regardait toujours. Il attendait une réponse. Il fallait répondre.

— Nous en reparlerons plus tard, fit-elle, doucement et sans sourciller.

Pourvu qu'il ne soit pas froissé! Mais non, il semblait plutôt perplexe.

— Pourquoi... plus tard?

— Aujourd'hui, nous faisons connaissance.

Jinik et Garou approuvèrent, en hochant la tête. Vlakoda demeurait absolument étonné. Plus tard, Maya apprendrait que Vlakoda voulait justement *faire connaissance* et lui souhaiter la bienvenue, d'où sa perplexité devant sa réaction.

— Je suis contente d'être ici avec vous.

Garou se leva et se dirigea vers elle. Elle attendit, prête à tout, en gardant cependant le sourire. Il posa la main sur son bras, puis retourna à son fauteuil.

— Nous... contents... toi... être ici.

Le mardi 21 juillet

La prison de Tachkent, construite au début du siècle, était un des édifices les plus impressionnants de la capitale de l'Union asiate: une puissante forteresse, un énorme bloc de béton et de métal aux façades noires, dépourvues de fenêtres. Sa réputation était à la mesure de sa beauté sinistre. Elle avait toujours abrité des prisonniers politiques, y compris, à l'occasion, des espions étrangers qui avaient eu le malheur de survivre à leur arrestation. Au début de mai de l'an 2043, tous les détenus avaient été évacués et remplacés par une centaine d'experts pourvus des équipements les plus avancés. La Tour Noire, comme on l'appelait, avait été transformée en un vaste laboratoire polyvalent. Les savants, les chercheurs et les techniciens, ainsi que les services administratifs, occupaient les quatre étages inférieurs. Le cinquième était réservé à la machinerie, y compris les salles d'informatique. Le sixième et le huitième servaient de barrières de sécurité, patrouillés par des sentinelles armées. Le septième était également occupé par des militaires, à l'exception d'un noyau central où l'on avait aménagé les appartements des quatre Extra-terrestres.

Leur présence en territoire asiate était un des secrets les mieux gardés. On aurait pu identifier les personnes qui comptaient dans la structure du pouvoir en se basant simplement sur la connaissance qu'ils en avaient. Parmi ces quelque cinquante personnes, pas plus de dix savaient qu'ils résidaient à la Tour Noire. Ces chiffres, évidemment, excluaient les cher-

42

cheurs et le personnel de la Tour, dont le courrier et les appels étaient sévèrement censurés afin d'empêcher toute fuite de renseignements.

Le maréchal Valine, qui s'était réservé la responsabilité exclusive de ce dossier, triait parcimonieusement les informations qu'il relayait au président Moljoïkan et à quelques collègues au sein de l'équipe gouvernementale. Il avait tout de suite compris qu'il tenait là une carte précieuse, dont il devait maximiser la valeur pour la jouer au moment opportun. Car Valine n'avait pas que des amis. Chef de l'état-major asiate, il contrôlait de façon absolue les forces armées de l'Union. Cependant, ses origines russes le privaient d'une authentique base politique. Moljoïkan avait besoin de la brutalité efficace de Valine pour asseoir son pouvoir, mais les relations entre les deux hommes contenaient une bonne part de méfiance réciproque.

Solitaire et prudent, Valine préférait diriger de son bureau la plus grande armée de la terre: sept millions de soldats bien équipés, solidement entraînés, toujours tenus en alerte ou engagés sur des terrains de combat en Mongolie, au sud du Pakistan, à la frontière de l'Arabie ou encore dans quelques régions de l'Oural. Protégé par une garde personnelle compétente et dévouée, Valine quittait rarement son quartier général. Doué d'une insatiable gourmandise de bon vivant, il aimait la compagnie féminine avec un appétit légendaire. Il irradiait un charme magnétique indéniable et n'hésitait guère à en abuser, ce dont personne ne se plaignait. La guerre de sécession avait duré deux ans et entraîné la mort de trois millions de personnes. Si Moljoïkan avait pu fonder l'Union asiate, c'était grâce à l'éminent stratège qu'était le maréchal Valine. Sensible à toutes les tensions et rivalités internes, ce dernier savait les utiliser pour consolider le pouvoir central.

Il avait suivi de près le rétablissement des Extra-terrestres et leur évolution au cours des mois suivants. Croyant le moment propice, il avait décidé de prendre enfin contact avec eux. C'est dans ce but qu'il avait convoqué la générale Jogaï. Responsable des opérations à la Tour Noire, Djan Jogaï était une femme extrêmement belle et d'une intelligence exceptionnelle. Déjà impressionné par ses compétences militaires, Valine avait fait de Djan une de ses maîtresses régulières. Même si un grand nombre de femmes, et de femmes très jeunes, partageaient le lit du maréchal, celui-ci n'entretenait de rapports profonds et continus qu'avec quelques femmes qui, comme la générale Jogaï, avaient environ quarante ans.

— Alors, générale, vos progrès en linguistique?

— Je suis en mesure de tenir une conversation acceptable en «tchouhio». Cela signifie «langage». Il n'y a qu'une seule langue dans leur monde.

— Êtes-vous la meilleure, Djan? demanda-t-il, avec un léger sourire non dépourvu d'affection.

Il avait ordonné que douze Asiates apprennent la langue des Extra-terrestres.

— Je la suis, avec le professeur Chiang.

Ils s'installèrent dans le véhicule blindé. On avait dégagé la voie entre le quartier général et la Tour Noire. Valine aimait bien ce trajet, la traversée du grand parc aux milliers de fontaines, et l'énorme statue de Lénine qui, avec l'architecture et la conception même de la ville, rappelait des traditions moscovites ineffaçables.

— Nos visiteurs ont manifesté à plusieurs reprises le désir d'apprendre le russe.

Le russe était demeuré la langue officielle de l'Union. Le choix d'une langue asiate au détriment d'une autre aurait provoqué des dissensions. Moljoïkan essayait tranquillement de promouvoir la langue ouzbek, tout en se gardant de forcer la note.

— Il n'en est pas question, fit Valine. Nous devons contrôler ce qu'ils apprennent. Évitons-leur la tentation de nous espionner. S'ils insistent encore, dites-leur que nous attendons qu'ils soient en meilleure santé.

— Mais ils sont déjà en très bonne santé.

44

— Ça ne nous empêche pas de leur dire qu'ils pourraient aller mieux. Ils doivent avoir l'impression d'être plus faibles que nous. Quand Hernan Cortès est arrivé, épuisé, à Ténochtitlan, les Aztèques lui ont fait escalader une pyramide. L'empereur est arrivé en haut à bout de souffle. Cortès, qui devait être à moitié mort, l'a taquiné en lui disant: «Nous autres, les Espagnols, nous ne nous fatiguons jamais.» Ça a suffi pour démoraliser Moctézuma.

Valine aimait bien raconter de telles anecdotes. Il connaissait à fond les incidents clés des dix-sept mille guerres qui avaient marqué l'histoire de l'humanité.

— Dites-moi, Djan, que pensez-vous de ces gens?

— J'en suis déçue, maréchal.

La générale réfléchit un instant. Valine ne voulait entendre que les choses essentielles.

— Depuis un mois, nous passons nos journées à leur présenter nos équipements, nos instruments, nos plus grandes réussites techniques. La plupart du temps, ils nous interrogent: à quoi ça sert? comment ça fonctionne? Ensuite, ils disent: oui, nous avons cela chez nous. Mais c'est nous qui leur expliquons tout. Au début, j'ai pensé qu'il s'agissait d'un problème de vocabulaire. Je crois maintenant que ces gens ne sont pas de taille, comparés à nos savants et nos experts.

Valine demeura silencieux. Si c'était le cas, un aspect important de ses plans devrait être modifié. Quand même, les visiteurs avaient effectué un très long voyage interplanétaire, ce qui exigeait un haut niveau de connaissances.

— La plupart de nos pilotes ignorent comment on fabrique un avion. On peut contrôler un satellite intelligent sans rien connaître aux fondements de la cybernétique.

— Ce que vous me dites là est très préoccupant.

Djan Jogaï posa la main sur un petit écran. Le signal décodé au poste d'accès, déclencha l'ouverture de la Tour Noire. Les soldats se mirent au garde-à-vous. Pour la plupart, le fait d'entrevoir le maréchal faisait de cette journée la plus inoubliable de toutes. Quelques minutes plus tard, Valine et Jogaï pénétraient dans la section réservée aux Extra-terrestres, qui les attendaient avec une nonchalance qui n'excluait pas la curiosité.

— Maréchal, je vous présente nos invités.

Les salutations consistaient en un simple et bref contact des paumes des deux mains, que Valine accompagnait d'un regard perçant. Jogaï annonçait le nom de chacun : les deux femmes s'appelaient Fladia et Val, et les hommes, Mino et Bolorta. En saluant Val, le maréchal sourit en suggérant qu'ils étaient peut-être cousins. Une fois à table, il fit un petit laïus, aussitôt traduit par Djan Jogaï.

— Je suis très honoré de m'entretenir avec vous, au nom de tout mon pays. Je suis extrêmement flatté d'avoir pu vous accueillir depuis votre arrivée sur la Terre. Je désire vraiment que cette rencontre nous permette de jeter les bases d'une coopération étroite et fructueuse entre nous.

— Nous sommes également heureux de saluer le chef des Asiates, répondit Mino, en tchouhio.

Et il commença tranquillement à manger son potage, comme si tel était vraiment le but de la rencontre.

— Je suis, en effet, avec mes collaborateurs, responsable des destinées du peuple asiate. Êtes-vous le chef de votre groupe?

Mino le regarda, étonné. Val répondit à sa place :

— Quand il faut décider quelque chose d'important, nous nous adressons à Jinik et elle fait la synthèse de nos sentiments.

Jogaï expliqua au maréchal que Jinik était une des Extra-terrestres retenus au Canada. Mais quand Jinik était absente?

— Nous faisons alors appel à Vlakoda.

La générale précisa que Vlakoda aussi se trouvait dans l'autre groupe. Valine, très patient, demanda aux visiteurs comment ils se débrouillaient quand ils étaient laissés à eux-mêmes.

— À quatre, nous faisons la synthèse ensemble.

— Cela me semble raisonnable, fit Valine.

Mais ça s'annonçait mal. Si Jinik et Vlakoda étaient les chefs, ils étaient sans doute les plus compétents, et l'Alliance détenait les meilleures cartes.

— Je vais vous parler franchement. Quand deux peuples se rencontrent, ils peuvent s'ignorer, se faire la guerre ou s'entraider. Je propose que nous nous entraidons.

— Comment? fit Bolorta.

Valine appréciait les gens directs, qui ne lui faisaient pas perdre du temps. Il décida de concentrer ses efforts sur cet interlocuteur.

— Vous avez déjà une idée de notre type de civilisation. La vôtre a également atteint un haut niveau technologique.

— C'est juste, commenta Fladia.

Le maréchal ne se laissa pas distraire, et continua à parler à Bolorta, par l'entremise de Djan Jogaï.

Dans certains domaines, nous sommes peut-être plus avancés que vous. Je suis prêt à partager nos compétences avec vous. Dans d'autres domaines, vous avez sans doute de l'avance. Je voudrais qu'on identifie ces domaines, et que vous nous fassiez part de vos connaissances et de vos techniques en la matière. C'est cela, s'entraider. Voulez-vous coopérer avec nous?

On apportait déjà le mouton rôti. Au lieu de poursuivre la conversation, les quatre invités se mirent à manger.

— Eh bien? fit Valine, sans perdre son calme.

— Nous ne pouvons pas coopérer sans nos camarades.

Le maréchal sauta sur l'occasion:

— Vous savez que vos camarades se trouvent entre les mains de peuples barbares. J'ai bon espoir que nous finirons par vous réunir, si vous nous aidez.

Djan prenait quelques libertés dans sa traduction, mais «barbares» était le terme qui avait toujours servi à désigner les Occidentaux dans bien des langues orientales.

— S'ils sont des peuples barbares, comment se fait-il que vous ne les ayez pas encore civilisés?

— Nous y travaillons. Ils sont barbares mais puissants. Grâce à vous, nous pourrons les détruire.

On n'entendait plus que le bruit des couteaux, des fourchettes et de la mastication. Valine s'adressa encore à Bolorta, comme s'il voulait établir entre eux une communication privilégiée.

— Vous nous aiderez en nous permettant de développer des types d'armements que les barbares ignorent, et contre lesquels ils ne sauraient se défendre. Mais il faudra faire vite, parce que, d'après mes renseignements, la vie même de vos compagnons est de plus en plus en danger.

Les Extra-terrestres se dévisagèrent, puis les uns et les autres répétèrent, avec la même obstination, qu'ils voulaient d'abord retrouver leur compagnons et leur vaisseau. Comme il était vraiment impossible de s'entretenir individuellement avec ces gens, Valine y renonça, en songeant qu'il serait plus efficace de profiter de leur cohésion.

Les invités dégustaient le dessert, un superbe gâteau tartare au miel et aux amandes, avec de bonnes rasades de bière, sans que l'alcool parût les affecter. La nourriture semblait les mettre de très bonne humeur.

— Voici ce que je vous propose, fit Valine. Nous vous fournirons tous les renseignements nécessaires sur le monde des barbares, leur genre de vie, leurs appareils guerriers. Dès que vous les connaîtrez à fond, nous vous aiderons à libérer vos compagnons et à reprendre possession de votre vaisseau. Je mettrai toute la puissance dont je dispose à votre service.

Quand vous serez réunis, tous les sept, nous discuterons des possibilités d'échanges entre nos deux mondes.

Bolorta, qui n'avait ouvert la bouche, depuis quelque temps, que pour manger, répondit:

— Dans ce cas-là, nous coopérerons avec vous.

Le déjeuner avait pris fin. Le maréchal salua ses convives et se retira avec Jogaï dans le bureau de cette dernière.

— Djan, je suis très impressionné par vos talents de traductrice. C'était très fructueux. Il faut les éduquer et leur inspirer confiance. Ça prendra combien de temps?

— De quatre à six semaines au maximum.

Dans la voiture qui le ramenait au quartier général, Valine arborait un vaste sourire. Il disposait d'un mois et demi pour convaincre son président récalcitrant à déclencher une action massive contre l'Alliance pacifique. Ce ne serait pas simple. En apprenant l'attentat contre Hamed Collinson, il avait lancé une attaque surprise contre la Turquie. Les Américains avaient riposté violemment en détruisant, grâce à un satellite stratégique, une installation minière en pleine Sibérie et en annonçant que toute expansion de la guerre en Europe serait tenue pour une menace à leur sécurité. Moljoïkan avait fait reculer ses troupes, effrayé par la détermination des Américains, alors même que la vice-présidente, le secrétaire d'État et le secrétaire à la Défense se disputaient encore les leviers du pouvoir. Le maréchal avait su, par son service d'espionnage, que la décision avait été prise par Cynthia Irving, qui avait trompé ses collègues en prétendant qu'elle avait consulté le président, encore dans le coma. Valine était convaincu qu'en poursuivant l'attaque, il aurait pu exacerber les tensions entre les différents chefs américains, mais Moljoïkan avait préféré leur céder.

Cette fois, il ne lui donnerait pas le choix. La situation avait changé, car Collinson recommençait tranquillement à exercer les pleins pouvoirs, en redonnant à l'Alliance le leadership central dont elle avait manqué durant sa convalescence. Mais les Américains seraient pris au dépourvu si Valine réussissait à obtenir un appui efficace des Extra-terrestres. Et Moljoïkan ignorait les faiblesses de ces derniers. Il pourrait, au contraire, être persuadé qu'avec leur aide, les Asiates sauraient affronter l'Alliance et l'emporter. C'était un nouveau jeu, mais Valine contrôlait la donne.

Le samedi 1er août

— Viens, fit Garou, en prenant Maya par le poignet.

Elle se laissa entraîner. Après tout, Jinik et Vlakoda restaient en compagnie du professeur Orwell, qui serait en mesure de veiller sur eux (elle détestait de penser qu'il les *surveillerait*). Et puis, comme il leur était impossible de quitter la base, ils ne risquaient, même seuls, que de s'égarer dans les bâtiments secondaires, où on aurait tôt fait de les retrouver et de les reconduire à l'immeuble central, ou de tourner en rond dans les jardins.

Depuis la mi-juillet, comme il faisait souvent chaud, il leur arrivait de suivre leurs cours d'anglais à l'extérieur. Il s'agissait plutôt de conversations que de cours. Orwell bavardait avec les Extra-terrestres et leur enseignait sa langue à l'usage. Curieux et intéressés, ils maîtrisaient déjà un vocabulaire que le professeur évaluait à huit cents mots.

Maya Golinsky participait à la plupart de ces rencontres, tellement que les visiteurs pensaient sans doute qu'elle était l'assistante du professeur. Ils avaient quand même remarqué qu'elle était la seule à leur faire répéter des mots dans leur langue, lorsqu'ils parlaient entre eux, et à les retenir. Elle n'avait pas encore jugé utile de leur dire que telle était la raison de sa présence auprès d'eux, de crainte que cela ne banalise leurs relations. Elle se considérait elle-même comme «leur amie terrienne» que le hasard avait rendue témoin de leur arrivée sur la Terre et qui avait à cœur de les aider à y faire un séjour agréable. Pourtant, elle ne négligeait pas ses responsabilités professionnelles. Pendant un mois et demi, elle s'était familiarisée avec les sons et l'accent de leur langue, le tchouhio. Elle pouvait même se faire une idée de sa structure, et elle s'apprêtait, d'un jour à l'autre, à leur demander formellement de la lui enseigner.

La curiosité des Extra-terrestres ne s'arrêtait pas à l'étude de l'anglais et à un appétit vorace de films documentaires. Elle se manifestait également par un accroissement sensible des dépenses d'ordinateur imputées à la base. Au début de juillet, on avait cru bon de leur montrer comment se servir du terminal pour contrôler le choix des programmes disponibles à la banque centrale de l'informathèque. Ils ne s'en privaient pas, et passaient tous de longues heures devant l'écran de télévision à voir et à revoir des émissions de sciences naturelles, de géographie, de sciences humaines, de physique, de biologie, d'histoire. On avait pris soin de ne leur donner accès qu'aux programmes de base, afin de ne pas trop les dépayser. Quand ils auraient acquis de la Terre le niveau de connaissances générales qu'un adolescent normal pouvait en avoir, on leur fournirait les moyens d'approfondir les domaines qui les intéressaient le plus.

Garou tenait toujours le poignet de la jeune femme dans sa main. C'était la première fois qu'un des visiteurs la touchait aussi longtemps, et elle constatait que la sensation de fraîcheur ne se prolongeait pas, que bientôt la main de l'Extraterrestre acquérait la température, plus élevée, qui était propre aux Terriens.

Sans prononcer un mot, il lui adressait à tous les dix pas un regard souriant, comme pour la rassurer sur ses intentions. Maya s'entendait bien avec les trois invités, mais davantage avec Garou, toujours allègre et dégagé, alors que Jinik était une personne plus grave et que l'exubérance de Vlakoda la gênait parfois. Garou paraissait également plus doué que ses compagnons pour l'apprentissage de l'anglais, bien que tous les trois fissent preuve, dans ce domaine, d'aptitudes remarquables.

52

Ils traversèrent le terrain du stade et le petit jardin potager où Orwell les avait déjà menés pour leur enseigner les noms de quelques plantes. Garou sembla chercher des yeux un endroit précis, puis s'y dirigea, en entraînant toujours la jeune femme. Maya se sentait quelque peu craintive en s'engageant dans le bosquet. Pourquoi Garou, non content de se trouver seul avec elle, voulait-t-il la conduire, comme c'était visible, dans un endroit isolé? Même si les Extra-terrestres ne semblaient nullement violents, ils pouvaient avoir des habitudes inattendues dont la présence de tiers l'avait toujours protégée. Que ferait-elle, par exemple, si Garou essayait d'abuser d'elle, en ignorant que les mœurs terriennes ne permettaient plus un tel comportement? «Mais non, se dit-elle, je me fais des peurs pour rien. Il veut simplement me montrer quelque chose, qu'il aura vu de la fenêtre de leur appartement.»

Tel était bien le cas, puisque Garou relâcha son étreinte, pourtant très douce, en arrivant devant un amoncellement d'églantiers, entouré de quelques mélèzes. C'était d'autant plus beau qu'il y avait peu de fleurs à la base d'Inowa, surtout à l'état sauvage. Ils s'approchèrent du rosier. Garou aspira profondément le parfum discret de ces fleurs, et éclata de rire. Maya le remercia d'avoir pensé à lui faire voir les églantines et lui apprit qu'on pouvait en faire du thé et des confitures.

Il se tenait droit devant elle, avec son éternel sourire. Tout à coup, il lui prit les mains, les releva, et posa sur ses joues les paumes de la jeune femme. Il les garda là dix secondes, et les retira. Maya hésita. Le geste semblait gentil, mais pouvait-il signifier quelque chose? Et s'agissait-il alors de quelque chose qu'elle ne voulait pas signifier? Elle prit le risque, saisit les mains de Garou, et les posa brièvement sur ses joues. Garou respira amplement, comme si une bouffée de bonheur l'avait atteint. Maya songea qu'elle n'aurait peut-être pas dû faire ce geste sans savoir ce qu'il voulait dire.

— Il est agréable... d'être... avec toi... seul.

Elle sursauta. Depuis plusieurs semaines, les Extra-terrestres n'hésitaient plus en parlant. Ils disposaient déjà d'un vocabulaire assez riche, et réfléchissaient toujours avant de parler. Soudainement, elle comprit ce qui s'était passé.

— Mais tu m'as parlé en français! s'écria-t-elle.

— Cela... normal... C'est... ta langue à toi... n'est-ce pas?... Je veux... toi et moi...

Il s'arrêta, comme s'il cherchait ses mots, et renonça. Maya se sentait très émue. Depuis son arrivée sur la base, à la mi-juin, elle avait surtout rencontré les trois visiteurs en compagnie d'Orwell et, plus rarement, de quelques personnes telles que les préposés au nettoyage, une ophtalmologue, deux infirmiers, l'informaticienne, les responsables des repas, un tailleur. À l'insistance du professeur Orwell, qui tenait à préserver un cadre linguistique uniforme, sans interférences, on n'employait que l'anglais en présence des Extra-terrestres. Le premier juillet, les trois invités n'avaient pas dîné dans leur appartement mais dans la salle d'exercices, convenablement aménagée, en compagnie de toute la population de la base d'Inowa, à l'occasion d'un grand banquet organisé pour célébrer la fête du Canada. Le commandant Bourgault avait prononcé une petite allocution, en alternant les deux langues du pays, et Maya, qui se trouvait à la table d'honneur, avait tenu avec le commandant une petite conversation en français. Les sons ayant intrigué les visiteurs, Maya leur avait expliqué que les Terriens parlaient plusieurs langues. Le lendemain, Garou avait encore abordé le sujet, et Maya leur avait fait un cours de géographie linguistique, bien rudimentaire, en s'aidant d'un globe terrestre. Elle leur avait indiqué la position de l'île Ellef Ringnes, d'Inowa et de Sudbury, d'où elle était originaire, et leur avait expliqué que le français était sa langue maternelle, bien que par la suite elle en eût appris plusieurs autres, dont elle leur montra l'aire d'utilisation. Garou avait bien retenu ces renseignements et, au cours du mois, sans que personne s'en rendît compte, il lui avait préparé cette surprise, après avoir trouvé dans l'ordinateur un programme d'apprentissage du français.

— Moi... apprendre ta langue... pour toi, précisa-t-il.

54

Ils s'étaient assis sur le sol, adossés contre des mélèzes. Les maringouins qui tournaient autour d'eux ne semblaient pas s'intéresser à l'Extra-terrestre. Ils s'approchaient de Maya et repartaient : comme tous ceux qui devaient passer quelque temps en forêt, la jeune femme avait reçu une injection qui avait la vertu d'éloigner les insectes.

— Moi aussi, Garou, je voudrais apprendre ta langue, dit-elle, en anglais. J'aimerais la parler très bien, pas un peu.

— D'accord. Tu connais déjà beaucoup de mots. Le professeur continuera à nous enseigner l'anglais. Tu m'apprendras le français, et je t'apprendrai le tchouhio. C'est cela, un partage.

Il tendit la main vers elle, en écartant les doigts. Elle fit le même geste, et les pointes de leurs doigts se touchèrent. Maya ne comprenait pas le sens de ces gestes, mais elle s'y prêtait de bonne grâce, en espérant qu'à là longue elle maîtriserait aussi ce langage de signes et pourrait surprendre Garou en en prenant l'initiative.

Bourgault lui avait fait savoir, quelques jours plus tôt, que les Américains s'impatientaient devant les lenteurs des Canadiens à fournir à leurs experts un accès suffisant aux visiteurs. Le moment semblait propice pour aborder le sujet.

— Ça fait plus de trois mois que vous êtes arrivés.

— Oui, environ une *vlania*. Chez nous, neuf jours, c'est une *goyou*. Neuf *goyous*, c'est une *vlania*. Neuf *vlanias*, c'est comme une année. 729 jours de chez vous. Parfois, il faut ajouter un jour de plus. Mais ce jour-là ne compte pas.

— C'est une année très longue, commenta Maya.

— Oh non ! Notre voyage à duré cinq *vlanias*, à peu près quinze de vos mois. Chez nous, j'ai quarante ans, et je suis très jeune. Vlakoda a vécu soixante-six années. Jinik, seulement trente-deux. Nous, nous vivons environ cent dix années. Et toi ?

— J'ai trente-deux ans, exactement comme Jinik. Chez nous, nous vivons entre 80 et 90 ans.

Garou fit un calcul rapide, facilité par la similitude inattendue des chiffres.

— Mais alors, chez nous, tu as seize ans! Tu es une enfant!

Et il éclata de rire, affectueusement.

— Je ne pourrai jamais croire que tu as quatre-vingts de nos années, dit Maya, en riant. Mais les journées, chez vous?

— Je ne suis pas sûr. Mais ce n'est pas très différent, parce que nous ne sommes pas fatigués, sur la Terre. Si les journées étaient beaucoup plus longues, ou beaucoup plus courtes, nous l'aurions remarqué.

Maya avait bien d'autres questions en tête sur les saisons, les heures de sommeil, le vieillissement, les mœurs, l'emplacement de leur monde, et tellement d'autres sujets! Mais il fallait y aller à petites doses, autrement elle s'égarerait dans un dédale de renseignements.

— Je voudrais connaître beaucoup de choses sur toi.

Elle avait dit: «sur toi», et pas: «sur ton monde». Il posa rapidement les mains sur ses joues, lui sourit, et répondit:

— Moi aussi. Je te parlerai de Chumoï. Chumoï, c'est notre monde. Comme «la Terre», chez vous. Tout le monde, toutes les planètes, c'est Lénichumoï.

Maya fit un effort pour refréner sa curiosité.

— Je ne suis pas seule à vouloir connaître Chumoï. Beaucoup de gens viendront ici, pour en parler avec vous. Des savants. Des spécialistes.

— Nous voulons bien rencontrer des gens, dit Garou. C'est toi qui arrangeras tout.

Cela dépassait le mandat de Maya. Il faudrait un chef de cabinet, une secrétaire exécutive, un agent de relations publiques, quelqu'un qui puisse coordonner de telles rencontres. Elle en parlerait au commandant Bourgault.

— Ça ne pourra pas être moi, Garou. Moi, je suis votre amie, et je vous aiderai. Mais je ne sais pas faire ce travail.

— Mais c'est en toi que j'ai confiance!

— Je serai toujours là, fit-elle, touchée.

— Ce sera un partage, Maya. Nous, nous voulons connaître davantage. Nous voulons savoir comment les Terriens vivent.

Évidemment, songeait la jeune femme, les films de l'informathèque commençaient à s'avérer insuffisants. Il était probablement temps d'en élargir le choix.

— Je vous montrerai comment voir d'autres films. Des films d'actualités. Ce sont des films qui montrent différentes choses qui se passent sur la Terre. Tu verras. Et puis, nous choisirons aussi des films de fiction.

— C'est quoi, «fiction»?

— Des histoires qui ne sont pas vraies. Des histoires inventées.

— Pourquoi inventer des histoires? demanda Garou, perplexe. Nous voulons voir ce qui est vrai.

Il n'était pas facile d'expliquer ce concept de fiction, mais la jeune femme s'y essaya.

— Chez nous, on invente des histoires qui se passent entre des gens. On imagine des choses qu'ils font ou qui leur arrivent. Même si c'est inventé, ce n'est pas un mensonge. C'est une autre façon de parler de la réalité. Comme... comme les mathématiques et les abstractions. Les rêves qu'on raconte nous font voir la réalité intérieure, ce que nous avons dans la tête. Ça permet de montrer comment nous vivons, et pourquoi.

— C'est très intéressant! s'exclama Garou. Oui, nous voulons connaître cela aussi.

On entendit des cris: «Madame Golinsky! Maya! Maya Golinsky!» La jeune femme se leva. Garou l'imita. Ils se regardaient, conscients de ne s'être pas rendus au bout de leur conversation.

— J'aime bavarder avec toi, dit Maya. Nous continuerons.

— J'aime... être... avec toi.

Il avait de nouveau parlé en français. Maya sourit en songeant que l'emploi de cette langue trahissait, chez Garou, un désir d'intimité, de complicité, qui la touchait.

— Maya! Maya! criait Orwell.

— Oui! Nous sommes là! Nous arrivons!

Garou leva les mains, et leurs paumes se joignirent. Il les posa ensuite sur les joues de la jeune femme, puis sur ses épaules. Qu'est-ce que cela voulait dire? Elle attendit. Il ne bougeait pas. Alors, elle posa, elle aussi, ses mains sur les épaules de son compagnon. Il sourit:

— Moi... partager beaucoup... avec toi.

Le mercredi 5 août

Le soir même de sa conversation avec Garou, Maya Golinsky avait été voir le commandant Bourgault. Le lendemain, celui-ci faisait rapport à ses supérieurs: les Extra-terrestres, avec l'aide de leur interprète, étaient prêts à rencontrer des Terriens, et il fallait d'ores et déjà désigner un coordinateur qui serait chargé de la gestion de leur programme. Le 3 août, le ministre des Affaires extérieures présidait une réunion du comité spécial, dit comité ET, mis sur pied au début de mai pour traiter des opérations reliées à la présence des Extra-terrestres. Le comité regroupait des hauts fonctionnaires des ministères des Affaires extérieures, de la Défense, des Sciences et de la technologie, et de plusieurs agences spécialisées. À l'issue de la réunion, les décisions suivantes étaient prises: les visiteurs resteraient à la base d'Inowa, afin de faciliter le contrôle des allées et venues de ceux qui seraient autorisés à les rencontrer; un sous-comité paritaire, ouvert aux membres de l'Alliance pacifique, examinerait les demandes d'entretiens; on offrirait aux Américains le poste de coordonnateur, mais celui-ci relèverait du commandant de la base, ce qui permettait de satisfaire les besoins des organismes scientifiques étrangers et surtout américains, tout en protégeant la souveraineté canadienne; on inviterait à l'occasion des savants européens, par politique et pour contrecarrer les manœuvres de ceux qui voulaient placer les contacts avec les visiteurs sous l'égide des Nations unies;

enfin, comme moyen de pression morale, on accorderait aux Asiates un droit d'accès aux recherches à condition qu'ils libèrent au préalable les autres Extra-terrestres.

Le jour suivant, la première ministre Aurélia David recevait deux messages. Le président Hamed Collinson prenait la peine de l'appeler personnellement pour lui dire qu'il appréciait vivement le geste canadien, qui reflétait bien les liens d'amitié et de solidarité qui unissaient les deux pays; il avait désigné un de ses plus proches collaborateurs, Arthur McKeen, pour remplir le poste de coordonnateur; enfin, il espérait avoir bientôt l'occasion de la rencontrer. (Aurélia David avait été élue l'année précédente, et une rencontre au sommet, prévue pour la fin de juin, avait dû être reportée en raison de la convalescence du président.)

Le second appel provenait du premier ministre de la province de Québec. Il manifestait son profond mécontentement devant l'évolution des événements; il comprenait que la présence des Extra-terrestres en territoire québécois, dont il avait été mis au courant, était tout à fait fortuite, et que les autorités fédérales pouvaient toujours les accueillir ailleurs qu'à Inowa; il aurait cependant jugé plus courtois de confier le rôle de coordination à un fonctionnaire québécois, ou du moins, agréé par son gouvernement; il espérait, enfin, que Mme David ferait un geste en ce sens, en prenant soin de ménager ses compatriotes aussi bien que ses alliés. La première ministre, habituée au ton de son collègue, lui rappela que le commandant Bourgault demeurait en charge de tout ce qui se passait à la base d'Inowa, et que la présence d'un coordonnateur américain ne changeait pas grand-chose; elle trouvait cependant que cette proposition ne manquait pas de mérite, et se réjouissait des bonnes dispositions des autorités québécoises pour collaborer en la matière; elle veillerait elle-même à ce qu'on trouve moyen de tenir compte de cet esprit de coopération dans la suite des opérations.

Le 5 août, à deux heures, Arthur McKeen atterrissait à Inowa. Malgré son jeune âge — trente-cinq ans — il possédait un curriculum impressionnant. Son assurance, l'intensité naturelle qu'il mettait dans ce qu'il faisait, reflétaient la haute idée qu'il avait de lui-même, et que sa carrière justifiait amplement. Son visage irradiait un surprenant mélange d'une immense cordialité et d'une détermination glaciale. Bourgault, séduit par l'énergie qui émanait de l'Américain, se demandait aussi l'effet que ce technocrate brillant pourrait avoir sur les Extra-terrestres.

— Je suis heureux d'avoir pu assumer mes fonctions aussi vite, commandant. J'avais encore bien des choses à faire à Washington, mais le président m'a dit qu'il attachait la plus haute priorité à l'établissement de contacts efficaces entre la communauté scientifique américaine et ces Extra-terrestres.

— Il vous a aussi mentionné, je suppose, l'intérêt de la communauté scientifique canadienne.

— Bien sûr, bien sûr, fit McKeen, d'un ton chaleureux. Par souci d'efficacité, je tiens à être logé près de... vos invités.

— J'ai jugé bon de leur réserver une aile entière du bâtiment. Mme Golinsky occupe le seul appartement aménagé sur l'étage. On vous a préparé une suite très confortable à l'étage inférieur.

— Je compte sur vous pour demander à cette dame de bien vouloir changer de logement. Il est capital que je sois vu et perçu par les Extra-terrestres comme leur interlocuteur principal.

— J'y penserai, fit le commandant.

Même s'il trouvait cette demande déplaisante, il manquait d'arguments pour s'y opposer. Le rôle de Maya ne justifiait pas de traitement préférentiel dans l'accès aux invités.

— Je voudrais rencontrer les visiteurs maintenant. Il est essentiel qu'ils sachent qu'à peine arrivé, j'ai tenu à les voir.

Une heure plus tard, après avoir prévenu les intéressés, Ernest Bourgault conduisait le nouvel arrivé jusqu'au salon où les attendaient les trois Extra-terrestres.

— Madame, messieurs, fit le commandant, j'ai le plaisir de vous présenter monsieur Arthur McKeen. Conformément à vos souhaits, monsieur McKeen se chargera de la coordination de vos rencontres. Je suis heureux de la rapidité qui...

— Merci, commandant, l'interrompit McKeen. En effet, dès qu'il a été informé de vos désirs, le président des États-Unis a pris les mesures pour les satisfaire, de concert avec les autorités canadiennes. Je tiens cependant à ce que vous me considériez non pas comme le représentant d'un seul pays, même s'il s'agit du plus puissant au monde, mais comme le représentant de toute la Terre, et de l'Alliance pacifique en particulier. C'est dans cet esprit que je vais mettre sur pied un programme qui vous permettra d'atteindre les objectifs d'échanges qui vous ont sans doute poussés à vous rendre sur la Terre.

Il reprit son souffle en dévisageant ses trois interlocuteurs. Ceux-ci le regardaient, quelque peu étonnés.

— D'abord, je vous dirai que j'ai été responsable pendant un an des relations entre le bureau du président et les membres de son cabinet. Je suis donc au courant de tous les grands dossiers qui préoccupent M. Collinson. S'il m'a demandé d'agir comme votre agent de liaison, c'est parce qu'il y attache la plus haute importance.

— C'est quoi, un agent de liaison? demanda Vlakoda.

— C'est la même chose qu'un coordonnateur. Avant d'être affecté à la présidence, j'ai dirigé le service des relations publiques du secrétariat de la Défense, ce qui m'a mis en rapport avec la communauté scientifique, la presse, le monde universitaire, les milieux industriels, les lobbies politiques et l'administration gouvernementale. En me nommant à ce poste, le président Collinson savait que je serais en mesure de vous ouvrir les portes de tous les organismes importants qui s'intéressent à vous, et qui vous intéresseront sans doute.

— Tout cela est intéressant, fit Garou, lentement, mais je crois que vous avez une idée un peu... brutale de nos besoins.

Bourgault ne s'empêcha pas de sourire. C'était exactement la réaction qu'il craignait. Il jugea bon d'intervenir.

— M. McKeen, expliqua-t-il, veut surtout vous dire qu'il a une vaste expérience qui touche à tous les domaines, et que cette expérience vous sera très utile.

— Je comprends que ma franchise puisse vous paraître brutale, ajouta l'intéressé, mais je voudrais ajouter que j'ai eu l'honneur d'obtenir, au *Massachusetts Institute of Technology*, un doctorat en planification socio-économique. J'ai publié un livre à ce sujet, qui tient compte de variables culturelles dans la micro-planification des sociétés décentralisées. Je suis très sensible aux nuances et aux besoins individuels et je suis persuadé que nous saurons nous entendre. Veuillez donc me considérer, à partir de ce moment, comme votre agent de liaison.

Les trois Extra-terrestres se consultèrent du regard, puis Jinik, sans plus s'occuper de McKeen, déclara:

— Je crois, commandant, qu'il n'y aura pas de *liaison*.

Arthur McKeen se leva, froissé. Bourgault lui demanda de se rasseoir. Même s'il voulait essayer de réparer les dégâts, la réaction des visiteurs ne lui déplaisait pas.

— Je vous assure, mes amis, que j'ai une confiance totale dans les capacités professionnelles de M. McKeen. Son expérience...

— Nous ne discutons pas son expérience, précisa Garou, ni ses talents, ni sa compétence.

— Mais alors, je ne comprends pas... essaya de dire McKeen.

— Nous espérions, expliqua Jinik, que le coordonnateur nous aurait d'abord demandé nos vues sur notre programme.

— Nous regrettons, ajouta Vlakoda, de n'avoir pas songé à vous expliquer davantage ce que nous voulions.

— Mais je suis prêt à vous écouter! s'écria McKeen.

Les trois Extra-terrestres ne s'intéressaient vraiment plus à lui. Ils avaient même l'air de commencer à s'ennuyer.

— Je vous en prie, mes amis, fit Bourgault. M. McKeen a été accepté par nos plus hautes autorités, et il a fait un long voyage pour se rendre auprès de vous.

— Il est malheureusement trop tard, commandant, dit Jinik, calmement. Nous ne coopérerons pas avec M. McKeen.

Ernest Bourgault ne réussit pas à les faire fléchir. Au moins, se disait-il, McKeen aura été témoin de ses efforts. Mais là, il avait un sérieux problème sur les bras, car les visiteurs se montraient poliment inflexibles. Après le dîner, il alla consulter Maya.

— Nos invités sont des gens très simples, fit celle-ci. Ils ont besoin d'un ami, pas d'un spécialiste comme cet homme-là. Quelqu'un qui puisse sympathiser avec eux, et en qui ils peuvent avoir confiance. McKeen a trop d'idées préconçues pour remplir ce rôle.

— Vous ne pourriez pas les rendre un peu plus conciliants?

— S'ils ont dit non, c'est non. Si on s'acharne à leur imposer cet homme, ils seront encore plus méfiants. Je comprends très bien ce qu'ils veulent et je vous assure, commandant, qu'il vaut mieux oublier ce McKeen.

Bourgault fit une moue, impuissant. Il était bien prêt à rapporter cet échec à ses supérieurs, mais à condition de pouvoir leur suggérer une solution de rechange.

— Je pense à quelqu'un... Il n'est pas américain, mais il a vécu à New York et a beaucoup d'amis là-bas.

— Eh bien! parlez-moi de lui. Si au moins ça nous permettait de tracer le portrait du candidat idéal...

Le samedi 22 août

Arthur McKeen avait repris ses fonctions habituelles à la Maison Blanche. Le président Collinson s'était montré particulièrement compréhensif : le politicien en lui, toujours méfiant à l'endroit des bureaucrates, se réjouissait de constater que les fonctionnaires canadiens et américains s'étaient trompés en choisissant un jeune tigre pour remplir des tâches mal définies. Il acceptait aussi la proposition canadienne de désigner un coordonnateur qui se limiterait à assurer la liaison entre les Extra-terrestres et le comité paritaire, dont le secrétaire exécutif, désigné par les Américains, serait l'interlocuteur privilégié de l'agent de liaison.

Le commandant Bourgault s'était rendu à Ottawa pour présenter lui-même son rapport à une réunion restreinte du comité ET, présidée par le sous-ministre des Affaires extérieures. À sa surprise, ce dernier n'était nullement malheureux de la mésaventure de McKeen. La première ministre, pour des raisons politiques qui lui étaient propres, souhaitait vraiment faire un geste en faveur des autorités québécoises et la nouvelle situation permettait de rouvrir le dossier. Il fallait maintenant trouver un candidat acceptable à tous. Bourgault proposa Mme Golinsky, qui connaissait les visiteurs mieux que quiconque et jouissait de leur confiance absolue. Née en Ontario, elle était francophone.

— Ce n'est pas suffisant. Nos collègues québécois ne verraient pas dans sa nomination le signe que la première ministre veut leur faire. Nous ne devons plus nous permettre un faux pas. Mon seul ennui, c'est que la procédure normale, en traçant le profil du candidat type, en fouillant nos banques de données et en procédant aux interviews, nous prendrait trois mois. Je préférerais faire une nomination qui ne tombe pas sous la loi du recrutement dans la fonction publique. L'idéal, ce serait un fonctionnaire fédéral d'origine québécoise, déjà connu et accepté par les autorités provinciales. Connaissez-vous cet oiseau rare?

Chacun faisait l'inventaire de ses relations lorsque Bourgault mentionna le candidat suggéré par Maya, qui avait, d'après elle, toutes les aptitudes voulues.

— Mais je le connais! s'écria la présidente du Centre national de recherches. François Leblanc est un ingénieur, détaché de la Société de la baie James auprès du service extérieur. Je l'ai encore rencontré il y a six mois, à Brasilia.

— Oui, je me souviens, fit le sous-ministre, qui avait dû approuver cette nomination. Conseiller en énergie, n'est-ce pas? Mais pourquoi pas? Évidemment, il serait préférable de proposer un fonctionnaire fédéral. Ou peut-être que non. Si nous l'avons accepté dans un poste clé, c'est qu'il a bien répondu à nos exigences. Réfléchissons-y, et essayez de dénicher d'autres noms.

Ce jour même, on commençait à rassembler des documents concernant les candidats éventuels, y compris des bandes vidéo sur lesquelles on avait enregistré des entrevues relatives à leurs affectations précédentes. Le jeudi suivant, le sous-ministre, satisfait, exerçait ses pouvoirs discrétionnaires.

C'est ainsi que le 22 août, François Leblanc débarquait à la base d'Inowa, où il était accueilli par Maya avec une effusion particulière: cinq ans plus tôt, alors que Maya faisait des recherches ethnolinguistiques auprès des Cris de la région de la baie James, ils avaient eu une liaison brève mais très douce.

— Dis-moi, Maya: est-ce le hasard, ou c'est encore toi qui as tout manigancé?

66

— Le hasard, François, rien que le hasard, stimulé par le souvenir spécialement agréable que j'ai toujours gardé de toi.

En le conduisant chez lui, elle lui parla de la vie à Inowa, des règlements divers de la base, des gens avec qui il travaillerait sans doute. François trouva son appartement petit mais convenable. On avait déjà apporté ses valises.

— Bavardons un peu, suggéra-t-il. D'abord, l'essentiel: es-tu heureuse? Est-ce que tes amours vont bien?

— Je suis heureuse, et ma vie amoureuse laisse à désirer. Et toi?

— Ça va, fit-il, en souriant. Ne me prends trop au mot, mais disons que je n'aspire plus vraiment au bonheur, sinon à être bien. Je me sens bien.

— Le cœur bat quand même un peu?

— Le cœur bat bien. J'avais une excellente amie à Brasilia. On ne m'a donné que cinq jours pour faire mes valises.

Il aurait dû passer encore un an et demi au Brésil. Mais comment résister à un appel personnel du sous-ministre? Le comité ET s'était prononcé en sa faveur sans même le consulter, en prenant comme acquis que l'expérience l'intéresserait. Les autorités québécoises venaient de donner leur accord lorsqu'on apprit que Leblanc manifestait de sérieuses réticences: il était sensible à l'offre d'emploi, mais il ne voyait pas de gaîté de cœur l'idée d'échanger les paysages brésiliens contre les solitudes de la toundra. Époustouflé, le sous-ministre était intervenu.

— Il a invoqué «l'intérêt supérieur de l'État»! J'ai cédé, bien entendu, autrement ils m'auraient rendu la vie impossible. On m'a promis que ce ne serait qu'une parenthèse et que je retournerais à Brasilia après cette mission. Et il y a deux jours à Ottawa, j'ai appris que tu avais été à l'origine de tout cela!

Maya lui raconta la réaction des visiteurs face à Arthur McKeen, et pourquoi elle avait pensé qu'ils seraient plus heureux avec une personne tranquille, imperturbable, conciliante...

— Trêve de compliments, fit-il, tu as donc pensé à leur bonheur plutôt qu'au mien.

— C'est cela, avoua-t-elle, avec un sourire. Je t'ai dit que côté amour, ça ne va pas très bien. Je voulais donner des vacances à mon cœur. Et à mon corps, parce que ça va ensemble. Ici, je suis heureuse et comblée. J'aime nos invités — c'est comme ça que nous les appelons. C'est une chance inouïe que de les avoir vus à leur arrivée, et d'avoir pu rester auprès d'eux. Tu verras, ce sont des gens extraordinaires.

Par où commencer? Elle n'allait tout de même pas lui raconter, comme Bourgault, qu'ils avaient le cœur relativement petit et une température moyenne de 33° ou 34°C!

— Avant tout, ce sont des gens tout à fait normaux. C'est cela: des étrangers peut-être, mais des gens comme nous.

— C'est clair, fit François. Ils sont extraordinaires et normaux. Ça ne saurait être plus précis, comme description.

Maya éclata de rire. Il avait donc gardé sa façon calme de saisir les mots et les concepts, de les tourner et les retourner, et de les présenter sous un éclairage plus cru. Il la regardait, goguenard et affectueux, en sirotant son scotch. Elle comprenait maintenant pourquoi elle avait pensé à lui, et rien qu'à lui, lorsque Bourgault lui avait demandé quel genre de personne pourrait servir d'agent de liaison aux visiteurs.

— Ils ont exactement ton genre de nonchalance. La même façon nonchalante d'exprimer leur curiosité, leurs désirs, leurs sentiments. François Leblanc, tu as un excellent potentiel d'Extra-terrestre.

— Il ne me manque que la peau verte, je suppose.

Elle crispa les lèvres. Elle n'aimait pas qu'on souligne cet aspect des visiteurs, qu'on les perçoive à travers un prisme le moindrement raciste. François comprit qu'il venait de faire une gaffe. Mais, enfin, la couleur de leur peau était bel et bien une réalité.

— Bon, fit-il, ils sont nonchalants. Et ensuite?

— Ils sont d'une grande transparence les uns envers les autres. Tu t'adresses à l'un et c'est l'autre qui répond, et c'est tout à fait normal. Ils n'ont pas l'air de se cacher quoi que ce soit. Mais chacun a sa personnalité, tu verras. Jinik est une femme sérieuse, studieuse, précise, très ouverte aussi. Vlakoda, le plus âgé, a toujours l'air de vouloir s'amuser. Il a beaucoup d'autorité sur ses camarades, même si Jinik semble être chef du groupe. Garou est très doux, très gentil.

— Mais c'est très intéressant, cela! C'est l'expression que tu employais, dans le temps. Rappelle-toi! Tu disais que tu m'aimais parce que j'étais «doux et gentil». Donc, Garou est doux et gentil.

— Oh! je t'assure...

Elle s'interrompit. Elle aimait bien Garou, mais... En la voyant tellement désemparée, François se porta à sa rescousse:

— Bon: *eux*, ils sont transparents entre eux.

— Oui, c'est cela. *Eux*, ils ne se cherchent jamais de poux. Ça fait trois mois que je passe avec eux plusieurs heures par jour. Je suis toujours émerveillée par la... par la fluidité de leurs sentiments. Ils ont l'air de vivre facilement ensemble. Jamais la moindre rancune, le moindre accrochage, la moindre jalousie. D'ailleurs, ils sont toujours d'humeur égale, comme s'ils n'avaient pas — ou ne voulaient pas trop montrer — d'émotions. Comme toi, *mon amour*.

Il sourit: si elle employait ce mot, c'était évidemment pour lui rappeler leur liaison, et l'étonnement qu'elle avait toujours ressenti devant son aptitude aux épanchements. Était-ce un reproche, ou une invitation?

— Quand je suis arrivée, le commandant m'a tout de suite parlé de leur docilité. Ils sont d'une facilité merveilleuse.

— Des bonnes natures, quoi!

— Tout à fait. Ils ont une admirable faculté d'acceptation des actes d'autrui, de la personnalité d'autrui.

— Mais ils n'ont pas accepté ce McKeen, observa François.

— On peut avoir une bonne disposition et savoir dire non quand une chose ne nous convient pas. McKeen était... Il savait trop ce qu'il voulait. On sentait le prédateur en lui.

— Je comprends que tu aies pensé à moi, fit François, l'œil en coin.

Maya lui envoya un petit baiser, de loin, et précisa:

— Ils lui ont dit non, tout de suite, et sans appel. Ils sont dociles, c'est vrai, mais ils s'engagent aussi entièrement dans leurs décisions. Je n'ai jamais remarqué chez eux une once de duplicité.

— J'y verrais une raison de me méfier.

Il posa son verre vide sur la table. Il ne voulait pas rencontrer les visiteurs avant d'avoir vu le commandant, au dîner. En attendant, il prendrait un bain et se reposerait un peu. Il hésita, la main sur la poignée de sa valise. Maya ne semblait pas avoir entendu qu'il voulait se rafraîchir. Si les Extra-terrestres manquaient de duplicité, songea-t-il, ce n'était certainement pas le cas des Terriennes.

— Est-ce que je peux rester? demanda-t-elle enfin.

Elle était toujours tellement séduisante, avec son sourire un peu timide! François rangea tranquillement ses effets personnels, se déshabilla, prit sa trousse de toilette et s'enferma dans la salle de bains. Il fut ravi d'y trouver une cabine à ultra-sons, qui lui nettoieraient le corps avec des bulles d'eau chaude revigorantes.

Maya l'avait regardé sans bouger, sauf pour porter le verre à ses lèvres. Ils s'étaient aimés tout un été, en sachant que leur liaison serait brève: à l'automne, elle partait pour le Japon pour y faire un stage d'un an à l'Institut de recherches linguistiques d'Hokkaïdo, alors qu'il entamait des démarches pour être rattaché au service extérieur. Plus tard, elle avait songé à lui rendre visite au Brésil, mais on lui avait offert un contrat pour étudier la langue d'une tribu en voie d'extinction au sud du Magéria.

Elle songeait surtout à son allusion à propos de Garou. Bien sûr, elle éprouvait des sentiments affectueux à son endroit, mais fallait-il y voir autre chose qu'une amitié un peu tendre? Cependant, François avait toujours été tellement perspicace! Serait-il possible que, se trouvant sans partenaire amoureux à Inowa, elle commençât à voir en Garou quelqu'un qui pourrait combler une soif encore inavouée? Dans la salle de bains, on n'entendait plus le léger vrombissement qui accompagnait, après le nettoyage du corps, le massage par les bulles de caoutchouc propulsées par ultra-sons. François devait être en train de s'abandonner à l'air chaud, pour se sécher. Elle vida son verre, songeuse.

François, de son côté, après être sorti de la cabine, regardait son visage en se peignant. Il avait trente-cinq ans lors de sa liaison avec Maya. Maintenant, ses tempes grisonnaient. Sa vie prenait des teintes grises, qu'il essayait de combattre, par exemple, en allant au Brésil. Il avait sans doute eu raison, même à son corps défendant, d'accepter ce nouveau travail. Il faut, de toutes les façons possibles, faire échec à la monotonie fondamentale de l'existence. Ragaillardi, il enfila un peignoir et regagna le salon.

— Toi, tu as toujours ton drôle d'air.

— J'imagine que c'est le plaisir de voir un homme après quatre mois de... de chasteté relative.

— Quatre mois! C'est très mauvais, tu sais.

— J'y pensais très peu. Mais aujourd'hui, j'aimerais vraiment faire l'amour.

— Tu n'as qu'à exprimer le désir.

— C'est déjà fait.

Elle se leva et l'enlaça. François l'embrassa, en lui dégrafant l'uniforme. Comme il s'agissait d'un vêtement moulé, cela ne prit pas dix secondes. Il avait connu un bon nombre de femmes dans sa vie, et plusieurs étaient sans doute plus belles et plus voluptueuses que Maya, mais il retrouvait en elle, non sans émotion, cette fraîcheur adolescente dans l'étreinte qui l'avait souvent hanté depuis leur séparation. Maya donnait toujours l'impression d'aimer pour la première fois, comme si les caresses, au lieu de retracer un paysage familier, renouvelaient son émerveillement devant la magie du plaisir.

Après l'amour, elle s'étira les membres, en roucoulant, et lui annonça qu'ils venaient d'agir en Extra-terrestres.

— Vraiment? fit-il, stupéfait.

— Oui. Comment t'expliquer? Sans le savoir, les Asiates ont séparés des gens qui s'aimaient beaucoup. Garou était l'ami de Val. Jinik, celle des deux hommes qui sont restés dans l'autre groupe. Vlakoda était intime avec Jinik, mais il était surtout l'ami de Fladia, l'autre femme. Quand Jinik, Garou et Vlakoda se sont retrouvés ici, ils se sont arrangés entre eux.

— Tu connais très bien leur vie privée!

— Garou m'a tout raconté. Ils ont une véritable tendance, très spontanée, à faire plaisir. Par solidarité. Mais je crois comprendre que s'ils font l'amour facilement, c'est... c'est pour préserver leur sérénité. La leur, et celle de leurs camarades. C'est ce que nous avons fait, n'est-ce pas?

François se mit à réfléchir. Oui, elle avait sans doute raison. Ils ne s'étaient pas appuyés sur le souvenir de leur liaison pour faire l'amour. Il avait plutôt constaté qu'elle manquait d'amour, elle avait senti qu'il envisagerait mal de passer quelques mois à Inowa sans compagnie féminine, et ils s'étaient rendu service, avec sérénité et dans une douce complicité.

— Lors de notre première rencontre, avoua-t-elle, Vlakoda m'a demandé si je voulais faire l'amour avec lui. Ça m'a prise au dépourvu. Je n'y ai pas donné suite, et il n'a pas insisté. Ils ont un sens très précis de la réalité, ce qui peut se faire et ce qui ne peut pas se faire. Plus tard, en parlant avec Garou, j'ai compris que Vlakoda avait surtout voulu se montrer gentil, me souhaiter la bienvenue.

— Et ils ne s'offusquent jamais, quand on leur dit non?

— Pas du tout. Leur nonchalance l'emporte tout de suite. Et tu devrais les voir rire, quand ils sont bien à l'aise, et quoi qui leur arrive! Je les aime beaucoup, tu sais.

— Et tu aimes surtout Garou.

Était-il temps d'approfondir cette question? Jamais elle n'avait éprouvé le désir d'un contact corporel avec Garou, ni de le toucher, ni d'en être touchée. Mais c'était si bon, quand cela arrivait! Par ailleurs, il lui était souvent arrivé, avec un homme qui lui plaisait, de faire précéder leur liaison d'une période de chasteté, comme si elle voulait se libérer de ses anciennes passions avant d'en vivre une nouvelle.

— Penses-tu, murmura-t-elle, qu'il soit possible, vraiment possible, de faire l'amour avec un Extra-terrestre?

— Je ne les ai même pas vus, lui rappela-t-il.

— Et alors? Tu rêvais déjà aux Brésiliennes avant de partir. François Leblanc: vous, qui avez un grand appétit de la vie en dépit de votre air, pourriez-vous concevoir de vous amouracher de Jinik?

La question, même si elle avait été préparée, le prit de court. Il ébaucha une boutade, sur un ton d'une gravité professionnelle:

— Ce n'est pas dans ma description de tâches.

Il s'abandonna toutefois à une seconde de rêve. Il avait vu des photos des visiteurs. Il avait remarqué que Jinik avait de très beaux yeux. S'il trouvait que la vie devenait grise, il savait aussi qu'un nouvel amour lui rafraîchissait toujours le cœur. Mais cela ne suffisait pas à résoudre en lui une profonde hésitation.

— Je me trouve un peu trop vieux pour m'engager dans des expériences inattendues, déclara-t-il.

— Menteur, le taquina-t-elle.

— Mais toi, je te félicite: tu t'es vraiment arrangée pour détourner la conversation. Et j'ai hâte de rencontrer Garou, puisque tu sembles en être tellement amoureuse.

Le dimanche 23 août

À dix heures moins un quart, François cognait à la porte de Maya. La veille, ils avaient dîné avec le commandant. Ayant découvert que Bourgault était un grand amateur de chasse, François l'avait longuement interrogé sur la faune des environs, s'attirant ainsi un exposé passionné saupoudré d'histoires d'orignaux, de loups, d'ours et d'oies sauvages, sans oublier les anecdotes de pêche. Le commandant n'avait pas d'objection à ce que les invités sortent de la base, à condition qu'ils soient accompagnés et qu'ils ne s'éloignent pas trop. À la fin du repas, Bourgault évoquait des parties de chasse dans le Saguenay, la Mauricie et la région de Parent, tandis que François Leblanc le stimulait, tout en lui inspirant confiance, en lui parlant de ses randonnées avec les Indiens autour de la rivière La Grande et des excursions dans la forêt amazonienne. Maya avait bien essayé, à quelques reprises, de diriger la conversation vers les Extra-terrestres, mais François n'avait pas saisi ces occasions.

— Si tu as voulu te faire un ami du commandant, c'est gagné. Mais je ne m'attendais pas à passer la soirée à parler des façons de traquer le daim ou de tanner les peaux de serpent.

— Je n'allais pas avoir le mauvais goût de parler travail pendant le repas! Ce que tu racontais toi-même sur la pêche autour du lac Nipissing était diablement intéressant.

— Il fallait bien que je parle un peu! Mais je croyais que tu en aurais profité pour dire comment tu envisages ton rôle d'agent de liaison.

— Je ne le sais pas encore. Je verrai ça plus tard.

Il mentait avec un sourire dont Maya n'était pas dupe. Comme elle semblait vraiment désappointée, et qu'ils avaient dix minutes devant eux, il décida de se montrer plus franc.

— Bourgault est en fin de carrière et on ne le met pas au courant de tous les enjeux. Son boulot, c'est d'assurer la sécurité et, jusqu'à un certain point, le bien-être des visiteurs. En ce qui me concerne, j'ai besoin qu'il me fasse confiance, c'est tout. Même si ça me coûtera quelques fins de semaines de pêche et de chasse!

— Mais quels enjeux? Qu'est-ce que tu veux dire?

Il se rapprocha de la fenêtre. À cinq cents mètres de la base, le lac Inowa s'étalait comme un appel au calme jusqu'à l'horizon d'épinettes noires et de bouleaux rabougris.

— C'est une belle journée, commenta-t-il. Mais je trouve inquiétant qu'il fasse 32°C à la fin d'août, à cette latitude. Malheureusement, Bourgault dit qu'il n'y a pas d'Indiens dans les alentours. Je pourrais toujours consulter les statistiques de la météo, mais ce n'est pas la même chose que de parler aux gens.

Hier la chasse, aujourd'hui la température... Vraiment, la nonchalance de François devenait parfois irritante. Il céda. Elle n'avait pas le droit de tout connaître, mais il pouvait lui donner une idée de la réalité.

— La situation internationale est très tendue, comme on dit. Les Asiates ont proposé de faire la paix, à condition que les autorités de Pékin leur livrent tous les territoires au nord de la muraille de Chine. C'est une façon un peu forte d'interpréter l'Histoire pour fonder des réclamations. Ça veut dire, surtout, que la guerre se poursuivra pendant longtemps. Les Asiates ont massé deux millions d'hommes sur leur flanc perse. L'Alliance du Pacifique a déployé des missiles Z9 de l'Inde à la

Thaïlande. L'Inde, bien sûr, ne fait pas partie de l'Alliance, mais elle a accepté parce que le Pakistan, de plus en plus acoquiné avec Tachkent, a commencé à mobiliser ses réservistes. Il n'y a aucun océan où l'on ne fasse, ces jours-ci, des manœuvres de quelque sorte. La recrudescence des expériences dans l'espace ne découle pas de besoins scientifiques. On se prépare tranquillement au pire. C'est tellement grave, que les Américains ont annoncé qu'ils retardaient de deux semaines leurs livraisons de blé, de viande et de soya, à cause d'engorgements portuaires. C'est une façon de rappeler à l'Afrique, à l'Inde, à la moitié de l'Amérique du Sud, et même à la Chine, que s'ils font le moindre faux pas, on n'aura qu'un geste à faire pour les affamer.

Maya savait tout cela, ou s'en doutait. Mais qu'est-ce que cela avait à voir avec les visiteurs?

— On est très inquiet, à Washington, de ce que les Asiates peuvent bien manigancer avec leurs quatre naufragés. Les services d'espionnage américains n'ont pas réussi à les localiser. Si leur présence est gardée ultra-secrète, on peut bien s'énerver un peu. Le raisonnement est simple, Maya: Si les Asiates peuvent bénéficier de la technologie extra-terrestre dans le domaine militaire, nous risquons bien d'être pris au dépourvu. Et, ce qui est pire, ça peut nous conduire à utiliser des armes de dissuasion à des fins préventives. Ce ne sera pas beau.

— Oh, François! Est-ce qu'on ne devrait pas laisser nos visiteurs en dehors de nos problèmes?

— Ce serait un peu naïf. On s'impatiente, à Washington. McKeen est toujours en charge d'une partie du dossier. Ce n'était pas par hasard qu'on l'avait proposé comme coordonnateur. Nous devons savoir, le plus vite possible, de quel apport technologique, et surtout militaire, nos visiteurs sont capables.

— Ce sera ça, ton rôle? fit-elle, déçue.

— Non. Je serai simplement le «facilitateur» des échanges. Et je suis aussi un pion, dans cette histoire: le fonctionnaire québécois. Mme David a besoin de resserrer ses liens avec Québec, et je lui en fournis l'occasion, un petit geste qui sera suivi d'autres gestes. Car si nous devons nous préparer à une guerre, aussi bien mettre de côté nos petites rivalités internes.

Il en avait suffisamment dit. Maya le regardait, les yeux mouillés.

— Moi qui croyais... que l'arrivée de visiteurs... d'un autre monde... nous pousserait plutôt... à bien les accueillir, à mettre de côté... nos bêtises... Nous avons une si belle occasion... de nous créer... une solidarité terrienne...

Il ne regrettait pas d'avoir parlé comme il l'avait fait. On l'avait prévenu de garder quelque distance avec Maya Golinsky, de ne la considérer que comme interprète éventuelle, mais, en dehors de ses sentiments personnels, François estimait qu'elle devait avoir une idée générale de la situation.

À dix heures, ils pénétraient dans les appartements des visiteurs. Maya leur présenta son vieil ami, en formulant le souhait qu'il devienne aussi le leur. Les trois invités regardaient François, sans curiosité excessive. Ce dernier prenait son temps. McKeen avait échoué en se montrant trop sûr de lui; il allait donc forcer les autres à faire les premiers pas. Imperturbable, il les dévisagea, l'un après l'autre, en évitant tout contact visuel. Même s'il avait lu plusieurs articles qui tentaient d'expliquer l'aspect humanoïde des Extra-terrestres, leur physionomie ne manquait pas de l'étonner. Maya commençait à se sentir mal à l'aise devant ce silence prolongé.

— Je suis heureux que vous soyez un ami de Maya, dit Garou, finalement.

— Le plaisir est pour moi, fit François, immédiatement.

Il posa un regard affectueux sur Maya, et attendit.

— Vous pensez rester longtemps parmi nous? demanda Jinik.

— Je n'aime pas beaucoup l'hiver, vous savez. Mais s'il continue à faire beau...

Il sourit. Les Extra-terrestres devaient le comparer à McKeen. Il trouvait donc normal qu'ils se montrent polis et froids à leur deuxième expérience.

— Mais expliquez-nous, fit Vlakoda, enfin, ce que vous pensez faire comme agent de liaison.

François avoua qu'il n'en avait aucune idée.

— Je pense à autre chose, ajouta-t-il. Il fait vraiment très beau, aujourd'hui. Moi, ça fait des années que je vis à l'étranger. J'ai la nostalgie de la forêt. Aimeriez-vous faire un tour de canot?

— Nous n'avons jamais quitté la base, mentionna Jinik.

— Eh bien! on va se préparer.

Il se rendit chez le commandant. Malgré ses propos de la veille, Bourgault donna son autorisation à contrecœur, et à condition de pouvoir leur assurer surveillance et protection. François n'y voyait pas d'inconvénient, du moment que les soldats se tiennent loin du groupe, au point d'être invisibles. Ensuite, il rejoignit Maya et les invités dans les cuisines, où on leur préparait un gueuleton de fortune. François sourit: les Extra-terrestres avaient remplacé leurs tuniques par des pantalons et des chemises carreautées d'hommes des bois traditionnels.

Un camion les attendait à la sortie de la base, chargé de deux canots. François demanda au chauffeur de se rendre seul à l'embarcadère: en faisant à pied les cinq cents mètres qui les séparaient du lac, les visiteurs pourraient s'habituer un peu à la forêt. En effet, il s'arrêtaient souvent pour regarder des arbres, un petit suisse, des oiseaux, pour toucher des feuilles, respirer quelque fleur sylvestre, demander le nom d'une plante. Les Extra-terrestres abandonnaient leur impassibilité ordinaire à mesure que des aspects du paysage leur arrachaient des marques d'émotion, d'étonnement ou de stupéfaction.

Maya, qui se trouvait près de François, lui fit remarquer que, d'après Garou, il n'y avait pas de lacs ni de rivières sur Chumoï, leur planète, et qu'ils ne savaient pas nager.

— Ça ne fait rien. L'eau est très calme, et nous avons les gilets de sauvetage.

Il en expliqua l'usage aux visiteurs. Si jamais un canot chavirait, ils devaient s'y accrocher jusqu'à ce qu'on se porte à leur secours. Il ajouta d'autres conseils pratiques — bouger le moins possible, éviter les gestes brusques — et on se mit en route. Maya partageait un canot avec Vlakoda, François avait pris Jinik et Garou à son bord. Bientôt les visiteurs pagayaient convenablement et tous se sentaient de plus en plus relaxés.

— La forêt fait partie de notre âme, racontait François. On a beau vivre dans des villes depuis des générations, chaque fois qu'on a la chance d'aller en forêt, comme ça, on se sent renaître, on retrouve une partie essentielle de nous-mêmes. Je viens de passer trois ans dans un autre pays, et je m'y sentais très bien. Ajuourd'hui, je découvre que la forêt me manquait. Je vous remercie d'avoir bien voulu me donner le plaisir de cette sortie.

— Pour nous aussi, c'est une grande joie, avoua Jinik.

Une quinzaine de canards traversaient le ciel. Le cri d'un huard perça le silence. Les deux canots avançaient dans la beauté magique du lac Inowa. François parla des poissons qu'on devait y trouver; la prochaine fois, il apporterait des cannes à pêche. Maya siffla et leur montra, dans une petite anse, une cabane de castors. Ils la contournèrent, ébahis d'admiration. Cent mètres plus loin, ils aperçurent un orignal au bord du lac, immobile dans sa majesté sauvage. Les Extraterrestres jubilaient, tout à fait émerveillés. Maya et François leur fournissaient des explications sur ce qui attirait leur attention.

— Vous maniez très bien l'aviron, les complimenta François. De vrais Canadiens honoraires!

— Nous aimons apprendre, fit Garou. Nous sommes venus pour connaître.

François se retint de questionner. Il fallait qu'ils parlent sans s'y sentir forcés. Maya mit le cap sur une plage rocailleuse. Après une heure de rame, il était bien temps de s'arrêter. Elle tâta le fond de l'eau avec son aviron. Vlakoda se leva alors si brusquement que la barque pencha dangereusement. Instinctivement, la jeune femme s'inclina de l'autre côté. Vlakoda perdit tout à fait l'équilibre et se retrouva dans l'eau, ainsi que Maya. François, qui manœuvrait à cinq mètres d'eux et voyait qu'ils ne couraient aucun risque, pouffa de rire. Jinik le regarda, surprise. Garou, d'abord inquiet, s'aperçut que Maya riait, elle aussi, et s'esclaffa à son tour.

François leur montra comment on descend d'un canot sans se mouiller. Jinik et Garou suivirent ses instructions à la lettre puis l'aidèrent à tirer l'embarcation de l'eau. Maya et Vlakoda, complètement trempés, faisaient de même avec la leur, qui, au moins, ne s'était pas renversée avec les victuailles.

Vlakoda se mit à parler en tchouhio avec ses compagnons. Puis sans prévenir, il déboutonna sa chemise, retira ses pantalons, et se retrouva bientôt nu, avec son linge mouillé dans la main. Impassible, François prit les vêtements et les étala sur un canot, pour les faire sécher. Il revint avec deux couvertures, et en tendit une à Vlakoda, pour qu'il puisse s'y enrouler. Il s'approcha de Maya, avec un sourire espiègle.

— Il ne faut pas prendre froid, ma belle.

La jeune femme hésitait. Elle grelottait, mais elle avait compris la conversation en tchouhio. Vlakoda avait consulté ses camarades. Garou avait estimé qu'il ne devrait peut-être pas se dévêtir, parce que les Terriens sont un peu «malades» et ça pourrait les indisposer. Jinik avait dit qu'en effet, les Terriens étaient des gens «pudiques», mais qu'ils se montreraient sans doute «tolérants» dans les circonstances. Le choix des mots inspirait quelque perplexité, tout en illustrant la sensibilité des visiteurs face aux mœurs de leurs hôtes.

Maya tourna le dos au groupe et se dévêtit. François, qui ignorait les raisons de son hésitation, se demanda si elle leur tournait le dos à cause de la présence de Garou, ou si, au contraire, elle se déshabillait avec un plaisir spécial parce qu'il la regardait. Il lui passa la deuxième couverture et alla étendre son linge sur l'autre canot, en commentant que de tels incidents donnaient son charme à la vie. Avec l'aide de Jinik et de

Garou, il étala une nappe à même le sol et distribua les boîtes de nourriture. Il était près de deux heures de l'après-midi et chacun mangeait avec un appétit évident.

— C'est une journée merveilleuse! s'exclama Garou.

— On se sent trop inactifs, sur la base, ajouta Vlakoda. Nous aimerions connaître davantage.

Il employait le mot «connaître», comme Garou l'avait fait plus tôt. François leur promit de veiller à leur rendre la vie plus intéressante. On se mit à parler de tout et de rien, en vidant une deuxième bouteille de vin. Puis Jinik demanda si on avait des nouvelles de leurs camarades.

— Nous aimerions beaucoup entrer en contact avec eux, expliqua François. Mais c'est très compliqué.

— Nous comprenons. Nous regardons les actualités. Vous êtes en guerre avec les Asiates, et il est difficile de leur parler. Mais il est très important que nous soyons réunis.

— Nous ne sommes pas *encore* en guerre avec les Asiates, précisa François. Ils ont une ambassade chez nous, et à Washington aussi, et nous en avons chez eux. Mais ça ne nous donne pas accès à vos camarades.

— Et si nous allions les voir, à Tachkent?

— C'est encore impossible. Je suis à votre service, mais il y a des choses que je ne peux pas faire.

— Nous comprenons, fit Vlakoda.

À quatre heures, Maya remarqua qu'il commençait à faire froid. De toute façon, leur linge était sec, et il était temps de rentrer. Pendant que Vlakoda et Maya se rhabillaient, François en profita pour faire un petit tour dans le bois avec les deux autres. Au retour, sur la plage, Jinik avança et lui barra le chemin. Face à lui, elle leva les bras. Il fit de même, et leurs paumes se touchèrent.

— Vous serez notre agent de liaison, dit-elle.

Il sourit, ému et satisfait.

— Merci. Je crois que je trouverai cela très intéressant.

Maya aussi sourit : François avait toujours eu l'élégance de ne pas souligner ses succès. Elle mit un canot à l'eau, aidée de Garou et Vlakoda. François s'installa dans l'autre avec Jinik. Arrivés à l'embarcadère, il demanda quelle était la température : il faisait 16° C et ça continuait à baisser.

Vers huit heures, un violent orage électrique se déclencha. Bourgault lui-même n'avait jamais rien vu de semblable. De vastes franges vertes, rouges et orange s'affrontaient tumultueusement dans le ciel, avec des coups de tonnerre assourdissants.

— Le professeur Quiroga aurait pu nous expliquer cela, fit Maya, pensive.

— Quiroga?

— Oui, c'est un spécialiste des aurores boréales. Il était avec nous, à Ellef Ringnes.

— Je veux bien, mais pourrait-il expliquer une chute de vingt-cinq ou trente degrés en une demi-journée?

— Il avait des tas de théories sur la météorologie polaire. Mais il y a d'autres experts.

— Je poserai la question à la centrale. Ça m'intrigue beaucoup, tout cela. Je mentionnerai quand même ce Quiroga : ça me donnera l'air intelligent, de glisser un nom connu.

À minuit il neigeait.

Le dimanche 30 août

La générale Djan Jogaï jettait un dernier regard sur les résumés des multiples rapports préparés au cours des mois précédents sur les Extra-terrestres. Chacune des trente-deux pages du résumé contenait une petite pochette. Dans chaque pochette, une diskette reproduisait, sur un thème donné, un volume de mille pages. Ce matériel écrit, en plus des fiches signalétiques, des procès-verbaux des entretiens, des prélèvements génétiques, des vidéos, des échantillons de cheveux, des enregistrements sonores pourrait occuper les chercheurs les plus spécialisés pendant plusieurs années. Si les quatre rescapés devaient disparaître, on en connaissait déjà suffisamment à leur sujet pour alimenter un institut biospatial.

Et pourtant, on n'avait pas réussi à tirer d'eux les renseignements vitaux sur lesquels on comptait. Les études les plus fructueuses s'étaient limitées aux questions psycho-physiologiques. On avait analysé à fond les variations qu'ils présentaient par rapport à l'espèce humaine. On leur avait fait passer une infinité de tests psychologiques, caractériels, sociologiques. Par contre, on n'avait obtenu que des aperçus rudimentaies de l'organisation sociale, politique et économique de leur civilisation. De Chumoï, leur planète, on savait qu'elle ne faisait pas partie du système solaire, mais leurs indications permettaient tout juste de la situer quelque part dans les environs de l'étoile Lalande 21185.

Leur promesse de coopération n'avait abouti à rien. Des dizaines de savants les avaient interrogés sur divers aspects de la médecine, de la physique nucléaire, de l'électronique, des théories de l'univers. Ils semblaient connaître ces sujets, mais s'avéraient incapables d'en fournir des éléments scientifiques valables. Sur le plan technologique, leur apport demeurait nul. Concernant les sources d'énergie qui alimentaient leur vaisseau, ils disaient qu'il s'agissait de captation d'ondes magnétiques. Pourraient-ils fabriquer une unité fonctionnelle? Non. Ils prétendaient disposer, dans leur vaisseau, d'un convertisseur capable de synthétiser les éléments chimiques de base et de transformer une pierre en une substance comestible; mais ils ignoraient comment elle marchait et comment en produire d'autres. Ils s'étonnaient de ne pas trouver sur la Terre des appareils capables d'absorber les ondes sonores, ils parlaient de régulateurs de photons, ils prétendaient qu'on pouvait doter un satellite d'instruments optiques ou sonores permettant de reconstituer à distance et sur échelle n'importe quel objet, que ce soit un missile ou toute une installation militaire. Quand on leur demandait de tracer un diagramme de ces équipements, ou d'en préciser le fonctionnement, ils avouaient qu'ils n'étaient pas experts en la matière.

Ou bien ils étaient des ignorants, ou bien ils ne voulaient pas vraiment partager leurs secrets. D'une façon comme de l'autre, ils ne jouaient aucun rôle utile.

Il fallait quand même faire un dernier effort. Le maréchal Valine s'était montré clair et ferme: «Je crois aux méthodes qui ont fait leurs preuves: ou ils collaborent, ou c'est la Sibérie!» On avait prévenu les Extra-terrestres que la générale les rencontrerait séparément. Habitués à rester toujours ensemble ils avaient fortement maugréé, mais on ne leur donnait pas le choix. Mino, escorté d'un aide de camp, se présenta le premier.

— Alors, Mino, êtes-vous heureux de votre séjour?

— Nous avons été si bien reçus! Nous aimerions pouvoir vous exprimer notre reconnaissance dans votre langue.

— Nous avons jugé plus courtois d'apprendre la vôtre. Malheureusement, il ne nous reste plus beaucoup de temps.

Avant que Mino ait pu lui demander de clarifier sa phrase, la générale enchaîna sur leur récente visite en ville, dans un véhicule aux vitres teintées qui ne permettaient pas aux passants de voir les passagers.

— Tachkent est très impressionnante! Nous aimerions maintenant rencontrer des gens.

— Mais vous voyez beaucoup de monde, ici!

— Non. Les gens, ici, sont comme les robots, chez nous. On ne peut pas partager avec eux. Nous aimerions partager avec des amis. Des gens qui ne posent pas de questions, qui veulent être avec nous pour... pour partager, pas pour travailler. Je n'aime pas travailler, ajouta-t-il en souriant.

Elle avait parfois eu l'impression qu'on bousculait trop les Extra-terrestres, que ceux-ci se cabraient devant l'insistance des experts et leurs excès d'efficacité. Mais il était tellement important d'obtenir rapidement des résultats! Elle lui demanda quel métier il faisait sur Chumoï.

— Je partageais, déclara-t-il, le visage illuminé. J'aime partager.

S'il ne mentait pas, cela expliquait peut-être son ignorance générale des choses. Mino ajouta qu'il aimerait *partager* avec des femmes asiates, qu'il trouvait fort belles, y compris Jogaï, même si elle n'était pas très heureuse en ce moment. Irritée par cette remarque personnelle, Djan en était surtout perplexe. Rien dans son expression, ses mots, son attitude, n'autorisait Mino à dire une telle chose.

— Je le sens. Oui, je le *sens*, répéta-t-il, en éclatant de rire. Nous avons l'odorat très développé. Je *sens* que vous êtes préoccupée.

Mino avait surtout révélé une faiblesse familière. Pourquoi n'en avait-il jamais parlé? Il expliqua qu'il n'avait jamais *senti* qu'une femme désirât *partager* avec lui. La générale sourit: décidément, le personnel et les spécialistes qui avaient séjourné à la Tour Noire ne manquaient pas de discipline. Il est vrai que les Extra-terrestres étaient constamment surveillés. Elle offrit à Mino de lui fournir, en échange de sa coopération, des femmes qui voudraient *partager*.

— Ce ne serait pas bon, parce que ce serait du travail. Nous *sentons* cela. Ce serait un échange, pas un partage.

Jogaï voyait peu d'intérêt à de telles nuances. Elle l'invita à y penser, pendant qu'il en était encore temps, et le fit reconduire dans ses appartements. Elle brancha l'appareil phonovisuel qui lui permettait de suivre ce qui s'y déroulait. Comme elle s'y attendait, Mino rapporta leur conversation à ses camarades, en insistant sur le fait que la générale avait mentionné à plusieurs reprises qu'il leur restait peu de temps. Satisfaite, Jogaï fit venir Val.

— J'ai voulu m'entretenir avec vous, Val, parce que le temps me presse. J'ai pensé qu'en vous voyant séparément, je garderais un souvenir plus précis de chacun de vous.

— C'est gentil. Pour nous, le temps compte très peu. Quand nous voyons quelqu'un, ou quelque chose, nous pensons toujours que ça pourrait être la seule fois.

En effet, songea Djan. En dépit de leur bizarre tranquillité, les visiteurs semblaient vivre chaque instant avec une intensité remarquable, comme s'ils voulaient que rien ne leur échappe. Si on leur avait enseigné le russe ou une autre langue terrienne, ils auraient pu devenir des espions redoutables.

Val se dit satisfaite de leur séjour sur la Terre, même si elle eût aimé partager davantage ce qu'elle avait vu avec Garou, qui faisait le même travail qu'elle sur Chumoï.

— Nous étions témoins. Cela n'existe pas chez vous. Ça ressemble à un journaliste, un mémorialiste, un chroniqueur. Un témoin parle de ce qu'il fait et de ce qu'il voit. Il doit tout dire, tout raconter. Nous avons des témoins depuis des siècles. Ça nous aide à comprendre les gens, la vie, la civilisation.

Plus que les autres, Val avait montré une curiosité particulière pour les documentaires. Djan lui demanda ce qu'elle dirait de la Terre quand elle en témoignerait.

— Il y a tant de désordre! La situation sur la Terre est difficilement compréhensible. Beaucoup, beaucoup de désordre.

— C'est vrai, il y a encore trop de peuples barbares. Nous essayons de les civiliser, mais c'est difficile. Les peuples d'Amérique et d'Afrique, et même de l'Europe, sont si jeunes! Nous attendions beaucoup de vous. Malheureusement, vous ne nous avez pas vraiment donné de moyens pour les pacifier.

— Chez nous, on dit que la paix ne peut pas venir d'autrui mais de soi.

— C'est plus compliqué quand des criminels vous attaquent.

Val arbora un vague sourire, sans offrir de commentaire. Jogaï lui demanda si elle avait quand même trouvé quelque chose de spécialement louable sur la Terre.

— Wakasondo m'impressionne beaucoup.

— Wakasondo? Mais c'est un fou, un illuminé...

— Oui, il est illuminé.

Djan Jogaï ne cachait pas son étonnement. Wakasondo était un étrange personnage. Originaire d'un petit village zaïrois, il s'était taillé, au cours des années, une surprenante réputation de justicier. Son nom signifiait d'ailleurs «le faiseur de justice». Il avait commencé par intervenir dans des querelles familiales, en réconciliant ou en séparant les adversaires, selon les circonstances. Lors d'une grève qui avait paralysé les industries pétrochimiques du pays, le syndicat ouvrier l'avait imposé comme arbitre. Il avait désamorcé le conflit en disant aux parties: «Vous êtes des frères, et vous êtes mes enfants. Je désire que vous oubliiez le temps où vous n'étiez pas des frères et que vous recommenciez à travailler ensemble.» Il avait alors écouté les propositions des deux groupes, en objectant: «Non, ce n'est pas une solution fraternelle», jusqu'à ce qu'ils se soient vraiment entendus. Lors du conflit entre le Zaïre et la Confédération sud-africaine, il s'était rendu sur le terrain même des hostilités, en disant qu'il ne voulait pas que des frères, ses enfants, se battent entre eux; peu à peu, les gens avaient déposé les armes. Il avait dit qu'il ne voulait plus qu'il y ait une frontière entre deux peuples, et il avait rejoint les lignes qui séparaient le Zaïre de l'Angola, en territoire confédéré. Il n'avait ni visa de sortie, ni visa d'entrée. Or, dans cette époque tendue, les gardes frontaliers avaient ordre de tirer sur quiconque essayait de traverser les lignes sans autorisation. Il avait passé le poste zaïrois, et on n'avait pas tiré. Il s'était rendu au poste angolais, et on n'avait pas tiré. Là, il avait déclaré: «Je ne veux pas de barrières dans la maison de mes enfants. Des frères doivent circuler librement dans la maison qu'ils partagent.» C'est à ce moment-là qu'on avait commencé à parler de Wakasondo à travers le monde. On le présentait comme un énergumène ou un sage, un chef religieux sans religion définie, ni musulman, ni chrétien, ni animiste, une de ces figures charismatiques et pittoresque qui surgissaient parfois des profondeurs de l'Afrique. Mais, un jour, il avait élargi son champ d'intérêts. Il avait dit: «Je ne crois pas que mes enfants doivent compter sur leurs frères étrangers pour les nourrir», et les paysans, du Mozambique au Sahel, du Soudan au Congo, avaient cultivé du riz, du maïs, du mil, du manioc, au point de mettre fin aux importations de vivres. Il avait dit: «Je crois que les éleveurs namibiens ne reçoivent pas le juste prix de leur bétail», et les citadins avaient absorbé la hausse des coûts. Il avait demandé, et obtenu, que les Touaregs, au nord du Magéria, reçoivent le même traitement. Il avait dit: «Je veux que mes enfants puissent dire ce qu'ils pensent», et l'on avait annulé tous les règlements de censure. Wakasondo n'avait aucun statut, il ne remplissait aucune fonction publique, mais chacun lui obéissait, et pas seulement dans l'Afrique centrale. On ne pouvait plus s'opposer à Wakasondo sans commettre un sacrilège. À la suite des élections à la tête de la Confédération sud-africaine, lui, citoyen zaïrois, il avait dit: «Je ne crois pas que Brito soit la meilleure personne pour gouverner son pays.» Deux jours plus tard, Brito présentait sa démission et les capitales européennes et américaines commençaient à s'inquiéter. Wakasondo voulait que le Zaïre et la Confédération deviennent un seul pays, que ses enfants y vivent en paix, et qu'ils soient heureux. Son immense influence morale, incompréhensiblement efficace, se traduisait par un réaménagement des lois et des structures économiques et politiques. Les Américains, les Asiates, les Européens et les Brésiliens le suivaient maintenant de très près, ravis de voir un pays de cent soixante millions d'habitants faire contrepoids au Magéria, qui regroupait la majorité des pays du bassin du Niger jusqu'au Nil, mais ils se méfiaient de cet homme qui, au nom d'une idée de justice, bouleversait tout le sud du continent.

— C'est en effet un personnage extraordinaire, admit Jogaï.

— Il n'aime pas le désordre, expliqua Val. Il irradie la paix, sans avoir jamais causé la mort d'une seule personne. Il est l'honneur de la Terre, et je témoignerai de lui.

— Mais il est très vieux, et son action est limitée à une région négligeable de la planète.

Val fronça les sourcils: sur Chumoï, il n'y avait pas de région «négligeable». Jogaï, conciliante, précisa quand même qu'il y avait sept milliards de Terriens, et Wakasondo n'en touchait que deux ou trois pour cent.

— Wakasondo enseigne la justice et enflamme le cœur des gens, répondit Val. Il pourra finir par illuminer la Terre.

— Nous cherchons aussi la justice, mais nous devons d'abord éliminer les barbares de l'Alliance pacifique. Nous voulons aussi éviter que vous en soyez les victimes. Les Américains ont découvert que vous vous trouviez à Tachkent et nous craignons beaucoup pour votre sécurité. Nous vous mettrons à l'abri. Mais avant de vous séparer, je voulais vous dire que je serai toujours votre amie.

La générale appela son aide de camp, mettant fin à l'entretien. Elle se brancha ensuite sur les appartements des Extraterrestres. Val annonçait à ses compagnons qu'on les évacuerait. Jogaï fit venir Bolorta, qui lui avait toujours paru le plus compétent des quatre.

— J'ai voulu vous voir avant votre départ pour vous exprimer le plaisir que j'ai eu à vous connaître et le regret que j'éprouve à vous voir partir.

— Toute chose est passagère, même le bonheur, mais au moins peut-on en garder un souvenir agréable.

Ils échangèrent un long regard. Jogaï constatait que les visiteurs tenaient compte de ses insinuations concernant leur départ, mais évitaient de l'interroger à ce propos. Elle mentionna qu'une meilleure coopération aurait rendu leur rencontre plus fructueuse. Bolorta s'étonna: ils avaient toujours répondu à toutes les questions. Cela était vrai, mais comme de mauvais élèves dont la bonne volonté se traduisait surtout par des: «Je ne sais pas.»

— Nous attendions un appui plus concret. Surtout de vous, Borlota, puisque vous étiez en charge de votre vaisseau.

— Je suis technicien spatial, c'est juste. Je fais ce métier depuis quinze ans. C'est pourquoi je suis vraiment impressionné par votre technologie. Vos équipements militaires sont extraordinaires. Nous regrettons, évidemment, leur usage.

— Moi non plus, je n'aime pas la guerre. Nous sommes un peuple de paix. Mais depuis plus d'un siècle, les Américains nous ont menacés et provoqués, et nous avons dû nous armer pour nous défendre. Nous comptions sur vous pour faire régner la paix.

— Mais nous n'avons pas d'armements chez nous! Il n'y a qu'un peuple sur Chumoï. Nous ne nous battons contre personne.

Jogaï avait de la peine à concevoir un pays dépourvu de moyens de défense. Bolorta lui apprit qu'au besoin, ils pouvaient ceinturer Chumoï d'une barrière magnétique infranchissable et désintégrer tous les vaisseaux qui s'y aventureraient.

— Eh bien! c'est une excellente idée! Si vous nous aidiez à appliquer vos systèmes de défense à nos besoins, nous pourrions fabriquer des armes nouvelles, qui nous serviraient à abattre nos ennemis. Quand nous aurons détruit les barbares, nous aurons enfin la paix sur la Terre. Et le plus vite on le fera, le moins de morts il y aura.

Bolorta réfléchit, puis secoua la tête.

— Vous nous mettez dans une position impossible. Nous voudrions vous aider. Mais comprenez-nous! On peut savoir utiliser un terminal d'ordinateur sans rien connaître à l'électronique. On peut savoir réparer un réfrigérateur sans être capable d'en fabriquer un.

La réponse était astucieuse, mais comment admettre que les autorités de Chumoï aient confié une mission spatiale importante à des gens aux connaissances aussi limitées?

— Je crois que vous auriez pu faire davantage. Maintenant, l'essentiel, c'est votre protection. Vous partirez dans un endroit plus sûr que Tachkent. Nous avons plusieurs bases secrètes en Sibérie. Mais nous ferons les plus grands efforts pour libérer vos camarades et vous rendre votre vaisseau. Vous avez ma parole.

Quelques minutes plus tard, la générale souriait en constatant l'émoi que provoquait sa conversation avec Bolorta. Les Extra-terrestres savaient qu'on n'était pas content d'eux, qu'on leur reprochait la prolongation d'une guerre qui, quoique non déclarée, n'en était pas moins réelle et meurtrière, qu'on voulait quand même les mettre à l'abri d'une razzia possible sur Tachkent, et qu'on les enverrait en lieu sûr quelque part dans les régions septentrionales de l'Union asiate. Après leur avoir laissé le temps de se concerter, elle fit venir Fladia, qui lui avait toujours paru la plus douce et la plus vulnérable des quatre.

— Je suis heureuse d'avoir cette dernière occasion de vous remercier, fit Jogaï. Ce fut une grande joie, pour nous, d'apprendre que nous pourrions avoir des amis ailleurs que sur la Terre. Je regrette que votre séjour parmi nous se fasse dans des conditions aussi difficiles.

Fladia la rassura: conscients qu'ils auraient pu mourir lors de leur naufrage sur l'île Ellef Ringnes, ils avaient été favorablement impressionnés par l'intérêt des Terriens à leur endroit et la façon dont les Asiates s'étaient occupés d'eux. Mais ils s'inquiétaient beaucoup du sort de leurs camarades.

— Moi aussi, Fladia, moi aussi. Vous connaissez l'histoire de l'humanité. Nous ne vous avons rien caché. Vous savez à quel point l'être humain, en Europe, en Amérique, au Japon, partout, a pu faire preuve de brutalité au cours des siècles. L'Alliance des pays du Pacifique a hérité d'une longue tradition de violence, de cruauté, d'intolérance. Qu'a-t-on fait de vos camarades? Les a-t-on torturés, les a-t-on tués? A-t-on voulu les forcer à coopérer avec les Américains, contre nous? Vous quatre, au moins, nous avons réussi à vous protéger.

Fladia posa les mains sur les joues de Jogaï. C'était un grand geste d'amitié et de confiance. Elle invita la générale à les accompagner sur Chumoï, pour *partager* davantage avec eux. Djan baissa les yeux, tiraillée entre son émotion et sa responsabilité professionnelle. Celle-ci prit le dessus. Fladia venait de lui révéler une brèche.

— Je crois, fit la générale, que vous avez moins voulu partager que nous. Vous n'avez pas vraiment coopéré.

— Vous ne comprenez pas, répondit Fladia, pleine de compassion. Quand nous disons: «partager», nous ne disons pas: «échanger». Partager, c'est être limpide et ouvert. On partage très peu sur la Terre. L'Union asiate nous impressionne beaucoup. Ce qui nous étonne, c'est que chaque civilisation, sur la Terre, se fait toujours contre les autres. On ne partage pas.

— Depuis des siècles, lui rappela Jogaï, nous avons voulu *partager* avec les Chinois, avec les Russes, avec les Arabes, avec les Européens. On nous a exploités, on nous a divisés, on nous a volé nos terres. Mais les peuples asiates sont des peuples de paix. Nous voulons que nos fermiers, nos éleveurs, nos ouvriers, nos savants, nos artistes, puissent travailler en paix. Nous voulons nous unir avec la Chine, avec l'Europe, avec l'Afrique, avec les Amériques. Tachkent sera alors la capitale d'une seule Terre et la paix régnera enfin. C'est pour que la paix vienne plus vite que nous voulions votre aide.

Fladia hocha la tête, avec un sourire un peu triste, et lui souhaita de réussir. Jogaï la remercia. Elle posa le doigt sur un clavier et la Sibérie apparut sur un écran mural.

— Vous irez près de Norilsk. Bolorta, à Olanga, au bord de la mer des Laptev. Val sera conduite dans le Kamtchatka, et Mino, près de la rivière Lena.

— Vous allez nous séparer? s'écria Fladia.

— Pour votre sécurité. À la fin de la guerre, nous vous réunirons de nouveau. Tous les sept, j'espère. Allez maintenant faire vos adieux. Je vous verrai avant votre départ.

Vers quinze heures, le maréchal Valine arrivait à la Tour Noire. Il n'aimait pas l'idée d'envoyer Bolorta à Olanga, qui n'était pas une simple base mais un vaste laboratoire scientifique et militaire. Jogaï le rassura:

— Ils veulent nous aider, mais ils ne savent pas comment. S'ils voyaient où nous en sommes, ça pourrait leur donner des idées.

— Mais ensuite, nous ne pourrons pas nous permettre de les laisser partir. Enfin, allons les voir.

Quelques minutes plus tard, Jogaï et Valine entraient dans la section réservée aux visiteurs.

— Je tenais à vous saluer avant votre départ, dit le maréchal. Grâce à vous, un nouveau chapitre de l'Histoire a été ouvert, et je suis sûr qu'avant longtemps, Chumoï et la Terre s'engageront dans des échanges fertiles et fructueux.

Djan traduisit. Les visiteurs gardaient le silence.

— Ce n'est pas de gaîté de cœur que nous vous séparons. Comprenez-nous: nous devrons, sous peu, déclencher une attaque globale contre l'Alliance pacifique. La riposte américaine sera très dure. Nous nous défendrons, mais plusieurs parties du territoire asiate seront détruites. En vous dispersant, nous réduisons les risques pour chacun d'entre vous.

— Nous apprécions vos intentions, déclara Mino. Mais nous ne pouvons pas *vivre* si nous ne sommes pas ensemble.

— Nous *devons* rester ensemble, répéta Fladia, obstinée.

Jogaï consulta Valine. Pendant cinq minutes, ils discutè-rent de la situation, comme si l'un essayait de convaincre l'autre. Finalement, Jogaï se tourna vers les visiteurs.

— Le maréchal est d'accord. Vous ne serez pas *encore* séparés. Vous serez évacués ensemble sur Olanga.

Val avança vers le maréchal et lui posa les mains sur les joues. Il la regarda, quelque peu éberlué. Jogaï lui fit signe de répondre au geste.

— Remerciez le maréchal pour nous, demanda Bolorta. Et dites-lui que nous songerons aux meilleures façons de l'aider.

Le jeudi 10 septembre

Mikhaïl Tarpov commença par rappeler qu'il s'agissait là de sa deuxième visite à la Maison Blanche.

— Je faisais partie de la délégation qui accompagnait le président Golonov lors de sa dernière visite d'État, en 2033. C'était en février, et il faisait un peu froid. Maintenant, tout est bien différent.

— Oui, il fait vraiment chaud. Nos météorologues sont perplexes. Il a fait 41°, hier.

Mais Hamed Collinson savait que son interlocuteur ne faisait pas seulement allusion à la température. En 2033, l'Union soviétique existait encore, et le sommet des présidents avait pour but de préciser, encore une fois, l'équilibre stratégique entre les deux puissances rivales. Aujourd'hui, Tarpov ne représentait pas un pays ennemi. Il venait d'assumer la présidence de la Communauté européenne. Pour la première fois, la Russie parlait au nom de l'Europe.

Les pourparlers entre les représentants de l'Alliance pacifique et ceux de la Communauté duraient depuis trois jours. Les relations entre les deux blocs, tout en étant cordiales, restaient marquées par une méfiance réciproque et des intérêts économiques difficiles à concilier. Les Américains, avec leurs alliés du Pacifique, avaient profité de la dernière décennie pour mieux asseoir leur supériorité militaire, mais, à mesure que la nouvelle Europe se consolidait, la Communauté, avec son immense force industrielle, commençait à rattraper le temps perdu, d'autant plus que la Russie, d'abord affaiblie par la perte des républiques asiates, reconstituait déjà son arsenal de guerre.

Le président Collinson et le président Tarpov avaient convenu de tenir leur tête à tête pour mettre au point une stratégie commune, en laissant à leurs collaborateurs le soin de traiter des questions techniques : l'extension à la Russie des multiples ententes qui liaient l'Amérique du Nord aux pays de l'Europe de l'Ouest, la responsabilité de l'Europe unie concernant les dettes encourues par l'ancienne Union soviétique pour financer cinquante ans de vastes travaux d'infrastructure à l'est de l'Oural, le nouveau partage de zones d'influence en Asie et dans le monde arabe. La complexité de ces questions, débattues depuis plusieurs années, ne permettait pas d'envisager des solutions rapides, mais chaque rencontre représentait un pas en avant, et le chemin parcouru avait pleinement justifié cette rencontre au sommet. Tarpov venait d'en préciser la nature, en rappelant qu'il était lui-même un ancien adversaire qui parlait maintenant au nom d'anciens alliés.

— Nos météorologues aussi ont des difficultés à comprendre ce qui arrive, fit Tarpov. Il y a dix jours, il a neigé sur Berlin.

— Franchement, Mikhaïl, peut-on attribuer cela à des essais militaires? Je parle du projet Tobolsk.

Depuis 2025, les savants soviétiques avaient fait des essais sérieux pour concevoir et mettre au point des armes météorologiques. Le centre de ces recherches était situé à Tobolsk.

— Nous n'étions pas si avancés que ça, répondit Tarpov, en souriant. Et nous avons détruit nos installations quand nous avons perdu la Sibérie. Il y a une autre explication, me dit-on. On peut, en principe, contrôler les masses de vents solaires dans les régions polaires de façon à diriger des charges hautement électrifiées sur des régions précises de la Terre.

— Malheureusement, signala Collinson, le professeur José Quiroga est introuvable.

— Tiens! Vous le cherchiez, vous aussi?

— Nos experts pensent qu'il est le seul à pouvoir expliquer ces phénomènes. Mais Quiroga est un excentrique. Il a toujours travaillé seul et en secret. Il a passé l'hiver dernier dans l'Arctique. En juillet, il a aménagé un laboratoire dans un bateau militaire désaffecté. Qui l'a financé? Un consortium fantôme. On croit qu'il navigue dans les mers antarctiques, avec une équipe que personne ne connaît. Les Chiliens ont perdu sa trace.

— J'espère qu'il ne s'est pas acoquiné avec nos amis asiates.

— Ce serait... une mauvaise nouvelle. Mais oublions la température et parlons de choses sérieuses. D'ici cinq ans, nous aurons fini de régler nos contentieux. Il est temps de préparer l'avenir.

Pendant une heure, Tarpov et Collinson élaborèrent des scénarios. Selon le premier, la Communauté européenne se réservait le marché africain alors que l'Alliance absorbait l'Amérique latine; la péninsule indienne pouvait être marchandée contre le monde arabe. Selon le second, le Magéria s'alliait au Brésil pour créer une zone afro-sud-américaine indépendante. Selon le troisième, les pays arabes, à partir du Maghreb, se ralliaient à l'Union asiate.

— Avec l'Indonésie, et le Bangladesh... Ce serait insupportable.

— Et il y a des scénarios plus embêtants, fit Tarpov.

Collinson hocha la tête. Ce n'était pas difficile à deviner: l'Eurasie... Il fallait éviter que l'Europe et la Chine se rapprochent de l'Union asiate. Mais si l'Europe se rangeait du côté de l'Alliance, les Asiates se verraient au pied du mur et se tourneraient alors vers les Arabes et ce qui restait de l'Asie.

— Ça me semble clair, Hamed: il faut renforcer les liens triangulaires entre les Arabes, le Magéria et nous. Et l'Alliance doit rendre toute réconciliation sino-asiate impossible.

Les deux hommes se regardèrent : ils avaient trop d'expérience pour ne pas se soupçonner mutuellement d'abriter des arrière-pensées, surtout en se parlant aussi librement. Les Américains, avec des intérêts importants dans la Confédération sud-africaine, se méfiaient de tout renforcement de la puissance magériane. Il fallait éviter que les liens triangulaires dont parlait Tarpov ne fassent de l'Europe un rival encore plus redoutable que l'Union asiate. De son côté, le président russe se méfiait du second scénario, sur lequel Collinson ne s'était pas étendu. Ils avaient convenu de ne pas permettre l'apparition d'un bloc sud-atlantique, mais les Américains pouvaient avoir la tentation, au contraire, de le provoquer, afin de contrôler l'Afrique à travers l'Amérique du Sud.

— Mikhaïl, déclara Collinson, lentement, je crois que je devrai rencontrer Moljoïkan.

L'emploi d'une telle carte ne manquait pas d'astuce. À dix ans de la scission brutale de l'Union soviétique, Tarpov ne pouvait pas envisager d'entreprendre une démarche similaire. Trop de sensibilités blessées lui barraient cette voie.

— Faites attention, Hamed. Nous ne pourrions pas tolérer un axe Washington-Tachkent.

Collinson prit note de la dureté soudaine dans le ton de son interlocuteur.

— N'ayez aucune crainte de ce côté. Je veux surtout le convaincre que si les Asiates restent à l'intérieur de leurs frontières actuelles, nous les respecterons. Je suis prêt à discuter avec lui d'un traité de paix.

— Contre nous ?

— Je lui offrirai une entente tripartite, que nous pourrions concrétiser l'an prochain au cours d'un sommet à trois. Qu'en dites-vous ?

L'offre était alléchante. La Communauté aurait la part du lion après ce partage, en bénéficiant de relations étroites avec l'Amérique et en consolidant ses liens euro-africains. Mais, avant de stabiliser ainsi l'équilibre mondial, il fallait empêcher toute possibilité de rapprochement excessif entre les Asiates et l'Alliance pacifique.

— J'admets qu'il faille s'entendre avec Moljoïkan, fit Tarpov. Mais il faut qu'il négocie en position de faiblesse. De véritable faiblesse.

Autrement dit, les Américains devaient démontrer, en infligeant un coup très dur aux Asiates, qu'il ne serait jamais question d'une alliance entre eux, seulement d'un modus vivendi. Tarpov proposa carrément d'élargir le front chinois vers le Tian-chan et d'attaquer Alma-Ata et Andijan avec des missiles Z9. Collinson lui rappela que l'utilisation d'armes nucléaires serait un suicide politique.

— Pas nécessairement. Les récoltes asiates n'ont pas été bonnes. Si vous continuez à mettre l'embargo sur vos ventes de céréales, les Asiates nous attaqueront du côté de la Volga. Nous déploierons des armes nucléaires défensives, et je vous demanderai de fermer les yeux. Moljoïkan comprendra que nous sommes sérieux et que nous sommes les plus forts, à sa droite comme à sa gauche.

— Lui aussi, il a des armes nucléaires.

— Nous les connaissons: c'étaient les nôtres. Nous pouvons arrêter ses missiles au fur et à mesure. L'armée asiate est solide sur tous les plans, excepté celui-ci. Écoutez, Hamed: c'est la seule façon. Et puis, ce seront les Chinois qui tireront, pas vous. Il vous suffira de leur fournir les ogives, et de vous pincer le nez quand ça sentira mauvais.

Collinson hésitait. Tarpov apporta un autre argument:

— Les Chinois sont à bout. S'ils utilisent leurs vieilles armes nucléaires, ce sera pire. Les vôtres n'émettent pas de radiations.

— Je suis d'accord, Mikhaïl, mais seulement en dernier ressort, et après ma rencontre avec Moljoïkan.

Tarpov pouvait accepter ces réserves. Il avait marqué quelques points au cours de l'entretien, et ne s'attendait pas vraiment à gagner sur toute la ligne.

— Une dernière petite chose, Hamed. Nous aimerions vraiment avoir accès aux Extra-terrestres. Ce serait, de votre part, un véritable signe d'amitié.

— Nous avons déjà assez de difficultés a y avoir accès nous-mêmes! Les Canadiens sont des mères poules avec eux.

— Vous n'avez jamais pensé qu'on pourrait leur faire jouer un rôle utile dans nos histoires?

— Pas vraiment. Nous aider sur le plan technologique? Ça prendrait des années avant qu'on obtienne des résultats. J'attends d'eux, plutôt, des conseils opérationnels. Si leur civilisation est vraiment plus avancée que la nôtre, ils pourraient nous aider à instaurer un meilleur ordre sur la Terre.

Tarpov ne broncha pas, même s'il pensait que Collinson se moquait un peu de lui. Après tout, il se pouvait aussi que l'Américain soit sincère. Son pays avait toujours eu un faible, jusqu'à la naïveté, pour les bons sentiments. Collinson accepta au moins d'associer quelques experts européens aux études du vaisseau spatial. Il se leva ensuite, pour accompagner son homologue. La fatigue du tête-à-tête le faisait boiter plus douloureusement que d'habitude. Tarpov remarqua sa grimace.

— J'espère que vous vous rétablirez vite.

— Ça a un bon côté, fit Collinson, en souriant. Depuis cet attentat, ma cote de popularité est au plus haut. C'est utile, dans notre système.

Après avoir donné congé au président européen, Collinson fit venir Bob Danburg, son secrétaire d'État. Il le mit au courant des grandes lignes de l'entretien.

— Tarpov a raison, opina Danburg. Il faut armer les Chinois avec des ogives. Ce serait tellement plus efficace! Après tout, ils sont nos alliés.

— Si nous faisons cela, Moljoïkan ne nous le pardonnerait pas. C'est d'ailleurs ce que veut Tarpov. Non, soyons plus prudents. Où en sommes-nous, sur le front mongol?

— Plutôt calme. Les Asiates ont perdu vingt-sept chasseurs et huit bombardiers en un mois. Mais leurs usines fonctionnent à plein et ils les remplacent au fur et à mesure.

Collinson eut un léger sourire. Décidément, Danburg ne comprenait pas les choses très rapidement.

— Ça grève surtout leur budget et ça nous fait gagner du temps. Le temps joue pour nous, Bob. Nous devons laisser l'adversaire s'épuiser, en évitant une victoire prématurée.

— La Chine aussi s'épuise, monsieur le président.

— C'est très bien. Ça lui enlèvera le goût de viser trop loin. Il faut que l'arrêt des hostilités soit un soulagement pour tout le monde.

— Il n'y aura pas d'arrêt des hostilités tant que le maréchal Valine sera là. C'est un homme brillant, vous le savez bien. Dans sa tête, l'empire asiate inclut vraiment la Mongolie-Intérieure, le Caucase, et même l'Ukraine.

— Dans sa tête, oui. Mais Moljoïkan est plus modéré, rappela Collinson.

Le secrétaire d'État avait pourtant raison : en faisant durer la guerre, on affaiblissait les Asiates, mais on renforçait le pouvoir de leur chef militaire.

— Bob, vous allez convoquer l'ambassadeur asiate le plus tôt possible. Je veux rencontrer Moljoïkan d'ici un mois. Il acceptera. Même s'il veut la guerre, il acceptera. Il faut toujours un sommet, pour montrer qu'on a fait tout ce qu'on a pu.

Le vendredi 18 septembre

François Leblanc préférait ne pas s'encombrer de rencontres personnelles à Ottawa. Avant de quitter Brasilia, il avait envoyé un mot à ses parents et à ses amis pour leur annoncer qu'on lui avait confié une étude spéciale de plusieurs prototypes d'accélérateurs d'énergie solaire, ce qui impliquait des déplacements nombreux et l'empêchait de fournir d'autre adresse que celle de son ministère. Ce manque de disponibilité n'étonnait personne, d'autant plus que, depuis trois ans, il n'avait fait que deux brèves visites au Canada. Il s'attendait donc à une journée tranquille, sans rien d'autre à faire que participer à une réunion du comité ET. À dix heures et demie, après un vol reposant, il s'installait au Château Laurier qui, depuis sa rénovation récente, combinait le confort hôtelier le plus moderne au charme architectural du début du vingtième siècle. Il s'apprêtait à retenir les services d'une masseuse lorsque l'écran du terminal s'illumina. Évidemment, le préposé de l'hôtel avait prévenu son ministère de son arrivée. François inscrivit son code et son programme de la journée s'étala sous ses yeux: 11 h: entretien avec le ministre des Affaires extérieures; 12 h: déjeuner offert par l'agence Perfecta; 14 h 30: réunion du comité ET; 17 h rencontre avec la secrétaire exécutive du comité paritaire; 19 h: dîner à la Maison du Québec; 22 h: soirée libre — ce qui en restait, et sans oublier qu'il repartait le lendemain à neuf heures du matin.

Fatigué d'avance, il tira son programme imprimé du terminal. Il avait juste le temps de prendre une douche. Heureusement, le ministre l'attendait à son bureau du Parlement, à cinq minutes de marche de l'hôtel. Une jeune femme l'accueillit dans le vestibule. François lui demanda ce qui lui valait cet honneur inattendu.

— Moi, ou le ministre? fit-elle, en souriant.

— Vous surtout, mais aussi le ministre, dit-il galamment.

Francine Lacombe s'était engagée dans le service extérieur un an auparavant. Encore à l'entraînement, on lui avait confié depuis deux mois un rôle d'appoint dans la direction des relations canado-américaines.

— Je vous escorterai jusqu'au dîner. Je suis trop junior et on ne m'a pas invitée, mais je suis sûre que ce sera très bon.

François aurait voulu exprimer un regret, car elle avait un visage intéressant, très vivant, mais la porte de l'ascenseur s'ouvrit et il perdit le fil de ses idées.

— Quant au ministre, c'est un peu gênant à dire, mais...

— Quelqu'un d'important a dû se décommander et ça lui a fait un trou dans son programme, alors il s'est dit: Tiens, je vais en profiter pour passer dix minutes avec ce type qui fréquente des Extra-terrestres.

— En plein dans le mille! Mais vous aurez droit à vingt minutes. Le ministre porte un intérêt particulier à ce dossier.

— Je croyais qu'il avait bien d'autres chats à fouetter.

— Des chats asiates? Oui, mais son intérêt particulier découle de l'intérêt particulier de la première ministre.

Rendus au bureau du ministre, on les fit patienter quelque minutes. François en profita pour demander à la jeune femme comment il pourrait s'y prendre pour la faire à la Maison du Québec sans avoir l'air de l'imposer à ses hôtes. Malheureusement, elle avait déjà accepté une autre invitation à dîner.

— C'est une solution très diplomatique, mademoiselle Lacombe. Vous ferez une excellente carrière dans le service extérieur. Vous aviez même prévu que j'aurais eu cette tentation et vous avez évité de vous mettre entre l'écorce et l'arbre.

— C'est tout à fait cela, fit-elle, en éclatant de rire.

— Et aviez-vous prévu que je vous inviterais alors à prendre un verre après dix-heures, pour avoir le plaisir de votre compagnie sous prétexte de vous faire rapport sur mon dîner?

— Je l'avais prévu. J'habite à deux pas de la Maison du Québec. À minuit, je vous reconduirai à votre hôtel.

Décidément, elle valait son pesant d'or. Le chef de cabinet du ministre vint les chercher. Edward Gillespie avait été ministre de l'Énergie et s'était rendu à ce titre au Brésil deux ans auparavant. François avait organisé sa visite et lui avait servi d'interprète à plusieurs occasions. Ce souvenir avait joué dans la décision du ministre d'appuyer la nomination de Leblanc et lui servait maintenant d'introduction.

— Mon cher ami, j'avoue qu'en vous revoyant je regrette mon ancien portefeuille. Vous vous souvenez de cette Brésilienne que vous m'aviez présentée? Ravissante... Les affaires exétrieures ne sont certainement pas aussi agréables ces temps-ci.

François esquissa un sourire en se souvenant qu'à Rio, Gillespie avait rêvé de se retirer de la vie politique en échange d'un poste d'ambassadeur au Brésil.

— Et comme si les relations internationales n'étaient pas assez compliquées, voici qu'on m'y colle les affaires interplanétaires. Mme David a pris la décision de ne pas brusquer les choses, de ne pas brûler les étapes, d'offrir à nos invités un accueil civilisé. Certains de mes collègues trouvent cela bien long, d'autant plus que nos amis américains n'ont pas nos vertus de patience. Nos visiteurs aussi doivent commencer à trouver le temps long.

— Non, pas du tout. Ils se sentent en visite chez des amis.

— Mais ils ont sans doute une mission à accomplir, et un échancier.

François aurait voulu répondre: «Pas vraiment», mais le ministre aurait pensé que les visiteurs dissimulaient l'objet de leur voyage.

— Ils viennent d'un autre monde et sont pleins de curiosité pour le nôtre. La base d'Inowa est reliée à tant de banques de données qu'ils apprennent chaque jour des choses nouvelles. Marco Polo a passé seize ans en Chine. On ne découvre pas une civilisation en quelques semaines. Nos visiteurs sont des Marco Polo de l'espace et ils ont tout leur temps. Ils ont quand même deux préoccupations majeures: leurs camarades et leur vaisseau.

Le ministre soulevait régulièrement la question de l'enlèvement des quatre Extra-terrestres avec l'ambassadeur asiate, qui refusait poliment de traiter d'une affaire dont la Cour internationale de justice avait été saisie. Le vaisseau, par contre, était resté sous bonne garde à l'île Ellef Ringnes.

— On me dit qu'ils se débrouillent déjà en anglais et que l'un d'eux, un peu à notre insu, s'est même mis à apprendre le français. On me dit aussi que Mme Golinsky est en mesure de converser dans leur langue. Donc, nous pouvons enfin songer à les présenter au monde. Il est important, vous comprenez, que la première ministre du Canada soit la première chef de gouvernement à leur souhaiter officiellement la bienvenue sur la Terre. Ça aura lieu le 20 octobre. Je songe à quelque chose de très simple: accueil chez le gouverneur général, entretien avec Mme David, déjeuner intime, cérémonie au Parlement, présentation du corps diplomatique, brève allocution devant le public rassemblé sur la colline parlementaire, et rencontre avec la presse. En soirée, un dîner d'État.

— En effet, cela me semble un programme assez simple.

Le ministre remarqua le ton pince-sans-rire de son interlocuteur et leva les bras dans un geste d'impuissance.

— C'est vraiment le minimum. Le chef du protocole se mettra en rapport avec vous. Je vous demande de préparer nos visiteurs à cet événement et d'obtenir leur collaboration.

— Vous l'aurez, monsieur le ministre.

— Je n'en doutais pas, et je vous remercie.

L'entretien était terminé. Une fois dans le corridor, François se tourna vers son escorte:

— Eh bien! Francine, tu ne manqueras pas de travail.

Comme on l'avait tutoyée, elle décida de faire de même:

— Dis-moi: est-ce qu'ils sont vraiment bien, nos visiteurs?

— Ce sont des gens agréables et intéressants, oui.

— Est-ce qu'on voit qu'ils sont très intelligents? Qu'ils viennent d'une civilisation très avancée?

— Pas vraiment. Il ne s'agit pas de surhommes. Si on les déguisait en humains, et qu'on les laissât circuler dans le monde, on aurait du mal à voir la différence. Ils sont aussi semblables à nous que, disons, des Italiens ou des Japonais.

La jeune fille suggéra une autre possibilité: imaginons un adulte qui parle à un enfant et qui emploie alors le langage et le cadre de référence des enfants. La comparaison était astucieuse et méritait qu'on s'y attarde, mais il était déjà midi et François voulait aussi parler de Perfecta, la firme de relations publiques qui avait obtenu un contrat pour conseiller le gouvernement sur les futures activités publiques des visiteurs. Francine lui recommanda la méfiance: quand les Extraterrestres commenceraient à se montrer en public, il n'y en aurait que pour eux, et Perfecta chercherait surtout à manipuler les activités pour servir ses propres fins publicitaires.

— Y a-t-il des choses que je doive leur dire ou leur cacher?

— Ils ont la cote de sécurité confidentielle. C'est un peu selon ton jugement. Ils n'ont pas droit aux renseignements secrets, comme l'endroit où se trouvent les visiteurs, les cérémonies du 20 octobre, les questions touchant aux Asiates.

Les quatre représentants de la firme les attendaient dans un salon privé du Cercle universitaire. Deux hommes et deux femmes, dont l'ancienne ministre Hélène Limoges. Après les salutations et la commande d'apéritifs, Mme Limoges aborda directement l'objet de leur rencontre.

— Nous vous remercions beaucoup, monsieur Leblanc, d'avoir bien voulu accepter de partager ce déjeuner. Nous n'avons pas été choisis au hasard: voici dix ans que nous organisons des tournées artistiques, des campagnes électorales, des opérations publicitaires internationales. Mais nous sommes conscients, cette fois-ci, d'être engagés dans une mission historique. À ce jour, on ne connaît des Extra-terrestres que ce que la première ministre en a dit dans ses rapports mensuels au Parlement. Tout le monde a compris les raisons qui ont poussé le gouvernement à tenir, si on peut dire, nos visiteurs en quarantaine. Mais en attendant, les gens sont toujours sur leur faim. La présence d'Extra-terrestres constitue un événement extraordinaire. Nous devons leur ménager une tournée mondiale également extraordianire.

Une tournée mondiale? François but son whisky, lentement. Il n'avait jamais vraiment pensé à cet aspect de son rôle d'agent de liaison.

— Nous aimerions avoir vos impressions au sujet de nos visiteurs. Je m'explique: s'ils n'aiment pas la chaleur, on limitera les séjours sous les tropiques; s'ils ne sont pas bavards, on ne leur programmera pas de conférences; s'ils aiment les foules, on organisera des manifestations dans des stades, mais s'ils sont agoraphobes, on se concentrera sur la télévision.

— Je comprends. Nos visiteurs sont des gens absolument normaux. Nous devons les considérer comme nos invités, et pas comme des curiosités qu'on promène dans des foires. La première ministre a déjà déclaré que nous respecterions toujours leurs choix. Je leur soumettrai donc vos propositions, et je vous ferai part de leurs réactions. Évitons surtout que leur premier séjour sur la Terre soit l'occasion d'un carnaval plein de bruit et sans substance, sans dignité, sans amitié.

L'ancienne ministre arbora une expression compréhensive. Elle devinait que l'agent de liaison se sentait le protecteur des Extra-terrestres, en outrepassant naturellement ses fonctions. Perdu dans le coin isolé où on cachait les visiteurs, il ignorait les pressions qui s'exerçaient sur le gouvernement.

— Mme David reçoit de plus en plus de représentations de groupes qui souhaitent avoir accès aux visiteurs, et qui soutiennent que les Extra-terrestres appartiennent à l'humanité et pas à l'État, et surtout pas à un État.

— J'espère qu'elle leur répond qu'ils s'appartiennent à eux-mêmes avant tout.

Mme Limoges dissimula dans un sourire mielleux une vague irritation. Ancienne femme politique, elle n'appréciait pas ces petites impertinences des fonctionnaires.

— Je ne peux pas savoir ce qu'elle leur répond, dit-elle, mais elle a un souci profond de leur liberté de choix, c'est pourquoi elle m'a demandé de les consulter, par votre entremise, avant de présenter nos propositions.

François se dit qu'il valait mieux intervenir dans la préparation de la tournée plutôt que d'être aux prises avec un mauvais programme. Le repas donna lieu à une avalanche de propositions. Même les plus saugrenues entraînaient des échanges stimulants. À deux heures, Hélène Limoges, satisfaite, reconduisit ses invités au ministère des Affaires extérieures. Quelques minutes plus tard, François s'enfermait avec Francine dans le bureau de celle-ci pour coucher sur papier un résumé de la rencontre.

— Récapitulons. Ils veulent commencer à Ottawa, mais nous savons que les cérémonies du 20 octobre couvriront cet aspect. Le vrai début se fera donc à Montréal, au cours de ce colloque international sur les Extra-terrestres.

— C'est astucieux de leur part. Tu rassembles les spécialistes du genre, la presse passe des jours à les interviewer et à rappeler leurs théories, et une fois qu'on fait parler les Extra-terrestres, on s'aperçoit que les spécialistes, dans l'ensemble, étaient à côté de la réalité. Ça fait toujours plaisir au public, quand les experts se trompent.

François sourit. L'esprit critique de la jeune fille lui plaisait. Ils revirent les autres propostitions: visite d'industries de pointe à Toronto, festival culturel à Winnipeg, week-end de repos à Banff, et, à Halifax ou à Vancouver, une reconstitution historique de l'évolution de l'humanité jusqu'à leur arrivée.

— Ce serait plus facile si on savait ce qu'ils veulent faire et ce qu'ils veulent voir, nos visiteurs.

— Je n'ai pas encore réussi à savoir ce qu'ils sont venus faire sur la Terre, avoua François.

— J'y ai pensé, quand tu les as comparés à Marco Polo, chez le ministre. Marco Polo n'effectuait pas de mission au nom des autorités de Venise. Il était à son compte. Enfin, plus ou moins. Disons qu'il prenait des libertés.

François revit, en pensée, Garou, Jinik et Vlakoda.

— Ce ne sont pas des aventuriers, déclara-t-il, ni des fonctionnaires, ni des marchands, ni des émissaires politiques.

— Alors, ils sont peut-être des touristes.

— C'est très intelligent, ça! Des touristes venus de loin. Oui, ça correspond à leurs attitudes.

— Alors, le programme de Perfecta les amusera. Si on ne se sert pas d'eux trop ouvertement pour poursuivre nos fins à nous. Un touriste tient à tout visiter, mais en gardant ses distances face aux problèmes locaux.

La vivacité intellectuelle de la jeune fille impressionnait François. Cette idée, que les visiteurs étaient tout bonnement des touristes venus d'un autre monde, expliquait amplement leur curiosité à l'égard des choses et leurs réticences apparentes à révéler le but de leur visite et ce qu'ils attendaient des Terriens : peut-être n'en attendaient-ils rien.

— Pour le mois aux États-Unis, poursuivit Francine, les gens de Perfecta ont de bonnes idées, mais tout cela devra être négocié avec les Américains.

— Ensuite, il faudra bien donner préséance aux pays membres de l'Alliance. Tokyo, certainement, et Sydney. Séoul, si possible, et Bangkok. Pékin, si la situation le permet.

— Il faudra toujours veiller à leur sécurité. Beaucoup de gens pourraient essayer de les tuer. Les malades qui voudront entrer dans l'histoire par un premier assassinat interplanétaire, et les fanatiques qui veulent les éliminer parce qu'ils sont différents de nous, ou parce qu'ils voient en eux un début d'invasion de la Terre.

— C'est juste, dit François. Après Pékin, on nous suggère Djakarta et l'Inde. Ton ministère devra décider. Qui veut-on courtiser, en dehors de l'Alliance? Le film, en Amérique du Sud, c'est excellent. Tant de belles images...

— En Afrique, ils ont parlé de Lagos, rappela Francine. C'est le foyer d'une nouvelle religion, où on les divinise.

— Tu sais, même Extra-terrestres, nos visiteurs sont très terre-à-terre. Ils risquent d'être déçus, les nouveaux croyants.

— Pas nécessairement. Ils verront en eux ce qu'ils veulent y voir. En parlant de religion, Mme Limoges tient au Vatican.

— Si le pape veut les rencontrer, fit François, amusé. Il n'a pas encore décidé s'ils font partie de l'espèce humaine et si la rédemption les a touchés, en admettant qu'ils soient tombés sous le coup de la faute originelle.

— Il doit déjà songer à une encyclique. Mais nous voici finalement en Europe, avec des bretelles au Moyen-Orient. J'ai toutes leurs propositions dans ma tête. Je les écrirai et je te montrerai ça ce soir. Je suis sûre aussi que Perfecta n'aura pas le contrat final: il y a trop de dimensions politiques. Mon ministère voudra se charger du programme. Maintenant, il faut filer. La réunion commence dans deux minutes.

— Allons-y. Et si tu ébauches un itinéraire, laisse beaucoup de temps pour le repos et les loisirs, au cas où il s'agisse vraiment de touristes.

Les quatorze membres du comité ET finissaient de s'installer autour de la table lorsque Francine et François arrivèrent.

— Mesdames, messieurs, fit le sous-ministre, il y a quinze jours, le colonel Franklin, qui dirigeait l'équipe scientifique à l'île Ellef Ringnes en avril dernier, a dit à notre ambassadeur à Washington: «Un des côtés ironiques de cette affaire, c'est que vous nous ayez empêchés de prendre les Extra-terrestres sous notre garde, alors que vous-mêmes, vous ne savez pas quoi faire avec eux.» C'est un sentiment très répandu chez nos voisins du Sud. Le but de cette réunion, c'est de définir nos objectifs concernant nos visiteurs. Je passerai d'abord la parole à M. Leblanc.

110

— Merci, monsieur le président. Vous avez tous reçu, je crois, copie de mes rapports hebdomadaires sur les activités de nos invités. Ils ont continué à coopérer avec les spécialistes qui ont eu accès à eux, et nous disposons déjà d'un volume considérable d'informations médicales, psychologiques et linguistiques à leur sujet. À mon avis, ils se prêteront facilement à des expériences, des analyses, des questionnaires. J'ai des doutes, cependant, sur leurs aptitudes à participer activement à des échanges approfondis sur des thèmes très particuliers. Aucun d'eux ne me semble être un spécialiste en quoi que ce soit. Mlle Lacombe m'a dit quelque chose de très intéressant tout à l'heure, en imaginant la situation inverse.

Francine lui adressa un long regard teinté de reproche : elle appréciait qu'il cherchât à la faire valoir, mais elle se sentait intimidée par les participants, tous de hauts fonctionnaires chevronnés dans leurs domaines.

— Ce que j'ai dit, fit-elle enfin, c'est tout simplement ceci : à Ottawa, comme tout le monde, j'ai une culture générale, j'ai quelques diplômes, je me débrouille dans mon travail, je fonctionne avec une efficacité raisonnable. Mais si je me trouvais tout à coup sur Chumoï, je passerais pour une ignorante. Parce que si on me demandait comment fonctionne notre système bancaire, quels sont les principes fondamentaux de la théorie de la relativité, comment on construit un ordinateur, comment on fabrique des bactéries nouvelles, eh bien! je ne pourrais fournir que des réponses générales et souvent très vagues.

— Mais c'est une remarque brillante! s'exclama le sous-ministre. On ne peut pas s'attendre à ce que chacun de nous soit une Encyclopédie Britannica.

— C'est exactement ma pensée, poursuivit François. Trois Extra-terrestres ne peuvent pas nous transmettre toute la science et la technique d'une civilisation. Cela ne doit pas nous décourager : nous pouvons apprendre beaucoup d'eux. Mais ce sera davantage au niveau du bac que du doctorat.

Après deux heures de discussion, on avait établi une liste de domaines à approfondir : l'emplacement de Chumoï; son

histoire, ses institutions, sa structure sociale, politique et économique; ses systèmes philosophiques, son éthique sociale et
individuelle; ses intérêts artistiques, culturels, scientifiques et
sportifs; ses réalisations technologiques; la vie personnelle des
trois visiteurs; leurs connaissances générales en physique, en
mécanique, en astronomie, en informatique, et si possible en
biologie, en chimie, en génie. Il fallait aussi prévoir une
démonstration des équipements du vaisseau, à la base Sir
James Ross: on ne comprenait pas comment cette boule
hermétique se manœuvrait.

À dix-sept heures, François Leblanc et son accompagna-
trice arrivaient aux laboratoires de Télécan, le centre canadien
des télécommunications, une branche autonome du Conseil
national de recherches, où l'on avait mis toute une aile à la
disposition du comité paritaire chargé de centraliser les
échanges avec les Extra-terrestres. La secrétaire du comité,
Karen Price, était une femme dans la quarantaine, le corps
frêle et les yeux très vifs. Lola Gomez, son adjointe, le regard
calme et les formes voluptueuses, lui offrait un contraste sai-
sissant. Mme Price recevait ses directives à la fois du sous-
ministre des Affaires extérieures et d'Arthur McKeen.

De salle en salle et d'équipement en équipement, elle leur
montra pendant une heure les système d'informatique dont le
centre disposait. Plus tard, en leur offrant un café dans son
bureau, elle leur demanda leurs impressions. François avoua
que la moitié des appareils, il ignorait même que ça existait.
Karen Price sourit, satisfaite.

— Mon objectif, en rassemblant ces équipements, dont la
moitié sont de conception ou de fabrication canadienne, et en
établissant les connexions transcontinentales avec nos centres de recherches et nos universités, c'était de faciliter l'accès
de tous à nos visiteurs, et, pour ceux-ci, l'accès à un maximum
de spécialistes et de documentation. Tout se passera dans la
salle McLuhan.

Chaque mur de ce studio bidirectionnel consistait en un
écran. Confortablement installé dans un fauteuil rotatif, on
pouvait, selon le programme, se donner l'illusion d'être à Chi-

cago, aux Galapagos ou dans un forêt tropicale, dans une centrale nucléaire, une usine sidérurgique, au musée du Louvre ou au carnaval de Recife.

— Ça leur permettra de converser avec des experts à Boston, à Vancouver, à Los Angeles, à Houston, sans avoir à se déplacer. Au bout de quelques minutes, vous oubliez que votre interlocuteur n'est qu'une image sur un écran, car il vous voit, lui aussi, et vous vous croyez en tête à tête. Quant aux logements, si vous avez des suggestions pour améliorer leur confort, n'hésitez pas à me le faire savoir.

À six heures, Francine fit signe à François qu'il était temps de partir. Dans la voiture, celui-ci admit qu'il commençait à se sentir abruti de fatigue.

— Après trois ans de Brésil et un mois de vie champêtre avec nos visiteurs, j'ai l'impression d'avoir été gavé de visages et d'idées. J'espère que le dîner sera décontracté.

— En quinze minutes, proposa-t-elle, je peux te remettre tout à fait d'aplomb, si tu me fais confiance.

— J'ai une confiance totale en toi. Comme si je te connaissais depuis des années.

À l'hôtel, Francine lui suggéra de se déshabiller et de prendre une douche de plus en plus chaude. Entre-temps, elle réglait le bain à 41°C. Comme il venait de s'habituer à cette température, il entra dans la baignoire sans sourciller.

— Ne bouge plus. Détends-toi. C'est merveilleux, l'eau n'est-ce pas? Une des meilleures choses au monde.

Elle l'invita ensuite à s'étendre sur le lit et lui massa les épaules, la colonne, les jambes, la plante des pieds.

— Quand j'étais à l'université, durant les vacances, pour me changer du travail intellectuel, j'ai pris un emploi de masseuse. J'ai appris toutes les techniques de relaxation et de stimulation musculaire et nerveuse. Tiens, je vais te montrer quelque chose. Laisse-toi faire, comme si tu étais évanoui.

Elle releva sa robe, s'assit sur les reins de François et lui redressa la tête vers l'arrière, en tenant son front d'une main et en appuyant de l'autre sur certaines régions de sa nuque.

— C'est extraordinairement bon, murmura-t-il.

— Et c'est fini.

Il se retourna, en montrant son ventre.

— Non, dit-elle, en riant. Ce côté, ce serait pour le plaisir, et aujourd'hui, c'est une journée de travail.

— Et après minuit?

— Après minuit, je dors.

Elle le regardait, amusée, les yeux brillants. Quelle fille étonnante! songea-t-il. Il se sentait l'esprit léger, comme s'il venait de se réveiller après une bonne nuit de sommeil. Il la remercia et se rhabilla. À dix-neuf heures, Francine le déposait devant la Maison du Québec, après lui avoir donné son adresse, rue Stewart, à cinq minutes de marche.

Le délégué général, Marcel Tremblay, l'accueillit avec effusion. C'était un homme jovial et loquace, aux yeux pétillants. Il lui présenta les invités: son conseiller culturel, sa conseillère scientifique, une fonctionnaire des affaires inter-gouvernementales et Lorraine Goulet, la chef-adjointe du cabinet du premier ministre, que François avait connue lorsqu'elle travaillait à l'Hydro-Québec.

Le repas, un régal gastronomique, se déroula dans une belle ambiance de camaraderie. François racontait des anecdotes concernant les visiteurs. En échange il recevait des indications nettes et précises sur les intérêts des autorités québécoises. Cela faisait partie de son mandat. En lui offrant ce dîner, le délégué général lui rappelait que, même s'il relevait d'un ministère fédéral, il devait tenir compte des préoccupations provinciales, surtout lorsqu'on s'apprêtait à mettre en œuvre un programme d'activités publiques à l'intention des visiteurs.

Au digestif, Lorraine Goulet jugea le moment opportun pour présenter sa requête.

— Nous sommes entre nous, et on peut se parler franchement. Le premier ministre veut rencontrer ces Extraterrestres le plus tôt possible pour leur faire part des bons sentiments du peuple québécois à leur égard. J'imagine que ceux-ci veulent aussi le remercier de leur avoir offert l'hospitalité en territoire québécois. On comprend qu'ils ne peuvent pas se rendre à Québec avant d'avoir été reçus à Ottawa, mais le premier ministre ne veut pas jouer le rôle du chef local à qui on serre la main après avoir rencontré le roi. Ce que je propose, c'est un accueil discret à Ottawa, pour la forme, suivi d'une grande fête populaire à Québec.

— C'est très beau, Lorraine, mais je ne crois pas qu'Aurélia David avale un tel scénario.

— À moins que tu saches convaincre les visiteurs de le proposer eux-mêmes très fortement, fit Marcel, le délégué général.

François s'engagea à examiner les possibilités. On bavarda encore, puis François finit par se lever, fatigué d'avoir trop bien mangé.

— Maintenant, vous m'excuserez, mais c'était une très longue journée, et je veux dire bonjour à une vieille copine avant d'aller faire dodo.

On pouvait comprendre cela. On le taquina un peu, puis on le laissa partir. Un peu avant onze heures, il sonnait chez Francine. Il lui fit le bilan de la soirée.

— Comme tu vois, on a un petit problème.

— Pas du tout, fit-elle, j'ai une idée.

— Déjà?

— Mais oui. Je crois qu'on pourra négocier quelque chose. Le mot d'ordre est à la collaboration.

Et elle lui expliqua son projet.

— Tu es extraordinaire, Francine, s'écria-t-il. Ravissante et extraordinaire. Tu as toujours été comme ça?

Elle éclata de rire.

— J'aime la vie, moi. Je la trouve merveilleuse, et facile. Et elle me le rend bien. Parle-moi de tes amours. Parle-moi de ta vie à Inowa. Je veux... te connaître un peu plus.

Elle lui avait servi un excellent cognac. Il en but une gorgée, lentement. Oui, il pouvait tout lui dire.

— J'ai un peu passé l'âge des amours. J'aspire surtout à être bien. J'ai une bonne amie à la base, et je joue avec l'idée d'avoir une relation intéressante avec Jinik.

Elle trouvait ce projet passionnant, et il en parla davantage. Elle l'écoutait, fascinée.

— Ce serait beau. Tu es un bon spécimen de Terrien, tu sais.

— Mais pas ce soir, fit-il l'œil en coin.

— Non, pas ce soir. Même si m'as fait une très belle impression depuis ce matin. Je suis en convalescence d'amour, et je n'ai vraiment pas le goût de recommencer avant... avant quelques semaines.

— Je comprends ça. Qu'est-ce qui t'est arrivé?

Francine dressa le buste, les mains sur les genoux, le regard étincelant, et pourtant très doux.

— Un mois d'amour splendide. Ce n'était même pas avec un garçon mais avec une femme. Une femme très belle. C'était la première fois. Elle est partie il y a trois jours. Elle est laotienne, et elle n'était que de passage, pour une conférence. J'ai vécu quelque chose de très beau avec elle, tu sais. Une limpidité charnelle, tellement tendre... Tiens, j'en frissonne encore.

Il lui sourit, affectueusement.

— Tu es très belle, quand tu en parles. Ça devait être vraiment bon.

— Exquis, profond, magique. Et des fois, quand la musique a été très belle, on préfère garder le silence, un bout de temps, avant d'en écouter une autre.

Ils parlèrent encore d'eux, tranquillement. À minuit, Francine le conduisit à son hôtel. À la porte de l'ascenseur, elle prit soudainement son visage dans ses mains et posa sur ses lèvres un baiser d'une fraîcheur admirable. Il lui caressa les cheveux, et monta se coucher.

Le vendredi 2 octobre

Les Asiates maintenaient une quarantaine de bases militaires dans le nord de la Sibérie. La moitié de celles-ci ne servaient qu'à des fins de diversion en cas d'attaque, alors que la presque totalité de l'arsenal militaire réservé aux opérations transarctiques était concentré dans une douzaine de bases que les Américains, malgré leurs efforts d'espionnage sur le terrain et par satellite, n'avaient jamais réussi à identifier. Ils considéraient Olanga comme une base mineure, vu le peu d'activité qui s'y déroulait. On y répérait rarement des avions de transport ou des mouvements de troupes. De plus, elle n'était pas souvent mentionnée dans les documents d'état-major.

Sous des dehors inoffensifs, la base d'Olanga abritait dans ses installations souterraines les prototypes de la recherche militaire asiate. Bolorta aimait beaucoup l'endroit. Toujours escorté de deux interprètes, il avait accès à tous les chercheurs. Par prudence, on ne lui avait encore montré que les équipements déjà connus des Américains et des Russes.

Sa contribution à l'amélioration des appareils avait été nulle. Par contre, il avait eu des conversations très stimulantes avec plusieurs savants, notamment avec le professeur Golvokhan et le professeur José Quiroga. Le premier s'occupait de la mise au point d'une bombe thermique sans fission nucléaire. Bolorta, fort intéressé, lui avait exposé les principes d'un engin couramment utilisé sur Chumoï pour combattre les pluies occasionnelles de grands météorites : «Il s'agit essentiellement d'une particule dont on accroît la masse par un mouvement giratoire. Vous pouvez atteindre facilement un million de degrés centigrades. Ça devient une sorte d'aimant, qu'on peut braquer sur une cible. Vous pourriez facilement faire un système semblable pour capter des missiles ennemis. Même s'ils sont armés d'ogives nucléaires, ils fondront avant d'exploser. L'engin ne sert qu'une fois, mais nous trouvons cela plus rentable que de permettre la chute d'un météorite sur une ville ou sur une usine.»

Quiroga, de son côté, lui avait exposé les difficultés qu'il rencontrait dans ses efforts pour maîtriser les masses électriques des aurores boréales. Il avait mis au point des sondes de nitro-méthane et de nitrate d'ammonium qui agissaient à la manière de paratonnerres, mais il ne parvenait pas à contrôler les perturbations ainsi créées, ni dans leur location, ni dans leur intensité. Comment travailler avec des particules dont le voltage se multiplie par dix mille quand elles entrent dans l'atmosphère ? Une même sonde, envoyée au-dessus de la mer des Laptev, avait provoqué des chutes de neige sur Berlin, Irkoutsk, Anchorage et sans doute d'autres endroits. Un jour, elle avait causé une fonte des glaces dans les environs de Severnaia Zemlia. «C'est normal, expliqua Bolorta. Votre sonde est efficace, car vous produisez une différence de potentiel suffisante. Mais il est déjà trop tard. Nous, nous aménageons les vents d'électrons à un minimum de cinquante mille kilomètres de Chumoï. Le plus loin vous vous trouvez de votre cible, le mieux vous pouvez contrôler et diriger vos faisceaux électriques.»

Les savants trouvaient sa conversation utile, car il pouvait souvent leur dire ce qui était réalisable et ce qui ne l'était pas. Par contre, il n'impressionnait guère les techniciens, étant tout à fait incapable de fournir des indications valables sur la façon de construire les appareils dont il parlait. Les Extra-terrestres, pareillement fascinés par les armements divers qu'on leur présentait, passaient des heures à s'en faire expliquer le fonctionnement. Ils pouvaient parfois, par leurs questions, mettre leurs interlocuteurs sur la piste de variations intéressantes, mais dans l'ensemble, la contribution des Extra-terrestres à l'amélioration des dispositifs militaires asiates restait marginale.

Leur séjour à Olanga leur plaisait beaucoup, avec ses températures sibériennes. Ils aimaient le froid et s'y sentaient légers et dispos, y compris lorsque la région subissait des vents glaciaux du Nord. On leur permettait de sortir quelques heures par jour dans la forêt qui recouvrait la base. Quiroga, originaire du sud du Chili et habitué au froid, se joignait souvent à eux et leur enseignait en cachette des rudiments d'espagnol, pour passer le temps et pouvoir communiquer avec eux sans intermédiaires.

Quand il gelait trop, les interprètes leur laissaient plus de mouvement. Tout en les gardant à l'œil, ils ne les suivaient pas sur les rochers où ils allaient savourer une bourrasque particulièrement glaçante. Occupés à se recroqueviller dans leur vêtements, ils ne s'imaginaient pas que les Extra-terrestres profitaient de ces instants pour bavarder à leur aise.

Les visiteurs ne se sentaient pas vraiment prisonniers de leurs hôtes. Ils appréciaient qu'on s'occupât d'eux et ne s'attendaient pas à ce qu'on les laissât circuler à travers la planète. Ils comprenaient que les Asiates, menacés sur la plupart de leurs frontières, aient un sens aigu de la sécurité. Ils supposaient aussi qu'on les observait et qu'on les étudiait jour et nuit. Cela ne les dérangeait pas. Dans leurs appartements, ils parlaient sans retenue de leurs affaires personnelles. Mais, par courtoisie, ils gardaient pour leurs sorties tout ce qui risquait d'indisposer leurs hôtes.

Pourtant, leur jugement sur les Asiates n'était pas défavorable. Ils avaient longuement étudié l'histoire de la Terre. Le niveau d'organisation sociale des Asiates leur semblait bien primitif, avec la présence lourde de la bureaucratie de l'État. Par contre, les siècles de luttes intestines en Europe, l'amorce d'une invasion de l'Asie par le Japon au siècle précédent, la conquête de l'Afrique par l'Islam puis par l'Europe, l'expansion des États-Unis en Amérique latine, tout cela leur paraissait d'une haute barbarie. Ils avaient une piètre opinion de la civilisation des ces peuples, basée sur la discorde et sur la force, sur un équilibre précaire entre les employeurs et les employés, les avocats de l'un et les avocats de l'autre, l'utilisation déraisonnable des lois et des règlements, la coercition économique, l'arithmétique simplette des scrutins, la puissance militaire, les bizarres discrimination que les Terriens inventaient de toutes pièces à la moindre occasion.

— D'accord, ils sont encore barbares, disait Mino. Mais au fond, les Asiates ne valent pas mieux.

Même en tchouhio, ils avaient adopté l'habitude, commune tant de peuples asiatiques, de désigner les Occidentaux comme «les barbares».

— On ne peut pas encore les juger. Quand ils pourront vivre en paix, je crois qu'ils feront de belles choses.

— Tu rêves, Fladia. Ils ne méritent pas autant d'espoir.

— Si quelqu'un comme Wakasondo réussit à faire entendre la voix de la justice sans user de la force pour l'imposer, la situation n'est pas vraiment catastrophique.

— Elle le sera pour nous si nous ne parvenons pas à nous rendre plus utiles à leurs yeux.

La question était vraiment là.

— Ils veulent qu'on leur apprenne à fabriquer de meilleures armes. C'est normal: ils nous considèrent comme des amis, et ils ont besoin d'un coup de main.

— Malheureusement, nous ne sommes pas des ingénieurs ni des techniciens, ni même des théoriciens.

— Si on leur dit ça, ils penseront qu'on ne veut pas coopérer.

— Il faudrait trouver moyen de les aider autrement.

— Je pense surtout, fit Val, que notre but doit être de leur fausser compagnie avant que la guerre s'étende.

— D'abord, il faut rejoindre nos camarades.

— C'est cela. Nous rassembler, et rentrer chez nous.

— Et si on peut s'amuser entre-temps, dit Bolorta, tant mieux. Réfléchissons-y, chacun de son côté, et essayons de trouver une solution.

Ils regagnèrent la base. Chaque vendredi, jour de congé musulman, ils dînaient avec le général Sukhe Djanzo. Depuis sa promotion, ce dernier avait été exilé à Olonga, sous prétexte que son séjour à l'île Ellef Ringnes le qualifiait hautement pour diriger une base à vocation scientifique. De fait, il subissait les contrecoups d'une lutte de pouvoir. Le président Moljoïkan l'avait promu général en récompense de ses services à la base Sir James Ross, mais surtout pour rappeler au maréchal Valine qu'en tant que chef de l'État, il était le commandant suprême des forces armées. Valine trouvait que cette nomination empiétait sur ses prérogatives de chef d'état-major. De plus, il n'était pas convaincu de la loyauté personnelle de Djanzo. Il s'était soumis à la décision du président, mais il avait envoyé le général mongol en Sibérie.

Les Extra-terrestres portaient beaucoup d'estime à Djanzo: grâce à lui, ils n'étaient pas restés entre les mains des Américains. Valine, malgré son antipathie pour Djanzo, en avait tenu compte en orchestrant le déplacement des visiteurs.

Le dîner commençait toujours à six heures. Mais, dès leur retour, on fit savoir aux Extra-terrestres que le général les convoquait dans son bureau à cinq heures trente. Djanzo les reçut avec sa froide courtoisie habituelle.

— Le maréchal Valine m'a appelé, ce matin. Écoutez.

Il brancha l'enregistreur. Pendant cinq minutes, on entendit la conversation entre les deux hommes. Djanzo avait conservé sa voix calme et mesurée, alors que Valine s'échauffait singulièrement. Même s'ils ne comprenaient pas le russe, ils se rendaient compte que le maréchal n'était pas content.

— Il m'a demandé si vous aviez coopéré depuis votre arrivée. J'ai dû lui dire que je n'avais aucun résultat à lui communiquer. Le maréchal croit que vous avez opté en faveur de nos ennemis.

— Mais ce n'est pas vrai! Rien ne peut lui faire penser une telle chose!

— D'après lui, vous croyez, de bonne foi, que si les Américains gagnent la guerre, vous pourriez vous réunir avec vos camarades, alors qu'en nous aidant, vous risqueriez de les frapper, si jamais ils se trouvaient dans une région que nous attaquerions.

— C'est un raisonnement valable, mais il ne concorde pas avec la réalité, souligna Mino.

— Je vous crois, mais il me soupçonne de laisser-aller. Comme si le fait d'être ici devait vous rendre plus coopératifs qu'à la Tour Noire! Bref, il a décidé de vous séparer.

Djanzo regarda les quatre visiteurs, visiblement ébranlés.

— Je lui ai demandé de me donner jusqu'à la fin du mois, ajouta-t-il. Il a accepté. Mais c'est le dernier délai.

Ils passèrent à la section réservée du réfectoire. La première partie du repas se déroula dans un silence remarquable, ce qui ne dérangeait nullement Djanzo, naturellement laconique.

— Général, il faut nous aider, fit Val.

L'interprète, pris au dépourvu, dut faire répéter la phrase.

— Je comprends votre situation, dit Djanzo. Vous arrivez d'un autre monde, vous nous trouvez aux prises avec des problèmes fratricides, et vous voulez éviter de prendre parti. C'est très honorable. Mais votre neutralité joue contre nous, car nous pensons que vos camarades ont accepté, de force, d'aider nos ennemis.

— Nous vous avons pourtant suggéré bien des moyens de remporter la guerre, s'il y a finalement une guerre.

Sukhe Djanzo fit la moue. Ils avaient, par exemple, proposé d'identifier des gènes propres aux Asiates, ou encore de fournir à toute la population de l'Union un antidote précis, pour ensuite provoquer la destruction des autres races par des armes bactériologiques, mais une telle mesure était humainement inacceptable, et d'ailleurs au-delà de leurs connaissances en microbiologie. Ils avaient suggéré de se servir des couches électrifiées de la magnétosphère pour ceinturer tout le territoire de l'Union d'un écran infranchissable tandis qu'on mitraillerait l'Amérique, le Pacifique et l'Europe d'armes mucléaires classiques, mais cela aussi était humainement intolérable. De plus, même si Quiroga admettait la faisabilité théorique de créer un tel rideau protecteur, du moins sur une période limitée, les moyens de le faire demeuraient vagues. Les Américains avaient effectué des expériences en la matière, mais, croyait-on, sans résultats concluants.

— Vous avez beaucoup d'idées, admit Djanzo, mais vous nous refusez les moyens des les réaliser.

— Nous ne vous les refusons pas, s'écria Bolorta. Nous les ignorons, c'est tout.

— Mais nous savons ce qui est possible, et nous vous le disons, ajouta Val.

— C'est déjà quelque chose, mais ce n'est pas assez, dit le général. Vous avez un mois pour nous faire des propositions concrètes. Un mois.

Le jeudi 15 octobre

L'Alliance pacifique et l'Union asiate n'étaient pas formellement en guerre. Chaque empire exerçait ses muscles, il y avait des centaines de milliers de morts sur la frontière chinoise, mais les échanges commerciaux entre les adversaires demeuraient appréciables. On tenait donc, de part et d'autre, à des négociations. Mais où? Après avoir écarté Tachkent et Washington, on avait songé à Paris, Berlin, Lagos, Colombo, Buenos Aires, Guayaquil. Finalement, on avait convenu de se servir d'un entremetteur courtisé par les deux parties.

Le 10 octobre 2043, un cuirassé magérian pénétrait dans la mer du Japon. C'était un puissant bâtiment de guerre, un admirable produit du chantier naval de Conakry. Le 12 octobre, il se laissait cerner sur la gauche par une flotille asiate, sur la droite par une flotille américaine. Précaution plus symbolique que nécessaire: le navire magérian se trouvait déjà à portée égale des missiles de Vladivostok et de Hakodate.

Le 15 octobre, un avion asiate se posait sur le pont du bâtiment et l'amiral Ali Kayagou souhaitait la bienvenue au président Moljoïkan et à ses accompagnateurs. Peu après, un second avion atterrissait sur le navire et le président Collinson et sa suite étaient également accueillis. Conformément à l'entente, chaque chef d'État avait amené quinze de ses collaborateurs. On avait limité de la même façon les effectifs mutuels de sécurité.

À dix heures, les deux délégations se rencontraient dans le salon d'honneur du cuirassé. La photographie officielle, publiée à des centaines de millions d'exemplaires dans la presse mondiale, montrait la première poignée de main des deux présidents, sous l'œil attentif de l'amiral Kayagou. Collinson arborait son célèbre sourire de démagogue honnête, alors que Moljoïkan affichait une étrange douceur dans une détermination fanatique. Après une légère collation, les deux groupes, conduits par le secrétaire d'État Bob Danburg et le ministre asiate des Affaires étrangères, se faisaient face autour de la table de conférence tandis que les deux présidents se réunissaient dans une petite salle. Malgré les préférences américaines pour un véritable tête à tête, on avait accepté la proposition asiate: outre les interprètes, Collinson était entouré de Cynthia Irving, responsable de l'agence nationale de sécurité, et de son secrétaire à la défense, alors qu'aux côtés de Moljoïkan on retrouvait le maréchal Valine et l'ambassadeur asiate auprès de l'Organisation des Nations unies. Ce dernier était un des hommes de confiance de Moljoïkan et la rumeur voulait qu'il gardât son poste à New York parce que Valine s'opposait à son retour à Tachkent.

— Excellence et cher collègue, commença Collinson, permettez-moi de vous parler franchement. Cette journée est sans doute l'une des plus importantes de notre vie. L'Histoire nous jugera d'après ce que nous aurons accompli aujourd'hui.

— Je suis prêt à parler franchement et de tout cœur, moi aussi, fit Moljoïkan.

Tous deux savaient bien que dans leur cas, la sincérité n'excluait pas nécessairement une certaine fourberie.

— Ce que je cherche, continua-t-il, ce n'est pas un satisfecit de l'Histoire, mais le bonheur des peuples dont l'Histoire m'a rendu responsable.

— Sur ce plan, nous pouvons nous entendre. Une guerre entre nous serait un crime contre l'humanité entière.

Moljoïkan lui adressa un regard d'une tristesse inattendue. Pendant quelques secondes, Collinson se sentit en face d'un abîme de souffrance. Mal à l'aise, il se tourna brièvement vers Cynthia Irving, pour voir si elle avait remarqué la même chose. Celle-ci restait imperturbable.

— Une guerre serait catastrophique, admit Moljoïkan. Mais il y a d'autres choses aussi honteuses. Par exemple, l'accumulation d'armes bactériologiques dans les Mariannes. Vous avez même, à Hanoï, un stock du virus de la variole.

Les mâchoires de Collinson se serrèrent. Comment les Asiates pouvaient-ils être au courant? Il contre-attaqua par un renseignement également ultra-secret:

— Nous faisons à Hanoï des recherches scientifiques, non militaires. Ce n'est pas le cas de vos laboratoires d'Irkoutsk. Le défoliant que vous avez mis au point provoque des bouleversements génétiques durables chez les espèces animales, ce qui est rigoureusement interdit par le traité de Manille.

Moljoïkan baissa les paupières. Il avait pourtant donné l'ordre à Valine de fermer ces laboratoires.

Pendant quinze minutes, les deux présidents placèrent leurs pions. Il ne s'agissait pas de comparer l'efficacité de leurs services d'espionnage, mais de se montrer mutuellement que chacun avait des moyens sérieux de défense comme d'attaque.

— J'ai accepté de vous rencontrer parce que j'aspire à la paix et je crois qu'elle est possible.

— Si c'est vraiment votre objectif, fit Collinson, vous trouverez en moi un allié.

— Nous ne sommes pas de force égale, dit Moljoïkan. Vous avez l'avantage de la puissance économique. Vous avez une mitraillette, et je n'ai qu'un pistolet. Mais l'un comme l'autre, nous portons une cuirasse de bâtons de dynamite, et si l'un tire, nous sautons tous les deux.

— L'image est juste. Pourtant, vous essayez de vous munir de mitraillettes, comme si le pistolet ne vous suffisait pas.

N'avait-on pas compris les besoins souverains de son pays? Irrité, Moljoïkan haussa la voix:

— Je représente une civilisation, monsieur le président, une civilisation asiatique et musulmane qui doit réaliser son destin. La chute de l'Union soviétique a marqué la fin de la plus grande tentative de marier l'Orient à l'Occident. L'Union asiate est un second essai.

— Et l'Alliance du Pacifique en est un autre.

Moljoïkan ferma les yeux, soudainement fatigué. Quand il les rouvrit, son regard intense et volontaire irradiait une puissante énergie.

— La paix entre nos deux nouvelles civilisations doit s'appuyer sur un partage équitable du monde, qui soit de nature à nous imposer un équilibre durable. Nous renonçons à l'Europe. L'Alliance pacifique pourra y élargir sa zone d'influence. Par contre, l'Union asiate englobera le monde islamique, y compris l'Afrique, et nous tisserons des liens organiques avec l'Amérique du Sud, l'Inde et l'ensemble de l'océan Indien, à l'exception de l'Australie.

Diviser la Terre en deux blocs solidement constitués, en mesure de se faire contrepoids et trop puissants pour s'attaque l'un l'autre? Tarpov s'accrocherait à l'autonomie de l'Europe. Surtout, ce partage quadruplerait d'un coup l'ampleur de l'Union asiate. L'idée était tellement audacieuse que Collinson y reconnut la marque de Valine.

— Dachi, fit-il, en appelant Moljoïkan par son prénom, je reconnais que votre proposition mérite d'être considérée attentivement. Cependant, puisque nous nous parlons franchement je dois vous dire que je suis venu avec un scénario différent.

Moljoïkan vérifia auprès de son interprète qu'on l'avait bien appelé «Dachi». Satisfait, il dit:

— Je vous écoute, Hamed.

— On se rend plus loin en marchant qu'en courant. La paix peut reposer sur un système bipolaire. Elle peut aussi s'établir sur une base multipolaire. Je pense à une poignée de centres de puissance qui s'équilibrent les uns les autres. Nous gardons nos frontières, et nous encourageons l'apparition ou la consolidation de quelques blocs: la Communauté européenne, l'Afrique, le monde arabe, l'Amérique latine, l'Inde et une fédération de l'océan Indien et du Pacifique-Sud greffée à l'Indonésie.

— Non, intervint Valine. C'est inacceptable. L'Alliance serait encore trop forte.

Moljoïkan réprima mal son mécontentement devant les propos du maréchal, qui empiétait si ouvertement sur son rôle de premier interlocuteur. Collinson comprenait la position difficile de son collègue face à Valine, qui contrôlait l'armée et l'appareil de sécurité de l'Union. Il proposa de négocier la neutralité de la Chine en échange d'un rapprochement plus étroit entre l'Europe et l'Afrique, ce qui lui attirerait sans doute des concessions importantes de Tarpov.

— C'est facile, murmura Valine, comme s'il se parlait à lui-même. Céder la Chine, quand ils ne la contrôlent pas!

Moljoïkan se leva, en réaffirmant son autorité:

— Hamed, je crois que nous nous comprenons, et que nous pouvons nous entendre.

Entre-temps, les deux délégations avaient échangé quelques documents de base, rapidement analysés par les experts. Ces tableaux stratégiques décrivaient de région en région les facteurs militaires, économiques et politiques en jeu. Du côté américain comme du côté asiate, chacun éprouvait un grand respect de l'adversaire et de sa compétence professionnelle. On allait jouer cartes sur table, puisqu'on ne pouvait pas faire autrement. Quand les deux présidents arrivèrent, on était prêt à commencer. Moljoïkan et Collinson dirigeaient la conversation, tous les experts avaient droit de parole, mais Cynthia Irving et le maréchal Valine étaient les véritables meneurs. À l'aise en russe comme en anglais, ils n'étaient même pas branchés sur la traduction simultanée. Au bout de deux heures, on avait méthodiquement passé en revue la situation dans chaque région du monde, en débroussaillant le terrain avant les véritables discussions, qui débuteraient après le déjeuner.

L'amiral Kayagou, qui présidait la table d'honneur, demanda à ses invités comment se déroulait «la palabre».

— L'atmosphère est excellente, répondit Collinson. Je suis très impressionné par nos amis asiates.

— Les Russes nous ont laissé le goût d'une bonne partie d'échecs, commenta Moljoïkan. Dommage qu'elle doive se jouer à huis-clos.

Les techniciens asiates et américains avaient rempli les salles de réunion d'appareils de brouillage, de sorte que les Magérians ne pouvaient rien capter des discussions qui se tenaient sur leur propre cuirassé.

— Oh! vous savez, dit Kayagou, quand j'invite des amis, je ne les espionne pas dans leur chambre à coucher.

— Votre courtoisie est égale à votre efficacité, fit Collinson. Et ce navire est superbe. Comme vous savez, j'ai passé deux ans dans la marine, et je m'y connais un peu.

— Si vous avez le temps, je vous le ferai visiter. Je suis à votre disposition, dès que vous me l'indiquerez.

— J'apprécierais ce même service, dit Moljoïkan.

Il regarda le président américain dans les yeux. Ils étaient les seuls, avec l'amiral, à se comprendre.

À quinze heures, on se retrouva dans la salle de conférences pour déterminer quelle serait l'évolution normale de la situation dans le monde, et comment on pourrait modifier son orientation. S'il était difficile pour les Asiates de reconnaître les limites de leur puissance économique et militaire, qu'ils ne voulaient accepter qu'à court terme, il était également pénible pour les Américains d'admettre que dans l'ensemble du Tiers monde, l'influence morale de Moljoïkan pesait plus lourd que l'admiration, la crainte et la méfiance inspirées par Washington. Par ailleurs, dans bien des cas, ni l'un ni l'autre n'était en mesure d'influencer facilement les événements.

Après une heure de discussion rapide, on avait identifié les questions les plus difficiles. En Europe, il s'agissait d'encourager ou de décourager l'intégration de l'armée russe à celle du reste de la Communauté. En Afrique, la croissance du Magéria était limitée au nord par la fédération maghrébine, mais le Sud restait fragile, surtout avec le rôle indéfinissable et peut-être déstabilisateur de Wakasondo, l'étrange illuminé surgi de la brousse. Le monde arabe pouvait basculer facilement dans l'orbite asiate, qui absorbait déjà les deux tiers de l'Islam, mais les Égypto-soudanais n'étaient pas prêts à céder leur autonomie. En Amérique du Sud, l'Argentine tentait de s'allier aux pays andins pour freiner l'expansion du Brésil, qui englobait par une série de traités la plupart des pays des Caraïbes. En Asie, l'Inde et l'Indonésie semblaient engagés sur la voie d'une collision. La Chine s'accommodait de son rôle dans l'Alliance pacifique, mais suivait avant tout son propre destin. Le Japon, au centre d'un réseau solide d'ententes commerciales et militaires, compliquait grandement la situation. On aborda également la question des Extra-terrestres, chacun soupçonnant l'autre de chercher à utiliser leur science à des fins belliqueuses, et évitant soigneusement de se détromper mutuellement sur ce point.

Hamed Collinson demanda quelques minutes pour consulter ses conseillers immédiats. Il se leva, suivi de Cynthia Irving et Bob Danburg, et se dirigea vers une cabine insonorisée. Le maréchal Valine les suivit des yeux. De l'endroit où ils se trouvait, il voyait parfaitement, à travers la paroi vitrée, le président américain converser avec ses collaborateurs. Il ignorait qu'un soldat magérian, qui ressemblait à Collinson et portait les mêmes habits, venait de prendre sa place.

Dachi Moljoïkan se tourna vers le maréchal et lui dit qu'il en profiterait pour se rafraîchir. Valine fit signe à son aide de camp d'accompagner le président, dont il craignait toujours la liberté de mouvement. Moljoïkan se dirigea vers une salle de bains, et entra dans la première cabine. L'aide de camp demeura discrètement à la porte. La cloison gauche de la cabine s'ouvrit et un marin magérian conduisit le président jusqu'à une salle voisine où l'attendait Collinson avec une interprète.

— Je vous remercie de m'avoir accordé ces cinq minutes, Dachi.

— Je crois que vous comprenez la situation, Hamed.

Quand il s'était rendu compte que son secrétaire d'État ne réussissait pas à convaincre les Asiates, Collinson, informé par Irving que Valine menait les négocaitions, avait contacté l'ambassadeur asiate auprès des Nations unies, qui ne faisait pas partie du clan du maréchal. On avait ensuite demandé aux autorités magérianes de ménager un tête-à-tête secret aux deux présidents, ce que l'amiral Kayagou avait confirmé au déjeuner.

— Je n'ai qu'un souci, Hamed: la paix, sans conditions exagérées. Le bonheur de mon peuple passe avant tout.

— Malheureusement, le maréchal Valine vous impose un autre scénario.

— De la même façon que vos alliés chinois et japonais vous dictent d'autres intérêts que les vôtres, riposta Moljoïkan.

— C'est juste, concéda Collinson. Que pensez-vous de mon projet d'un équilibre multipolaire?

— Il est le plus simple. Mais il me faut des frontières sûres. Je serai flexible avec la Chine, avec une zone tampon. Sur l'est, il faudra démilitariser le Moyen-Orient, y compris l'Égypte, et la région de la Volga jusqu'à l'Ukraine. Vous devrez convaincre Tarpov d'accepter cela, même s'il se sentira vulnérable. Et il me faut au moins la neutralité de l'Inde.

— Par contre, fit Collinson, nous devrons promouvoir une interdépendance relative de nos économies. Je pense à dix milliards de dollars d'investissements annuels dans l'Union asiate.

— C'est acceptable, assorti de l'achat d'un montant équivalent de nos produits, dont la moitié en biens manufacturés.

— Ça me semble une proposition honnête.

Moljoïkan consulta sa montre.

— Hamed, nous aurons quand même une guerre. J'essaierai de la limiter, mais ce ne sera pas facile.

Collinson hocha la tête: certaines crises doivent suivre leurs cours. Mais s'il avait la garantie qu'ils ne s'agirait pas d'un combat à outrance, le risque demeurait inquiétant.

— Je comprends, fit-il. Tant que Valine n'aura pas été éliminé, il conduira l'armée asiate selon son scénario. C'est bien cela, Dachi?

— Oui. Faites ce que vous devez faire. Ensuite, la paix devra être honorable. Après une victoire asiate quelque part.

C'était une demande raisonnable: quand on est le plus fort, il convient de déguiser sa victoire. Les deux hommes se serrèrent la main. Quoique méfiants, ils comprenaient que leur seule chance de paix, c'était de s'unir.

— Une dernière chose, Hamed: ces Extra-terrestres... J'ai honte pour nous, en tant que Terriens, de les avoir accueillis en un moment aussi pénible.

— Justement: Valine veut les utiliser, n'est-ce pas?

— Oui. Et vous aussi, ne le cachez pas.

— Nous y avons pensé, bien sûr. Mais je vous assure, Dachi, que je ne mets aucunement leurs services dans mon équation. La vérité, c'est que nous ne les trouvons pas très utiles. Ils sont peut-être plus avancés que nous dans certains domaines, mais même là, j'ai des doutes. D'après nos collègues canadiens, il s'agit de simples touristes venus prendre l'air sur la Terre. J'ai tendance à les croire. Autrement, nous aurions déjà reçu la visite d'une flotille de leurs amis.

— Je vous remercie, Hamed. Et bonne chance.

Une minute plus tard, Moljoïka reprenait sa place à côté du maréchal, en se plaignant de ses problèmes digestifs. Au même moment, le sosie de Collinson, dans la cabine, se levait pour redescendre dans la salle de conférence. À mi-chemin, le président américain se substituait au soldat magérian.

Le reste de la réunion se déroula de plus en plus difficilement. Collinson rejeta chaque proposition asiate qui aurait pu aboutir au partage du monde en deux zones d'influence.

— Si c'est ainsi, s'écria Moljoïkan, vous refusez totalement notre plan de paix.

— Pas vraiment. Vous voulez renforcer vos liens avec le Magéria, le Brésil et l'Indonésie? Soit. Mais nous ne créerons pas de vide stratégique pour vous laisser passer, et nous protégerons les intérêts de chaque membre de l'Alliance.

Valine n'était pas mécontent de la tournure des événements. Il avait accepté l'idée du sommet pour que les Américains portent le blâme de son échec. Or, Collinson réaffirmait la politique hégémonique des États-Unis au sein de l'Alliance, et celle de l'Alliance à travers le monde.

— Je vous offre six mois de statu quo, fit Collinson. Ça vous donnera le temps de consolider vos défenses, mais sans gagner un pouce de terrain par la force. Nous pourrons alors négocier un traité durable sur la base de l'équilibre du moment.

— J'accepte, déclara Moljoïkan.

Valine sursauta. Le président asiate, heureux d'inquiéter son collègue, précisa que le traité serait signé par les membres de l'Alliance et, de l'autre côté, par l'Union asiate et tous les pays avec lesquels elle aurait signé des ententes de défense et d'assistance mutuelle.

— C'est encore le partage de la Terre en deux blocs!

— Oui, mais sous une forme que vous pourriez accepter. Et cela nous permet de clore ce sommet par un communiqué positif.

Collinson réfléchit. Il faudrait surveiller les Asiates, mais il était en mesure de contrecarrer toute manœuvre douteuse.

— C'est d'accord. La conférence internationale se tiendra donc dans six mois, à Lagos, à Djakarta ou ailleurs.

Le dimanche 18 octobre

À Inowa, les neiges extraordinaires de la mi-septembre avaient duré trois jours, suivies d'un froid polaire dont se réjouissaient les visiteurs. Quiroga restait introuvable, mais d'autres météorologues avaient attribué les chutes de neige, observées également à Yellowknife, à Shefferville et à Kyoto, à des déséquilibres magnétosphériques qu'on ne parvenait cependant pas à relier aux dernières explosions solaires. Le reste du mois de septembre, la température de la région avait oscillé autour du point de congélation. Ensuite, elle n'avait cessé de s'élever. Le 18 octobre, il faisait 23° C. Était-ce l'été des Indiens, ou un autre dérèglement?

Depuis leur traversée du lac, les visiteurs passaient de plus en plus souvent une partie de leur journée dans la forêt. Bourgault leur avait même organisé une fin de semaine sous la tente et leur avait appris à pêcher. Le commandant taquinait affectueusement Maya sur son idylle avec Garou, mais il en était très content: c'est ainsi qu'il faut accueillir des invités, en leur faisant connaître la forêt et en les aidant à trouver leur séjour agréable. Maya évitait de reconnaître les connotations amoureuses de son amitié particulière pour Garou et justifiait encore leur rapprochement par des considérations professionnelles. Ils s'attardaient pourtant longtemps sur les nuances qu'on apportait en exprimant la même chose en tchouhio, en anglais ou en français.

À son retour d'Ottawa, François leur avait fait part du désir de la première ministre de leur souhaiter officiellement la bienvenue sur la Terre. L'idée leur avait plu : ils connaîtraient enfin de nouveaux aspects de la vie sur la planète. Quant à la nature des activités du 20 octobre, ils s'en remettaient totalement à leur agent de liaison.

L'imminence de leur séparation, ou, du moins, d'un changement considérable dans leurs habitudes, incitait Maya à profiter davantage de la compagnie de Garou. Elle avait donc convenu de faire avec lui une dernière randonnée en canot. Garou avait appris à pagayer admirablement bien. C'était une belle journée ensoleillée, ce qui lui rappela que les visiteurs avaient semblé très heureux durant la période de froid intense.

— Chez nous, sur Chumoï, il fait toujours froid. Mais nous pouvons aussi nous adapter à la chaleur.

— Moi, je ne m'habitue jamais au froid, même si je viens d'un coin où les hivers sont longs. Je dois toujours m'habiller très chaud, avec des bonnes fourrures.

Elle baissa les yeux en évoquant une image qui l'embarrassait. Trois semaines plus tôt, après une balade dans la neige, François était venu prendre un verre dans sa chambre. Elle lui avait demandé de garder son manteau de fourrure. Une fois déshabillée, elle s'était serrée contre lui, en frottant son corps sur la peau de castor. Ce contact lui avait paru tellement agréable qu'elle lui avait demandé de lui faire l'amour sans enlever son manteau.

— Si tu venais sur Chumoï, dit Garou, on se chargerait de t'acclimater. On te renforcerait la peau, avec un système pileux à ton goût, pour que tu puisses conserver ta chaleur et te protéger du froid. Chez nous, il y a des gens qui habitent sur des planétoïdes chaudes. On les a débarrassés de notre duvet et il ont la peau aussi douce et nue que la tienne.

— Verte ? demanda-t-elle, en contemplant son avant-bras.

Elle n'éprouvait plus de réticences à parler de leurs différences.

— Si tu veux. C'est très simple, la pigmentation. Chez nous, les gens se font parfois changer de couleur et deviennent bleus, ou jaunes, ou rouges. Ce n'est pas héréditaire, et il faut reprendre le procédé tous les cinq ou six ans.

— Pourquoi font-ils ça?

Elle faisait déjà dans sa tête un rapprochement avec les modes passagères qui poussaient souvent les jeunes gens à se singulariser par des innovations vestimentaires, la coiffure, des tatouages.

— C'est une façon de dire qu'ils ne sont pas d'accord avec les autres, ou avec la vie. Je crois qu'ils ressemblent à ceux que vous appelez «les artistes». Les colorés, comme on dit chez nous, vivent souvent, mais pas toujours, entre eux. Ils organisent des spectacles, ils mettent sur pied des centres artistiques, ils gèrent des villes de vacances. Il y en a aussi qui ne font rien de cela, et nous avons également des artistes qui gardent la même peau que les autres.

Garou ne parlait pas souvent de Chumoï. Parfois, il en donnait quelques images, en passant. Son laconisme naturel prenait vite le dessus, et Maya hésitait à approfondir le sujet, de crainte de lui rappeler sa condition de naufragé, ou de lui inspirer un trop grand désir de rentrer chez lui.

— Sur Chumoï, dit-il, il n'y a pas de lacs ni de rivières. Toute notre eau est puisée dans des nappes souterraines.

Il glissa la main dans l'eau. Cette masse liquide, encore un peu froide et si claire, l'étonnait toujours.

— Je pense à la nage, dit-il. C'est une des choses les plus surprenantes que nous ayons vues dans vos documentaires. Nous avons passé une soirée à regarder les épreuves de natation aux derniers jeux Olympiques. Au début, on croyait qu'il y avait un truc, mais non, il s'agissait seulement de faire des mouvements appropriés. Crois-tu que tu pourrais m'apprendre à nager?

— Bien sûr. Nous irons à la piscine, tout à l'heure.

Il proposa plutôt le lac, d'une superbe tranquillité. Quand ils trouvèrent une petite baie ou l'eau, peu profonde, ne recelait pas de courant, ils hissèrent le canot sur la berge, en plaisantant encore sur la fois où Vlakoda avait fait chavirer l'embarcation. Maya retira son gilet de sauvetage et s'arrêta, hésitante.

— Vous êtes vraiment étranges, les Terriens. Il est souvent difficile, pour nous, de comprendre comment vous fonctionnez.

— Pour nous aussi, Garou, mais nous sommes habitués.

— J'ai vu beaucoup de films de fiction, comme vous les appelez. C'est très compliqué. Nous avons souvent de la difficulté à croire que les Terriens vivent comme ça. Nous nous demandons pourquoi.

Maya sentait un nœud dans sa gorge. Elle avait toujours essayé, dans ses relations avec les visiteurs, de mettre le moins de barrières possibles entre eux. Garou lui rappelait brutalement à quel point ils restaient étranges et différents.

— Moi aussi, tu me trouves compliquée?

— Oui, beaucoup. Tu as dit que tu voulais bien m'apprendre à nager. Nous venons ici, et tu hésites. Je crois que tu hésites parce que tu ne veux pas mouiller tes vêtements.

Les Extra-terrestres ne se départaient jamais de leur franchise et de leur lucidité. Elle expliqua qu'on nageait mal avec des vêtements.

— Tu le savais. Alors, c'est simple: tu dois les enlever. Et ça te gêne. Je ne comprends pas pourquoi.

Maya se tourna vers le lac, tout scintillant d'éclats de lumière. Ils étaient vraiment seuls dans ce coin de forêt, entre l'eau et les épinettes. Pourquoi avait-elle autant de difficulté à se débarrasser de ces habitudes avec lesquelles elle n'avait jamais été vraiment d'accord? Garou l'avait pourtant déjà vue nue, bien que de dos, et brièvement, lorsqu'elle était tombée dans l'eau avec Vladoka.

— C'est difficile, tu sais. Nous vivons toujours habillés, et nous nous déshabillons quand nous sommes seuls, pour dormir ou pour nous laver et lorsque nous faisons l'amour. Alors, se déshabiller, comme ça, pour apprendre à quelqu'un à nager... Nous ne sommes pas habitués à *partager* notre nudité.

— Je comprends, fit Garou. Mais je comprendrais mieux si tu étais avec Vlakoda, parce qu'il te désire beaucoup.

Elle le savait, mais elle trouvait étrange d'entendre Garou le dire aussi simplement.

— Et toi, dit-elle, tu ne me désires pas?

Il sourit si doucement qu'elle ne se reprocha pas d'avoir posé la question. Étrangement, il n'y répondit pas de façon directe.

— Vlakoda non plus ne te toucherait pas. Nous n'avons pas de relations sexuelles avec des gens qui ne le veulent pas.

— Et comment savez-vous si quelqu'un vous désire ou non?

— Nous le *sentons*. Quand tu désires quelqu'un, tu dégages toujours un parfum particulier. Nous sentons ce parfum. Toi, tu as peur, tu es mal à l'aise, tu irradies des senteurs contradictoires. Il ne serait pas bon de faire l'amour avec toi tant que tu ne le voudras pas naturellement.

La jeune femme baissa les yeux. Ces paroles de Garou lui remuaient le cœur et accroissaient son embarras. L'idée qu'on puisse deviner si facilement son niveau d'intérêt sexuel à un moment donné la faisait sentir extrêmement vulnérable. Mais peut-être que c'était cela, être naturel.

D'un geste décidé, Maya déboutonna sa veste et défit sa ceinture. Garou la contempla, avec une curiosité affectueuse.

— Je crois que je suis devenu un peu Terrien. Parce que je te regarde, et ça me trouble.

Elle sourit, en rougissant, et lui fit signe d'enlever ses vêtements. Deux minutes plus tard, ils mettaient le pied dans l'eau. Comme c'était froid, Maya avançait lentement, alors que Garou semblait parfaitement à l'aise. Quand la profondeur de l'eau lui sembla suffisante, Maya expliqua à son compagnon les principes de la nage. Il s'agissait avant tout de s'habituer à flotter sans se raidir, sans craindre de se noyer. Elle lui montra comment elle pouvait faire la planche, par exemple, ou nager lentement sur le côté, ou encore se lancer dans un crawl vigoureux. Ensuite, il essaya de l'imiter. Les mains sous les reins ou le ventre de son compagnon, Maya le regardait faire les mouvements qu'elle lui avait montrés. Elle se concentrait sur son rôle pédagogique, mais ne pouvait s'empêcher de voir et de toucher le corps de Garou, avec une émotion évidente. Au bout d'une heure, il réussit à faire convenablement la brasse et a garder la tête sous l'eau. Ils se sentaient tous deux très relaxés, de bonne humeur, et riaient beaucoup. Enfin, ils regagnèrent la rive. Maya étendit une couverture sur l'herbe. Ils partagèrent une autre pour s'essuyer, et s'allongèrent au soleil.

— Tu es très beau, tu sais, fit-elle.

— Toi aussi, dit-il, en souriant.

Comme il semblait à l'aise! Elle, elle ne l'était pas. Les contacts physiques qu'ils avaient eus dans l'eau, la gaîté qui avait marqué leur session de nage, la tranquillité qui émanait de l'Extra-terrestre n'empêchaient pas Maya d'éprouver, au fond d'elle-même, une vague inquiétude. Se trouvait-elle vraiment avec un homme, un homme qu'elle pourrait aimer?

Elle s'était facilement habituée à son visage, à la rondeur de ses traits, à ses yeux noirs au centre d'un globule jaunâtre, au duvet qui couvrait sa peau. Mais même dans l'eau, elle avait évité d'examiner son corps. Aurait-elle à se le reprocher, elle qui voulait tout connaître de lui?

— Je peux regarder? murmura-t-elle.

Elle contempla ses épaules, les mamelons cachés dans le poil vert, les muscles abdominaux. Garou respirait amplement, les bras croisés sous la nuque. Elle s'attarda sur son ventre. C'était vraiment un sexe d'homme, au repos, sans poils pubiens, ou à peine. Ensuite, les cuisses, fortement musclées, et les pieds qui finissaient par des orteils palmés. Elle avança la main et la posa sur sa poitrine. C'était extrêmement doux. Elle n'osait pas le caresser mais elle trouvait très bon de le toucher ainsi.

— C'est étrange, n'est-ce pas? fit-elle, sans préciser de quoi elle parlait.

Garou se tourna vers elle, l'air amusé mais très tendre. Il avança la main sur son épaule et fit glisser la paume sur son sein, traversa le ventre en diagonale, s'arrêta sur son sexe et le recouvrit. Maya frémit sous la caresse.

— À ton tour, l'invita-t-il, en souriant.

Elle imita son geste. Il réagissait vraiment comme un homme, quand les hommes réagissent bien. Elle le lâcha, pensive. Il souriait toujours.

— Les Terriens ont des attitudes bizarres face à leurs désirs, déclara-t-il, doucement.

— Oui, mais c'est ainsi que nous sommes.

— Pourtant, je *sens* que tu aimerais faire l'amour.

Maya se souvenait des films qui avaient été pris dans les appartements des visiteurs, au mois de mai. Elle avait vu Garou avec Jinik. Les gestes des visiteurs ressemblaient à ceux des Terriens dans ce domaine, mais cela ne suffisait pas à dissiper ses réserves.

— Alors, dit-elle, tu es en train d'apprendre autre chose. Pour les Terriens, il ne suffit pas de vouloir s'accoupler.

— C'est peut-être pour cela que dans l'ensemble, vous êtes très tendus. Pour nous, tout cela est plus simple. Nous évitons l'angoisse et le déplaisir. Nous mangeons avant d'avoir faim, parce que la faim n'est pas une sensation agréable. Nous préférons faire l'amour avant que le désir devienne pénible.

— Et comment Vlakoda s'arrange-t-il avec le désir qu'il a pour moi?

— Jinik l'aide. Et puis, nous savons aussi mettre le désir en veilleuse. Nous avons beaucoup de temps.

Ils s'étaient assis à l'orientale et leurs genoux se touchaient. Il posa les mains sur les épaules de la jeune femme : que lui fallait-il, pour vivre son désir ?

— J'ai besoin d'être conquise, bafouilla-t-elle.

— Conquise ? Tu veux dire : prise de force ? fit-il, stupéfait.

— Oh non ! Être conquise, c'est être séduite.

— Je ne comprends pas.

— Moi non plus, avoua-t-elle. Mais c'est ainsi.

Ils se levèrent. Maya sentait son cœur battre très fort. Elle enlaça Garou et le serra contre elle dans un long baiser.

— Heureusement que vous avez beaucoup de temps, dit-elle, en se rhabillant. Parce que nous sommes très lents.

Il éclata de rire et enfila ses vêtements, l'air rêveur.

De retour à la base, Maya courut vers l'appartement de François. La chance lui sourit : il s'y trouvait. Elle l'étreignit.

— Que t'arrive-t-il, ma belle ?

— Ne me le demande pas. Oh ! François, j'ai besoin de beaucoup d'amour ! Il y a tellement de musique...

Le mardi 20 octobre

À sept heures du matin, le réveil automatique sonnait dans les chambres réservées aux Extra-terrestres. À sept heures et demie, il sonnait encore. À huit heures moins un quart, on forçait les portes des pièces : elles étaient vides. À huit heures, c'était la panique. «Et leurs Excellences qui les attendent dans une demi-heure!» se lamentait le chef du protocole, les doigts crispés sur son programme. François tenta de le rassurer mais il n'était pas lui-même insensible à l'inquiétude générale. Les visiteurs auraient-ils profité de l'occasion pour prendre la clé des champs? Ils savaient pourtant qu'on les reconnaîtrait facilement. De plus les alentours de la résidence du gouverneur général étaient patrouillées et surveillées jour et nuit. Se pouvait-il que les visiteurs, par timidité, aient cherché à se dérober aux manifestations en se dissimulant quelque part? Même s'ils avaient accepté le programme, la journée précédente avait pu leur faire changer d'idée, en bouleversant leurs habitudes après six mois de tranquillité.

On avait suivi le scénario de compromis imaginé par Francine Lacombe. La veille, le premier ministre du Québec, Michel Thériault, accompagné de deux de ses ministres, était arrivé à la base d'Inowa à bord d'un avion militaire. Le déjeuner offert par le commandant Bourgault avait mal débuté, avec Thériault silencieux de stupéfaction et les Extra-terrestres ne sachant pas trop quel sujet aborder avec un chef politique. Enfin, Bourgault, faute de mieux, se mit à parler de pêche, et on se lança dans un grand échange de suggestions sur les endroits à présenter aux visiteurs pour mieux leur faire apprécier leur séjour. Tout y passait, les avantages réciproques de la Mauricie et du cap Dorset, une croisière dans le Saguenay ou une semaine à Parent, la Malbaie, les Laurentides ou l'île d'Anticosti. Le premier ministre parlait de ce qu'il aimait avec l'entrain qui caractérisait ses campagnes électorales. Les visiteurs, nourris de documentaires, faisaient d'autres propositions. Ils voulaient aussi savoir ce qui poussait les gens à aller à la chasse plutôt qu'à un centre de vacances, ou en Gaspésie plutôt qu'à Montréal ou dans l'Ungava, et pourquoi on choisissait des endroits différents pour s'y rendre seul, avec des amis, en famille ou avec un être aimé.

Comme la conversation avait conservé son tempo dans l'avion, la dignité de l'accueil du gouverneur général à l'aéroport eut un effet décompresseur. Ensuite, ce fut la traversée d'Ottawa dans le couchant, avec les rues scintillantes et les gratte-ciel illuminés, et le spectacle superbe des grands immeubles de Hull transfigurés par le soleil rouge. On avait prévu le choc de leur arrivée et le besoin de repos, aussi les visiteurs eurent-ils droit à un bref apéritif offert par le gouverneur général et son épouse, suivi d'un dîner décontracté en compagnie de Maya, de François et du chef du protocole. Mais même après une ample nuit de sommeil, on pouvait se demander si on n'avait pas abusé de la résistance nerveuse des visiteurs.

À huit heures vingt, Jinik, Vlakoda et Garou franchissaient en souriant la porte de la résidence, sans même se rendre compte de l'émoi que leur absence avait causé: ils étaient sortis à six heures pour profiter de la fraîcheur et visiter les splendides jardins de la résidence, imprégnés des merveilles annuelles de l'automne canadien, avec les feuilles des bouleaux et des peupliers allant du vert au jaune et au roux, les sombres conifères, les mélèzes dorés, les érables rouges ou argentés, un vibrant éclatement de riches couleurs qu'on ne trouvait pas dans les latitudes d'Inowa.

— Et maintenant, on a faim!

— Leurs Excellences vous attendent, bafouilla le chef du protocole, partagé entre l'énervement et le soulagement.

François avait insisté pour n'être pas invité au petit déjeuner, pas plus que Maya, afin d'accoutumer les visiteurs à ne pas toujours s'appuyer sur eux. Le gouverneur général et son épouse étaient passés maîtres dans l'art de mettre les gens à leur aise. Habitués à recevoir des chefs d'État, et ne sachant pas vraiment quelle était la véritable qualité de leurs invités, ils optèrent pour les traiter en amis. Les visiteurs, à qui on avait expliqué le rôle plus que séculaire de leurs hôtes, ne le tenaient pas pour plus étrange qu'un autre, et ils furent ravis de se trouver en présence d'un couple dont la conversation fourmillait d'anecdotes intéressantes. Leurs Excellences recevaient parfois des gens lugubres et endormants, mais d'autres avaient de la couleur: le dernier président du Magéria, avant Gouri, qui était venu avec son sorcier et qui invoquait les esprits à minuit; l'empereur du Japon, un sportif heureux d'échapper au protocole de son pays et qui prenait plaisir chaque matin à courir en petite tenue jusque chez le premier ministre pour nager dans sa piscine; la reine d'Espagne, qui s'y baignait nue et avouait que c'était là le meilleur moment de son séjour; l'ancien tsar de Russie, qui craignait tellement de se faire empoisonner qu'il faisait analyser la nourriture; le président français, un polyglotte cultivé qui leur récitait du Baudelaire en français, en anglais, en espagnol et même en arabe; la présidente Ortega, une charmante Mexicaine avec un caractère d'acier et des manières de ballerine, et qu'on appelait «la Macha» car elle aimait les hommes avec voracité.

— Vraiment, fit Jinik, vous nous donnez le goût de passer un bon bout de temps sur la Terre.

— Et avec tous les gens que vous avez rencontrés, ajouta Vlakoda, nous ne devons pas vous sembler trop étranges.

On le rassura. Peu après, le gouverneur se leva: il était exactement neuf heures trente, comme prévu au programme. Les visiteurs se rassemblèrent sur la terrasse. Ils trouvaient les Terriens décidément sympathiques, mais avec une manie intriguante de jouer des rôles. Il fallait gratter patiemment la surface pour les connaître au naturel et distinguer ce qu'ils étaient de ce qu'ils cherchaient à être, et parfois ce qu'ils voulaient être s'avérait plus important que le reste.

Maya et François les rejoignirent. Ils venaient à peine de s'asseoir quand une jeune fille avança vers eux. François, ravi, embrassa Francine et fit les présentations. Elle lui remit alors une enveloppe, qui contenait un message urgent.

Vlakoda respira profondément, les yeux brillants.

— Quel parfum délicieux! murmura-t-il.

— N'est-ce pas? dit Francine. Et c'est encore meilleur en été, quand le jardin est plein de fleurs.

Garou et Vlakoda s'esclaffèrent. François, qui étudiait le document, ne s'occupait pas d'eux, mais Maya rougit violemment.

— Malheureusement, je ne crois pas que ce parfum s'adresse à moi, ajouta Vlakoda.

Maya sourit en regardant la jeune fille. D'une certaine façon, cette attitude singulière des Extra-terrestres simplifiait bien des choses. Francine Lacombe se demandait pourquoi elle était devenue le centre d'attention.

— C'est si calme, ici! dit-elle. Dire qu'il y a cent mille personnes au centre-ville! Et on en attend trois fois plus.

— Trois cent mille personnes? s'exclama Jinik. Pour nous?

— C'est cela, fit Francine, enthousiaste. Ils auraient été un million ou davantage, si on avait laissé faire. Comme la colline parlementaire n'est pas assez grande, on n'a annoncé la cérémonie qu'avant-hier et on a rationné les moyens de transport.

— Bah! fit Vlakoda. Si des Terriens venaient chez nous, on aurait aussi beaucoup de curiosité à leur endroit.

Francine les regardait, fascinée. Depuis le temps qu'elle était mêlée à leur dossier, elle croyait les connaître assez bien,

146

mais elle ne s'attendait pas à les trouver aussi dégagés, aussi naturels. Pourquoi avaient-il ri, tout à l'heure, quand elle parlait de l'odeur des fleurs?

François distribua des copies du document. Il s'agissait de la dernière version du discours de la première ministre, qu'on leur présentait au préalable pour qu'ils puissent préparer leur réponse. Cette procédure étonna les Extra-terrestres, qui trouvaient toutefois le texte fort aimable à leur endroit.

— Ce ne sera pas facile pour nous d'y répondre avec de si belles phrases, fit Jinik.

— Si vous le désirez, dit François, en souriant, madamoiselle Lacombe pourra vous préparer un projet de réponse.

Vlakoda commenta, en tchouhio, que les Terriens faisaient vraiment passer les rôles avant tout. Jinik rappela qu'il s'agissait d'une cérémonie. Garou ajouta que cette pratique lui semblait fort sympathique.

— Le fait d'y avoir pensé, d'avoir tout préparé d'avance n'exclut pas la sincérité, dit Maya, qui avait suivi leur échange.

Il était temps d'approcher des limousines. Francine voulait savoir si le tchouhio était une langue difficile.

— Pas vraiment, dit Maya. C'est une langue atonale, et sa structure est très logique. La grammaire aussi est simple, comme si on l'avait simplifiée, ou qu'on ne l'ait jamais compliquée. Il est rare que je ne comprenne pas au moins le sens de ce qu'ils disent. J'ai déjà un vocabulaire de 1500 mots.

Elle hésita. Ce qu'elle voulait demander à la jeune fille, qu'elle ne connaissait pas, était tellement indiscret! Mais si elle ne se décidait pas, elle n'aurait jamais la réponse.

— Quand tu es arrivée, étais-tu d'humeur à...? Oh, et zut! Avais-tu envie de coucher avec François?

Francine ne savait rien des relations qui pouvaient exister entre Maya et François et ne voulait surtout pas les troubler, s'il y avait là quelque chose à troubler. Mais qu'avait-elle à cacher?

— Oui, fit-elle, il me plaît beaucoup.

— Donc, c'était vrai.

Et Maya expliqua à la jeune fille que les Extra-terrestres pouvaient deviner si quelqu'un était sexuellement excité ou non. Or, ils avaient cru remarquer qu'elle l'était.

— Les chanceux! T'ont-ils appris le système?

Francine rougit un peu en entendant la suite. Mais, après tout, on avait trouvé que son parfum était agréable. Elle avait déjà rencontré un aveugle qui pouvait distinguer une femme d'un homme à son odeur, mais les Extra-terrestres semblaient encore plus raffinés.

On arriva à la résidence de la première ministre, où s'étaient déjà rassemblées une douzaine de personnes, dont les principaux membres du cabinet. Pendant qu'Aurélia David présentait ses collaborateurs aux visiteurs, Roger Dubois, le chef du protocole, prit François à l'écart. Il avait un grand service à lui demander, ce qui l'embarrassait d'autant plus qu'il avait horreur des changements de dernière minute. Les Japonais avaient fait une démarche spéciale en faveur du professeur Minawata, prix Nobel. La première ministre avait accepté, pour remercier Tokyo d'avoir appuyé le candidat canadien à la tête du réseau télémondial d'informatique. Comme il était impossible d'ajouter un onzième couvert à ce déjeuner intime, Dubois, respectueux de l'ordre préséance, devait demander à Maya Golinsky de céder sa place.

François y réfléchit deux secondes. Maya devait participer à toutes les rencontres substantielles où la conversation pourrait achopper sur un problème de langue. Il proposa de se désister lui-même. Dubois soupira, soulagé, d'autant plus qu'il pouvait conserver son plan de table et le même nombre de femmes que d'hommes. En revanche, François voulait inviter une amie au dîner. Les listes de la soirée défilèrent, table par table, dans les yeux nerveux chef du protocole. Oui, cela était possible, il pouvait ajouter une place. Il hésita en apprenant qu'il s'agissait de Francine Lacombe: on avait dû écarter bien des fonctionnaires supérieurs de son ministère. François arbora un grand sourire.

— Ça me ferait *grandement* plaisir d'être là avec ma copine.

Dubois lui promit qu'elle recevrait son carton dans l'après-midi. François le remercia et rejoignit le groupe. Les fauteuils formaient un vaste demi-cercle autour d'Aurélia David et des trois invités d'honneur.

— Je suis heureuse d'avoir enfin l'occasion de vous accueillir chez moi, commença Mme David.

— Ça nous aurait fait plaisir de vous inviter chez nous, fit Vlakoda, mais c'est un peu loin.

Quelques rires fusèrent. Décidément, les visiteurs ne manquaient pas d'humour.

— Nous vous remercions de nous avoir permis de passer six mois bien agréables à nous habituer à votre planète, poursuivit Jinik. Maintenant, nous sommes vraiment plus à l'aise pour élargir nos connaissances en rencontrant plus de gens.

— Et puis, ajouta Garou, nous avons apprécié, et nous apprécions toujours, la compagnie de Mme Golinsky, de M. Leblanc et de leurs collègues. Quand on arrive d'un autre monde, c'est très important, les gens sur qui on tombe.

À ce jour, compléta Vlakoda, les Terriens et les Terriennes nous ont vraiment séduits. Vous avez une belle planète.

Mme David s'habitua vite à la façon dont ses invités se passaient la parole les uns aux autres.

— Malheureusement, nous avons encore, entre Terriens, quelques problèmes de voisinage. J'aurais préféré éviter de vous mêler à nos querelles de famille, mais je vous assure que nous continuons nos démarches pour vous réunir à vos camarades.

Le ministre des Affaires extérieures fit brièvement le point sur les tractations avec les Asiates et la Cour internationale de justice. D'autres ministres et quelques hauts fonctionnaires enrichirent la conversation, sans quitter le domaine poli des généralités. À midi, la plupart des participants au tête-à-tête élargi se retirèrent et Mme David, à la demande des visiteurs, leur fit faire le tour de sa résidence, pièce par pièce. Une demi-heure plus tard, ils se retrouvaient dans le salon pour accueillir les invités au déjeuner: en plus des trois Extra-terrestres et de Maya, Mme David recevait le professeur Minawata, le premier ministre Thériault, Karen Price, Konrad Böckler et la présidente du Conseil national de recherches. Sans exclure les considérations politiques, les convives avaient été sélectionnés avant tout pour s'assurer d'un repas agréable en compagnie de personnalités stimulantes.

Les Extra-terrestres se prêtaient à la conversation avec une bonne humeur remarquable, en faisant appel à l'occasion à l'aide de Maya pour préciser certains détails. Böckler avait finalement obtenu accès à l'astronef, dans un geste d'amitié à l'endroit de la Communauté européenne. Il revenait d'Ellef Ringnes et avait beaucoup de questions au sujet du fonction-nement du vaisseau spatial. Vlakoda, également intéressé à connaître l'état de l'embarcation, lui parla des divers appareils, en précisant que presque tous étaient automatiques et que Bolorta seul pourrait lui dire comment ils marchaient. L'ouver-ture pratiquée dans la paroi ne dérangeait rien. Il révéla même l'existence de trois voies d'accès permanentes et de plusieurs postes d'observation qui se refermaient et disparaissaient dès qu'on imprimait à l'engin un mouvement giratoire, comme un potier joue avec la glaise.

Michel Thériault aborda le sujet de Chumoï et ses institu-tions. Jinik lui expliqua que leur population, stabilisée depuis longtemps à sept cent millions d'habitants, avait adopté un régime unitaire passablement décentralisé. Ils avaient quelque difficulté à comprendre les regroupements politiques terriens, avec leurs alliances, leur unions, leurs fédérations. «Nous aussi», commenta Thériault, toujours québécois et toujours pince-sans-rire. On parla aussi d'ordinateurs et de réseaux de communications, mais Val demeurait la véritable spécialiste en la matière. Garou parvint à fournir quelques renseigne-ments sur leurs systèmes de production et de distribution des biens, mais de façon assez rudimentaire.

Élisabeth Cochrane, la présidente du Centre national de recherches, s'intéressait aux questions spatiales. Serait-il possible de situer leur monde sur des cartes de la Voie lactée? Jinik croyait qu'il s'agissait de l'étoile appelée Lalande 21185. Elle pourrait esquisser la position du système solaire par rapport à Chumoï, et les spécialistes réconcilieraient les tableaux en se servant d'un modèle à cinq dimensions. Mais comment avaient-ils pu parcourir plusieurs années-lumière en quinze mois? Vlakoda provoqua une certaine stupéfaction en révélant l'existence d'une sorte de tunnel spatial situé entre les orbites d'Uranus et de Saturne, qui permettait une communication assez rapide entre les deux systèmes planétaires. Les savants de Chumoï reconnaissaient la vitesse de la lumière comme limite universelle, mais dans bien des endroits la lenteur du temps permettait de couvrir de plus grandes distances qu'ailleurs. Fladia s'y connaissait mieux que lui et pourrait expliquer comment ils utilisaient ce tunnel, car ce n'était pas là la première visite sur Terre de vaisseaux de Chumoï.

Pourquoi donc avoir tant tardé à entrer en rapport avec les Terriens? Jinik mentionna qu'elle serait en mesure de reconstituer, approximativement, la liste d'une série de contacts fortuits avec des Terriens. Cependant, les autorités de Chumoï avaient décidé de troubler le moins possible l'évolution normale de la Terre. Les voyages d'exploration demeuraient donc aussi discrets que possible. Ce plan, évidemment avait été contrecarré par leur naufrage inopiné, dont Borlota pourrait expliquer la raison après inspection des instruments de vol.

Minawata, biologue émérite, posa de nombreuses questions sur la vie végétale et animale extra-terrestre. Garou avait toujours aimé ce domaine et parla longuement des douze planétoïdes habités par les gens de Chumoï. Eux-mêmes, ils ignoraient s'ils provenaient d'une même souche que les Terriens, mais il admettait que leur ressemblance morphologique permettait de le penser.

Karen Price, toujours pratique, profita de la conversation pour identifier les domaines scientifiques les plus propices à des échanges approfondis. Les visiteurs renvoyaient si souvent la balle à leurs camarades absents qu'elle se demandait bien s'ils étaient un tantinet ignorants ou faisaient semblant.

De toute façon, les connaissances superficielles qu'ils paraissaient avoir sur les thèmes abordés représentaient déjà beaucoup, et les experts finiraient par gratter la surface.

Aurélia David s'arrangea également pour faire parler ses invités d'eux-mêmes et de leurs passe-temps. Garou se dit vivement intéressé par les films et la littérature de fiction. Le besoin des Terriens de se créer des mondes imaginaires l'intriguait au plus haut point. Vlakoda aimait avant tout la musique et l'épistémologie. Alors que tous les autres arts et sciences se rattachaient à la réalité, même fictive, la musique inventait des sons et les assemblait selon une logique tout à fait artificielle, de la même façon que la théorie de la connaissance créait un univers intellectuel très autonome. Jinik, de son côté, était fascinée par les formes sculptées et peintes. Elle souhaitait avoir l'occasion de visiter bien des musées, des temples, des parcs publics, pour mieux apprécier la façon dont les Terriens se fabriquaient un environnement particulier.

Il était temps de se rendre au Parlement. La densité de la foule exigeait qu'on fasse le trajet en hélicoptère. Le survol du centre d'Ottawa, au confluent des rivières Rideau, Gatineau et Outaouais, impressionna hautement les visiteurs. Aurélia David commenta que les caméras ne les quitteraient plus jusqu'au soir, à la salle de bal. Elle avait en tête la télétransmission de la première apparition publique des Extra-terrestres. dans plus de cent cinquante pays, des centaines de millions de spectateurs suivaient déjà les cérémonies devant les écrans de télévision et les appareils holographiques. Mais Vlakoda l'interrogea surtout sur la fin de sa phrase. David précisa que le dîner chez le gouverneur se déroulerait dans la salle de bal, qui pouvait accueillir les cent vingt invités.

— C'est parfait, dit Vlakoda, ravi. J'espère qu'il y aura de la musique et qu'on pourra danser.

Cela n'était pas prévu. La première ministre s'adressa à Dubois, tout à fait crispé, avec une voix mielleuse:

— Je suis sûre que leurs Excellences aimeront cela, puisque ça fera plaisir à nos invités. Et je suis sûre que vous saurez organiser quelque chose avec l'orchestre de la gendarmerie royale.

Le chef du protocole acquiesça, en se passant la main dans ses rares cheveux. Pendant que les visiteurs échangeaient quelques mots avec les présidents du Sénat et de la Chambre des Communes, il donna les instructions nécessaires à un de ses adjoints. Ensuite, il s'occupa de la présentation des Extra-terrestres au cabinet au complet, aux juges de la cour suprême, aux ministres provinciaux, aux invités spéciaux et au corps diplomatique rassemblés dans le foyer et les couloirs du Parlement. Jinik saisit l'occasion pour dire à l'ambassadeur asiate qu'elle était ravie de le rencontrer et qu'elle comptait sur lui pour faciliter leur réunion avec leurs compagnons si aimablement accueillis par les autorités de Tachkent. L'ambassadeur, impassible, s'engagea à transmettre le message.

À quatre heures, il fut temps de sortir à l'extérieur. Un énorme cri de la foule salua leur arrivée. Devant cette extraordinaire masse humaine, Jinik s'arrêta pile. Le chef de la sécurité lui dit, plutôt gauchement, qu'elle n'avait rien à craindre : l'estrade était protégée par une vitre blindée tout à fait invisible. Au moins, il n'avait pas mentionné les quarante agents armés qui surveillaient la foule depuis tous les immeubles.

— Je n'ai jamais vu autant de gens, expliqua Jinik, en souriant. Nous n'avons pas de tels rassemblements sur Chumoï.

Les Extra-terrestres s'installèrent à la place d'honneur. Contre la façade du Parlement, un immense écran de cinquante mètres s'illumina. Des micros, qu'on ne voyait pas, étaient reliés à une trentaine de haut-parleurs et au réseau de télécommunications. La première ministre se leva. Son image se dessina nettement sur l'écran.

— Chères concitoyennes, chers concitoyens, peuples du monde entier ! Il y a six mois aujourd'hui, un astronef se posait au Nord de notre pays, sur l'île Ellef Ringnes. Peu de jours après, je vous annonçais l'arrivée sur Terre des premiers visiteurs d'un autre monde que le nôtre. Cette visite a peut-être été précédée d'autres prises de contact, mais c'est le 20 avril 2043 que, pour la première fois, la Terre a pu accueillir des amis spatiaux prêts à passer un séjour substantiel parmi nous. Ils étaient sept. Quatre d'entre eux ne se trouvent pas parmi nous aujourd'hui, mais je garde l'espoir que nous pourrons prochainement les réunir. Trois de nos visiteurs, Mme Jinik, M. Garou et M. Vlakoda, sont ici présents. Je vous ai expliqué, dans mes rapports mensuels, les mesures que nous prenions pour leur assurer un accueil civilisé. Mais permettez-moi de couper court à cette introduction afin de leur céder la parole. Qu'il me suffise de dire mon émotion, ma joie et ma fierté, partagées par tous les Canadiens et par tous les Terriens, en ce jour unique dans les annales de l'humanité! Mesdames, messieurs, voici nos invités!

Le chef du protocole encouragea Jinik à se lever. Souriante, dégagée, elle fit face à la foule absolument muette.

— Cher ami, dit-elle, en anglais, je suis heureuse de vous saluer dans la langue de notre planète à la fois si lointaine et si proche.

Elle poursuivit pendant une minute en tchouhio, puis se rassit sous les applaudissements de la foule sidérée. Vlakoda prit place et parla en anglais:

— Mesdames, messieurs, cette journée est pour nous une fête de fraternité et de solidarité interplanétaire. Je voudrais remercier tous nos amis qui, depuis six mois, nous ont aidés à vous connaître et à vous aimer. Je crois, comme Mme David l'a dit, que nous avons reçu l'accueil le plus civilisé qui soit. Mais la civilisation n'exclut pas la chaleur et l'entente. Nous en avons reçu beaucoup, et j'espère que nous pourrons partager de plus en plus durant le reste de notre séjour.

Comme Aurélia David avait utilisé les deux langues du pays dans son allocution, Garou choisit de parler en français:

— Chers amis, mesdames, messieurs, vous qui avez eu la gentillesse de vous déplacer jusqu'ici, et vous tous qui nous regardez, me dit-on, dans tous les pays de cette belle planète, je veux vous avouer quelque chose. En arrivant sur la Terre, après un long voyage, nous étions comme des naufragés. Tout à coup, nous avons senti une bonne odeur. Nous avons ouvert l'œil, et nous avons vu des visages, de beaux visages amicaux. C'est là le plus beau cadeau qu'on puisse faire à des visiteurs. Nous avons été touchés par la douceur calme de votre accueil, et nous n'avons qu'un désir : celui de vous laisser de nous un souvenir aussi agréable que celui que nous garderons toujours de vous.

Il se dirigea alors vers la première ministre et leva les bras. Elle imita le geste. Il lui toucha les mains, les épaules et les tempes, puis colla brièvement son front à celui de Mme David. Les cris, les applaudissements jaillissaient, incessants, de la foule stupéfaite.

— Nous aimerions beaucoup saluer les gens, fit Vlakoda.

On échangea quelques mots. Le chef de la sécurité et Roger Dubois s'y opposaient, mais la première ministre estima que les risques n'étaient pas trop grands, d'autant plus que ce geste ne figurait sur aucun programme dont des terroristes auraient pu se servir pour planifier leur attentat. Elle accompagna les trois visiteurs jusqu'à la barrière qui retenait le public. Sous l'œil ému d'Aurélia David, Jinik, Garou et Vlakoda se promenèrent devant la foule ahurie, en s'arrêtant ici et là pour serrer des mains. Grâce aux télécaméras, l'écran géant reproduisait toute leur promenade.

À cinq heures, comme prévu, ils s'apprêtaient à gagner une salle du Parlement où les attendaient une vingtaine de journalistes. La première ministre, au désarroi du chef du protocole, proposa de tenir la conférence de presse à l'extérieur, ce qui put s'arranger en dix minutes. Entre-temps, malgré les réticences du chef de la sécurité, Aurélia David invita le public à défiler devant l'estrade, de façon à ce que plus de gens puissent saluer de près les visiteurs. Ainsi, sous le contrôle discret de l'escouade spécialisée dans les mouvements de foule, plusieurs dizaines de milliers de personnes eurent l'occasion de s'approcher des Extra-terrestres, sans s'attarder, poussés qu'ils étaient les uns par les autres.

Même s'ils avaient préparé leurs questions, les journalistes en oublièrent et se mirent à improviser, ce qui donna à la conférence un ton de conversation très relaxée. Les Extra-terrestres racontèrent les grandes étapes de leur séjour, ce qu'ils avaient appris sur la Terre, ce qu'ils souhaitaient connaître davantage. Ils fournirent plusieurs renseignements sur Chumoï et leurs voyages spatiaux, comme ils l'avaient fait au déjeuner. C'était extrêmement simple et chaleureux, et on n'arrêta la conversation qu'après six heures, quand l'obscurité permit de passer à l'étape suivante du programme.

Le feu d'artifice débuta, en transformant le ciel en une fontaine multicolore. On traça même dans le firmament un drapeau canadien, un globe terrestre, les portraits des Extra-terrestres. Les mosaïques lumineuses se succédaient, étince-lantes, les unes plus impressionnantes que les autres. Sans attendre la fin du spectacle, l'hélicoptère ramena les visiteurs, à la résidence du gouverneur général, avec assez de temps pour se rafraîchir et se reposer. À huit heures, Garou, Jinik et Vlakoda arrivèrent dans la salle de bal, où l'on avait installé les tables et même un orchestre de dix musiciens. Les invités se levèrent, en applaudissant spontanément. Trois enfants s'ap-prochèrent des visiteurs et leur remirent des bouquets de fleurs. Les derniers journalistes se retirèrent, et le dîner commença.

Les Extra-terrestres partageaient la table d'honneur avec Maya, François, le gouverneur général et son épouse, Aurélia David, le chef du protocole, tout à fait radieux, le ministre des Affaires étrangères et les présidents de la Cour suprême, du Sénat, des Communes et du Centre national de recherches. François se sentait comblé par la performance des visiteurs. Maya admirait leur bonne humeur et leur humour, comme lorsque Garou avait parlé des bons «parfums» de la Terre ou que Vlakoda avait émis le souhait de «partager» de plus en plus. Les trois invités, décontractés, menaient la conversation avec entrain.

Après le dessert, l'orchestre passa d'une musique lente à des airs plus vifs, qui attirèrent l'attention des Extra-terrestres. Jinik, en souriant, ouvrit le bal avec le gouverneur général. Garou invita la première ministre. L'épouse du gouverneur suggéra qu'il serait convenable d'inviter quelqu'un dans la salle, pour montrer que la danse n'était pas réservée à la table d'honneur. Vlakoda se dirigea directement vers Francine Lacombe, embarrassée de se trouver ainsi au centre des regards mais surtout émue par le geste.

Les trois couples se mirent à tourner. La bizarrerie du spectacle — ces êtres verts, toujours étonnants, qui agissaient comme des gens normaux — faisait oublier la gaucherie initiale des visiteurs. Après quelques tours de piste, ces derniers commencèrent à se débrouiller très bien, surtout Vlakoda, qui aimait la musique avec sensualité.

— Savez-vous pourquoi je vous ai choisie? demanda-t-il.

— Parce que nous nous sommes rencontrés ce matin, répondit Francine, en souriant. Il est plus facile de s'aventurer en terrain connu, n'est-ce pas?

— Il y a plus: je vous ai choisie parce que je vous aime.

Sans perdre contenance, la jeune fille sourit de plus belle:

— C'est moi que vous aimez, ou mon *parfum*?

Il éclata de rire:

— Mais vous *êtes* votre parfum, et votre parfum, c'est vous.

Et il respira amplement, les narines dilatées. Décidément, il ne manquait pas d'audace.

— Nous sommes très curieux. Aujourd'hui, nous sommes heureux. Tant de choses nouvelles, de gens très gentils...

— Nous voulons rendre votre séjour agréable et intéressant. Vous n'êtes pas des naufragés: vous êtes nos invités.

— Il me serait *agréable et intéressant* de vous connaître davantage. Mais il serait plus agréable et encore plus intéressant de vous découvrir chez vous, là où vous habitez.

Francine sentait son cœur battre très fort. Elle rougit aussi, en devinant que son trouble affectait sans doute son *parfum*. Mais si c'était le cas, pourquoi le cacher?

— Ce n'est pas impossible, fit-elle. Je vous répondrai plus tard. Il serait bon maintenant de changer de partenaire.

Beaucoup d'autres couples les avaient rejoints sur l'aire de danse. D'autres prenaient leur café en regardant les danseurs ou en bavardant entre eux. Vlakoda invita Maya.

— Tu avais une belle compagne, fit-elle, chaleureusement.

— Oh oui! Tu sais, je suis moins découragé qu'avant devant la sexualité terrienne.

Elle fronça les sourcils, amusée, et attendit.

— Les Terriens sont *très* compliqués, précisa-t-il. Savais-tu que Garou te désire beaucoup, lui aussi? Mais je crois qu'il a attrapé le microbe terrien.

— Explique, fit-elle, vivement intéressée. C'est quoi?

— Cette manie de fabriquer un univers sentimental pour y justifier ses désirs, au lieu de vivre ses désirs jusqu'à en faire jaillir un univers sentimental, si on en a vraiment besoin.

— Vlakoda je t'aime beaucoup! s'écria Maya.

Un peu plus loin, François dansait avec Jinik. Ils avaient passé dix minutes avec le professeur Minawata, toujours intrigué par l'origine des gens de Chumoï et leurs similitudes physiologiques avec les Terriens. Jinik, peu versée dans le domaine, lui avait suggéré de poursuivre la discussion avec ses compagnons, plus tard, au centre de Télécan.

— Tu sais, confia-t-elle à François, j'ai bien peur de décevoir ceux qui attendent trop de réponses de nous. Nous voulons bien les aider, mais nous ne sommes pas des savants.

— Cela ne fait rien, la rassura-t-il. Ils apprendront assez vite que personne ne peut être un interlocuteur compétent dans tous les domaines.

— C'est moi, maintenant, qui me pose des questions. Sommes-nous ce que nous sommes parce que nous avons évolué dans un environnement semblable au vôtre, ou parce que nous avons eu les mêmes ancêtres, sur Terre ou sur Chumoï ou même ailleurs?

— J'avoue que ça m'est égal. Le miracle, c'est que nous puissions être ici, venus de systèmes planétaires différents, et nous comprendre.

— Il serait quand même intéressant de savoir si nous pouvons combiner nos gènes.

— J'en doute, fit-il. Il est difficile d'engendrer des hybrides, même en laboratoire.

Elle l'enlaça, ravissante, sans arrêter de danser.

— On pourrait quand même essayer. Et pas en laboratoire.

Il sourit, agréablement fasciné, et répondit que ce serait en effet une expérience fabuleuse. Francine s'approcha d'eux, en s'excusant. Elle avait deux mots à dire à François. Jinik s'éloigna avec un autre invité.

— Je me demande si une chose est possible, dit la jeune fille, énigmatique.

— Si on peut accueillir des Extra-terrestres sur la colline parlementaire d'Ottawa, presque tout est possible, badina-t-il.

— Même apporter une touche personnelle à un accueil officiel?

— On a bien pu, à plusieurs reprises, modifier les plans du chef du protocole... Dis-moi ce qui te rendrait heureuse.

Elle lui glissa quelques mots à l'oreille.

— Merveilleux! Tu es extraordinaire, Francine. Je crois que tu es la seule personne à pouvoir oser une telle chose. Mais c'est très risqué. Nous ne les connaissons pas vraiment. Nous savons comment ils réagissent en groupe, sous surveillance. Mais seuls? Voudrais-tu que je vous accompagne, très discrètement?

— Non. J'ai confiance.

Les invités commencèrent à partir vers minuit. Le chef du protocole s'entretenait avec François Leblanc, tout en saluant ceux qui partaient.

— Moi qui hésitais entre les loger à Rideau Gate ou à Rideau Hall! C'est le plus grand succès de ma carrière! Même si ça m'a coûté dix kilos de sueur...

Roger Dubois mentait un peu. Il avait recommandé que les visiteurs soient reçus à Rideau Gate, comme les hauts dignitaires étrangers, mais la première ministre avait imposé l'accueil à Rideau Hall, réservé aux chefs d'État.

— J'ai une dernière faveur à vous demander.

— Demandez-moi mer et monde!

— Juste une voiture pour accompagner ma copine chez elle.

Dubois se permit un sourire coquin, très compréhensif.

— Vous l'aurez. Votre amie est une personne exquise.

— Une voiture aux vitres teintées. Je ne voudrais pas que ses patrons la reconnaissent. Et pas de chauffeur.

— J'admire votre élégance. C'est rare, de nos jours.

Quinze minutes plus tard, sous l'œil complice du chef du protocole, François, au volant d'une limousine, faisait monter la jeune fille. Le changement de passagers se fit cinquante mètres plus loin, puis la voiture gagna les rues désertes du quartier de la Côte-de-Sable. Dans les maisons, on voyait bien des pièces éclairées: des milliers de gens suivaient à la télévision, pour la troisième ou la quatrième fois, la retransmission de l'accueil des Extra-terrestres. Rendue chez elle, Francine fit monter Vlakoda. L'ascenseur s'arrêta au second. Un couple les dévisagea, stupéfait.

— C'est carnaval, fit la jeune fille.

— Avouez que ça a l'air naturel, enchaîna Vlakoda. Ces masques vous vont comme un gant.

Ils entrèrent dans l'appartement en pouffant de rire.

— Demain, ils iront tous chercher des déguisements d'Extra-terrestre, dit Francine. Bon, je vais te montrer dans quel type de logement habite une Terrienne normale.

160

Vlakoda trouva la salle de bains, de type traditionnel, étrangement petite, et s'étonna de voir des cloisons plutôt que des murs entre la chambre à coucher, le salon et le bureau. Les objets décoratifs l'intriguaient. Il se fit aussi expliquer l'usage de chaque pièce de vêtement, et les raisons qui poussaient la jeune fille, par exemple, à porter des pantalons ou une robe.

— Parle-moi de ta vie. Comment ça se passe, chaque jour? Ton travail, les gens que tu rencontres... J'aimerais pouvoir raconter, en rentrant chez moi, comment vit une Terrienne.

Elle sortit un cognac. Curieux de tout, il posait souvent des questions saugrenues. On sentait qu'il enregistrait chaque détail. À deux heures du matin, il s'arrêta, comblé.

— La journée a été agréable et intéressante, dit-il, mais elle le sera davantage quand nous aurons pris un bain ensemble.

— Tu es merveilleusement naturel, tu sais. C'est très différent des Terriens.

Elle voulait gagner du temps. Amusé, il commenta qu'elle, au contraire, était une vraie Terrienne, hésitante et incertaine.

— Non, je n'hésite pas, moi, dit-elle, soudainement décidée.

Elle alla faire couler l'eau. Peu après, elle le regardait se déshabiller. Dans quelle aventure était-elle en train de se lancer? Voulait-elle vraiment pousser l'hospitalité aussi loin? Vlakoda entra dans le bain.

— Quelle splendide invention!

Francine ôta ses vêtements, mit en marche le mécanisme qui faisait tourbillonner l'eau en la renouvelant, et se glissa dans la baignoire. Quinze minutes plus tard, ils se levaient, infiniment rafraîchis. Elle lui passa une serviette. Et maintenant? Non, elle ne le forcerait pas à prendre l'initiative.

— Viens, dit-elle, en lui prenant la main.

Que tout cela demeurait étrange! Vlakoda la caressait comme un homme, avec une délicatesse inattendue, comme s'il cherchait à découvrir le degré de résistance et la sensibilité du corps d'une Terrienne.

— Tu as vraiment une bonne odeur toute fraîche! murmura-t-il.

Francine s'habituait déjà à l'épiderme velu de son compagnon.

— Tu es bon à caresser, tu sais. Je crois que je t'aime vraiment. Veux-tu une caresse de Terrienne?

Elle alla le chercher avec sa bouche. Quel étrange parfum, lui aussi! Elle n'insista pas, ignorant les limites de l'excitabilité des Extra-terrestres. Ils s'étreignirent dans un long baiser et il pénétra en elle, lentement, avec précaution. Francine poussa un long soupir. Comment séparer le plaisir de l'émotion? Le contact de son ventre chaud contre celui plus frais de son partenaire ouvrait un abîme de douceur, et les mouvements de cet homme — car c'était un homme, assurément un homme — ses mouvements en elle la tiraient de cet abîme. Elle flottait, elle nageait, elle dérivait dans le monde de ses planètes intérieures, de plus en plus lumineuses. Et là, maintenant, elle reconnaissait des frissons familiers, et elle les retrouvait en lui. Oui, maintenant... Il ferma les yeux, comme le font tant d'hommes à ce moment, et plongea son visage dans son cou, vibrant et chaleureux.

— C'est beau, tout ça, fit-elle, quelque temps plus tard.

Couchés sur le côté, ils se faisaient face, en souriant.

— Tu es aussi belle et aussi bonne que les meilleures femmes de Chumoï. Nos deux mondes sont faits pour s'entendre.

— C'est une belle façon de s'entendre.

— On appelle cela: partager.

Il lui posa les mains sur la taille et se retira d'elle, tout doucement. Elle savoura cette sensation exquise, puis décida d'ouvrir une bouteille de champagne. Ils trinquèrent.

— C'est ainsi que nous célébrons les grands jours!

— Merci de célébrer avec moi. Cette nuit est aussi un anniversaire : il y a six mois que nous sommes arrivés sur cette planète. Je crois bien, ajouta-t-il, que c'est aujourd'hui la première fois qu'un homme de Chumoï a fait l'amour avec une fille de la Terre. Je ne pouvais rien souhaiter de mieux que toi. Tu as une odeur saine, que j'ai tout de suite reconnue.

— Tu n'as pas essayé, à Inowa? s'étonna-t-elle.

— Non. Les femmes de là-bas n'ont pas... ton courage. Pas même Maya. Tu es vraiment spéciale. Je t'aime beaucoup pour ça.

Francine sourit, sans essayer de dissimuler une pointe d'orgueil. Il lui dit qu'à Inowa, lui et Garou faisaient l'amour avec Jinik.

— Et toi et Garou?

— Non... Je suis très intéressé par l'homosexualité terrienne. C'est une dimension que nous n'avons pas chez nous.

— Nous avons tellement de choses à nous apprendre! dit-elle.

— Tant mieux. Nous voulons tout découvrir.

Ils continuèrent à bavarder. Vers quatre heures, Francine appela François. Comme elle n'avait pas fermé l'écran visuel, il pouvait voir son buste nu.

— Je vois que tu as passé une belle soirée, fit-il, la voix ensommeillée et pâteuse, mais le regard pétillant.

— Une excellente soirée. Je suis heureuse, François! Si tu savais comme je te remercie!

— Vlakoda va bien?

— Oui. Il se rhabille.

— Je vois. Ma très chère, je te félicite. Comme dirait Aurélia, tu as défendu l'honneur de l'humanité civilisée. Alors tu me ramènes ton amant spatial?

— Dans quinze minutes. Tu sais, François, tu es un amour d'ami.

— J'espère être un jour un ami d'amour.

— Oh oui! À tantôt.

François s'habilla en vitesse et marcha jusqu'à la rue Mackay. Il dit à la sentinelle qu'il allait faire un tour dehors. Il trouva la limousine sur la rue Union, et prit le volant. Après avoir déposé Francine chez elle, il reconduisit Vlakoda à la résidence, en entrant par Rideau Gate. Le garde se contenta de vérifier sa carte, sans chercher à voir de près l'autre passager. Quelques minutes plus tard, ils regagnaient leurs appartements.

— Félicitations pour tout cet accueil, François. Les Terriennes sont vraiment superbes, exquises et passionnantes.

— Celle-ci est exceptionnelle, Vlakoda. Exceptionnelle.

Le mercredi 28 octobre

Depuis six mois, la présence d'Extra-terrestres dans l'Union asiate avait été traitée par les autorités de Tachkent comme un secret militaire: Valine contrôlait jalousement ce dossier. Trop de ressortissants de l'Union avaient des contacts avec l'étranger pour n'être pas au courant, mais la presse officielle n'en parlait jamais et la population, dans l'ensemble, ne connaissait de l'affaire que d'improbables rumeurs. Le lendemain des cérémonies d'Ottawa, le président Moljoïkan recevait, de son ambassadeur au Canada, un compte rendu de son échange avec Jinik et un enregistrement de la manifestation sur la colline parlementaire. Furieux, il *convoquait* le maréchal à un entretien, alors qu'il l'avait toujours *invité*.

— Voilà où nous en sommes, avec vos tergiversations! Partout, à travers le monde, un pays de l'Alliance pacifique s'est attiré l'admiration générale, alors qu'on nous soupçonne des pires choses.

Nullement ébranlé, le maréchal riposta, calmement:

— Je trouve plutôt honteux que l'on ait profité de ces visiteurs pour en tirer un vulgaire spectacle qui n'a servi qu'à enrichir des firmes de télédiffusion.

— Foutaises! Nous avions les mêmes atouts que nos adversaires et nous n'avons pas su les jouer convenablement.

— Ils ont fait les pitres, c'est tout. Nous, nous traitons nos visiteurs avec sérieux et dignité.

Le maréchal usait habilement des mots auxquels le président, était sensible, mais ce dernier réfléchissait à autre chose. Valine aurait pu se dérober à la convocation, en prétextant quelque réunion d'état-major, et la reporter au lendemain, de façon à souligner son indépendance du pouvoir présidentiel. Or, il avait cédé. C'était peut-être le temps de lui porter un autre coup. Lui retirer le dossier? Valine pouvait investir le palais à volonté et installer un autre président. Mais s'il était à la merci de son armée, Moljoïkan comptait bien des alliés, pas assez pour affronter le maréchal de front, mais suffisamment pour lui arracher des parcelles d'autorité.

— Vous prendrez les mesures nécessaires pour que les quatre visiteurs assistent, à mes côtés, au défilé du 28.

— C'est impossible. Ils sont engagés dans des travaux importants, à la base d'Olanga.

— Je le veux, maréchal! Au besoin, je leur enverrai mon avion.

— La base est une zone réservée.

— Je préfère croire que l'avion du président peut se poser n'importe où sur le territoire de l'Union.

Valine avait cédé et les deux hommes s'étaient séparés, aussi inquiets l'un que l'autre. Moljoïkan se demandait ce qui avait retenu le maréchal de livrer bataille, tandis que ce dernier se posait des questions sur les raisons qui amenaient le président à marquer son autorité.

Quelques jours plus tard, Djan Jogaï allait trouver le maréchal à son quartier général. Il affichait une excellente humeur, après avoir passé une nuit exquise en compagnie de deux très jeunes filles. Il avait besoin de ces bouffées de volupté chaque fois qu'il jouait des parties serrées, comme celle qui s'annonçait avec son président. La générale, qui venait de réinstaller les visiteurs à la Tour Noire, lui confirma qu'en dépit de la menace d'être séparés les uns des autres, les Extra-terrestres s'étaient montrés incapables de fournir le moindre apport utile aux savants et aux ingénieurs d'Olanga.

— Ils sont encore plus ignorants que nos techniciens de troisième ordre. Et ils ne font pas semblant. Ils ont des connaissances vagues sur des sujets passionnants. Chumoï dispose d'une science avancée, mais si on comptait sur ces quatre personnes pour adapter leur savoir, leurs compétences technologiques, à notre effort de guerre, on peut déjà abandonner ce rêve. Tenez, nous leur avons demandé de se pencher sur un scénario de conflit ouvert entre l'Alliance et nous. Voici ce que ça a donné.

Elle inséra une capsule enregistrée dans le magnétoscope du bureau. L'écran montrait les quatre Extra-terrestres face à une carte de la Terre qui présentait les deux super-puissances et, en dégradé, leurs alliés éventuels et les zones neutres. Les visiteurs parlaient à tour de rôle, en pointant diverses régions sur la carte. La générale traduisait au fur et à mesure.

— C'est abracadabrant! s'écria le maréchal. Et vous dites qu'ils sont sérieux? Mais ils n'ont aucune notion de la réalité! C'est une stratégie décousue, un éparpillement d'efforts et de cibles! Si on suivait leur plan, et si j'étais Collinson, je nous aurais battus dix fois. Seraient-ils devenus des complices de l'Alliance?

— Non. Pour eux, les Américains sont des barbares. Ils veulent vraiment nous aider à sauver leurs compagnons. Tout simplement, ce sont des ignares. Tenez, vous devriez les remettre au président, et qu'il s'arrange avec! Il pourrait les nommer conseillers spéciaux. Là, il passerait son temps à les surveiller et à limiter les dégâts, et il n'aurait plus le loisir de se mêler de vos affaires.

Le maréchal resta rêveur. Djan connaissait ses difficultés croissantes avec Moljoïkan. Elle alla chercher la capsule.

— Non, laissez-la. Je veux la revoir. J'ai envie... de découvrir comment fonctionne leur cerveau.

À minuit, il fit appeler Jogaï. En bon soldat, elle se rhabilla et gagna le quartier général. Le maréchal l'attendait, en peignoir, l'air joyeux et sûr de lui.

— Nous allons passer une nuit de stratégie et d'amour, ma très chère amie. Vous m'avez donné une idée extraordinaire. Nos Extra-terrestres sont une bénédiction du destin. Grâce à eux, notre victoire ne fait plus aucun doute. Vous avez bien étudié le scénario qu'ils nous proposent?

— Je le connais par coeur. C'est quand même fascinant ce à quoi on peut aboutir lorsqu'on néglige la logique.

— Ou qu'on applique une autre logique.

Valine avala une lampée de vodka, qui rendit ses yeux encore plus malicieux.

— Comment réagiriez-vous, si vous étiez le président Collinson et si je vous déclarais la guerre?

— Je serais surprise, maréchal, parce que vous n'avez aucun besoin de *déclarer* la guerre.

— Mais si je vous la déclarais et si je n'attaquais pas?

— Cela me prendrait au dépourvu.

— Et j'aurais un point d'avance. Vous, vous n'attaqueriez pas. Vous bâtiriez une stratégie défensive.

— C'est exact. En essayant de deviner la vôtre. Je me baserais sur le plan que vous avez proposé lors du sommet du mois dernier. Mais en sachant que ce n'est qu'une étape. Votre conception du monde est tellement plus vaste! Vous voulez agrandir votre place dans l'Histoire, être l'architecte du plus grand empire terrestre! Reconstituer l'Union soviétique, en plus grand! Cette ambition n'est pas un mystère pour les Américains.

C'était aussi l'origine profonde des tiraillements entre le maréchal et Moljoïkan. Simple général lors de la scission de l'Union soviétique, Valine s'était rangé du côté asiate parce que c'était cela, ou rien. Il manquait d'appuis à Moscou, alors qu'il contrôlait les armées de l'Est. Mais l'Union asiate lui semblait trop petite, malgré ses percées territoriales en Iran et au Pakistan, alors qu'elle convenait parfaitement au président.

— Vous savez trop, fit Jogaï, que l'Union asiate sera toujours vulnérable, entourée d'un milliard de Chinois, d'un milliard d'Indiens, et d'un demi-milliard d'Européens. L'Union doit donc les englober. L'Afrique et l'Amérique latine ne vous intéressent pas vraiment. Vous voulez que Tachkent soit au centre d'un empire eurasiatique.

— Et comment m'empêcheriez-vous d'atteindre cet objectif?

— En faisant durer la guerre avec la Chine, en attisant les frictions entre la Russie et l'Union, entre l'Inde et l'Union, et en poussant les Arabes vers l'Afrique et l'Asie du Sud-Est vers le Japon.

— C'est donc contre ce plan que je dois me battre. En menant la guerre en terrain neutre. Ne pas affaiblir les États-Unis mais leurs alliés, et surtout leurs sympathisants.

Djan Jogaï sourit. Son rôle était de fournir au maréchal matière à réflexion. Elle commenta que Golonov aurait été, entre les mains de Valine, beaucoup plus utile et efficace que Moljoïkan. Le tsar s'était avéré tellement charismatique, en dépit de ses excentricités, que dix ans après avoir été renversé, il demeurait un des hommes les plus populaires à travers le Tiers monde et même auprès d'un grand nombre d'Européens et d'Asiates.

— Peut-être, peut-être... Maintenant, réfléchissez au scénario de nos Extra-terrestres.

Il s'approcha de la générale. Quelle belle femme! songea-t-il. Un bon cerveau et un corps agréable.

— Ça ne va pas, fit-elle. Ça ne cadre ni avec une stratégie américaine, ni avec la nôtre. C'est une tangente incongrue.

Le maréchal sourit, amplement: Et si, au contraire, il se servait d'eux comme experts statégiques? Jogaï avoua qu'à la place de Collinson, elle serait tout à fait décontenancée. Valine lui embrassa la main, avec une galanterie gourmande.

— Vous êtes splendide, Djan. C'est exactement ce que je veux. Désorienter l'adversaire, mais à travers des tiers; l'affaiblir, l'isoler, et le frapper; ou lui imposer la paix selon nos termes.

Elle y réfléchit, sidérée: l'idée était superbe.

— C'est à vous que je la dois. J'interrogerai demain nos amis. Je dois savoir s'ils ont rêvé une guerre au hasard ou si tout se tient vraiment, comme je le pense. Mais oublions cela un instant, pour des plaisirs plus agréables.

Le lendemain Valine et Jogaï passèrent l'après-midi en compagnie des visiteurs. Un plan magistral d'action se dessinait dans la tête du maréchal. Et ce fut l'air radieux que, deux jours plus tard, il présentait ses *conseillers* au président Moljoïkan.

C'était le 28 octobre. Le grand défilé militaire — une tradition héritée de l'époque soviétique — commémorait le dixième anniversaire de la fondation de l'Union. Moljoïkan était sensible, malgré lui, à ce déploiement grandiose de la puissance du pays. Cependant, un peu par conviction, un peu pour irriter Valine, il avait axé son discours de bienvenue au corps diplomatique sur l'idée que l'armée asiate était avant tout une armée de la paix. Mise à part la rectification de quelques injustices historiques, l'Union, avait-il déclaré, tenait avant tout à assurer l'épanouissement de son peuple à l'intérieur de frontières sûres et les mains tendues vers toutes les nations. Il avait également annoncé un remaniement ministériel imminent — ce qui laissait au maréchal la possibilité de participer à la décision.

Après la présentation des vœux du corps diplomatique, le président, contrairement à l'habitude, reprit la parole.

— Monsieur le doyen, mesdames, messieurs, chers collègues, j'ai estimé que le moment était venu de vous présenter quatre nouveaux ambassadeurs. J'ai jugé bon de le faire ici, en ce jour de fête et de solidarité, parce que vous représentez tous les peuples de la Terre. Ces ambassadeurs, vous l'avez deviné, ne viennent pas de notre monde. Ils représentent pour nous une nouvelle dimension, celle de la fraternité interplanétaire. Grâce à eux, l'Union asiate, au nom de l'humanité entière, s'est engagée dans une étape historique d'échanges avec une civilisation dont nous ignorions l'existence. Nous les avons accueillis comme des amis et des conseillers. Aujourd'hui, après six mois d'hospitalité asiate, je suis sûr que vous voudrez, vous aussi, leur souhaiter la bienvenue. Je veux souligner que par respect pour eux, nous n'avons pas voulu leur imposer notre langue. Au contraire, nous avons appris la leur. Nos interprètes se feront un devoir de vous aider à communiquer avec eux.

Il alla lui-même chercher les Extra-terrestres, qui attendaient dans une pièce voisine. Pendant une heure, avant le banquet officiel, chacun d'eux, accompagné de deux interprètes, put échanger quelques mots avec la majorité des ambassadeurs et des ministres présents. Moljoïkan les suivait des yeux, intrigué par leur enjouement, leur bonne humeur naturelle. Les diplomates, qui contenaient dignement leur surprise, n'en étaient pas moins doublement ahuris: s'ils avaient tous reçu par leurs services, ou vu chez des collègues, l'enregistrement de l'accueil à Ottawa, le fait de rencontrer ces êtres verts et de leur parler demeurait une expérience ébranlante; de plus, les visiteurs leur faisaient des commentaires très précis sur leurs pays, leurs capitales, leurs sites historiques ou touristiques, voire leurs régimes. Ils ignoraient, bien sûr, que c'est en préparant le scénario d'une guerre que les visiteurs avaient acquis une connaissance aussi détaillée des nations de la Terre.

Entre-temps, on annonçait en ville que le président ouvrirait le défilé en compagnie de quatre Extra-terrestres, dont on confirmait l'existence. À deux heures, Moljoïkan et les visiteurs, dans un véhicule décapotable, traversaient Tachkent au milieu d'une foule estimée à deux millions. Ils prenaient ensuite place sur l'estrade d'honneur où, rompant avec la tradition qui faisait de cette journée une manifestation active du peuple, sans discours officiels, le président prononça, en ouzbek et en russe, une brève allocution, répétée par des milliers de haut-parleurs.

— Mes chers frères, mes chères sœurs, il y a dix ans, nous avons pris sur nous la responsabilité d'incarner l'espoir même de l'humanité, en fondant un pays consacré, par sa constitution, à la défense de la justice sociale, du bonheur et de la propérité. Chaque année, le 28 octobre, le peuple asiate s'est réuni ici pour démontrer de façon tangible ce que peut réaliser un pays, épris des plus hautes valeurs de la civilisation et déterminé à servir d'exemple au monde entier. Aujourd'hui, nous accueillons avec émotion des amis venus d'une autre planète, et c'est avec fierté que nous allons leur montrer ce que nous sommes.

Le défilé durait quatre heures. Les commentateurs décrivaient les corps de métiers, les troupes artistiques, les produits manufacturés, les équipements agricoles et miniers, la machinerie électronique et, enfin, un extraordinaire déploiement de l'arsenal militaire. C'était, du début à la fin, véritablement impressionnant.

Les Extra-terrestres commentaient allègrement le défilé, émerveillés de voir en même temps ce qui aidait les gens à vivre et ce qui leur permettait de s'entretuer. Les Terriens leurs semblaient de braves gens, mais avec une telle manie de destruction! Bien sûr, quand les barbares nous entourent, il faut bien se défendre, mais il était dommage que des gens aussi intelligents fussent si bêtes quand il s'agissait de vivre ensemble. Enfin, l'essentiel, c'était de quitter cette planète sains et saufs, et tous les sept ensemble. La générale Jogaï, qui les comprenait, fronçait souvent les sourcils mais s'amusait de leur naïveté. Elle sourit même en les entendant dire qu'ils n'étaient pas pressés: après tout, c'était leur plus beau voyage.

Le maréchal Valine tenait un autre genre de conversation au président: que pourrait faire l'Alliance devant l'arsenal qui leur passait sous les yeux? Moljoïkan lui rappela que la plupart de ces armes étaient inutilisables, puisque leur emploi attirerait une riposte catastrophique. Mais là, le maréchal le trouvait trop pusillanime. Les Américains avaient plus de résistance économique, mais le maréchal envisageait une guerre rapide: quand on frappe aux bons endroits, la lutte est brève. Nullement convaincu, le président souligna que son remaniement ministériel aurait justement des objectifs économiques.

— Ne touchez pas à la défense, et je vous garantis mon appui.

La remarque ne manquait pas d'audace, mais Moljoïkan était trop réaliste pourt s'en formaliser.

— Rassurez-vous, dit-il. Même si je confiais la défense à un civil, l'état-major jouira toujours d'une grande autonomie.

— Quel civil? demanda Valine, nullement rassuré.

— Moi, répondit le président.

Le jeudi 29 octobre

Les Extra-terrrestres logeaient depuis une semaine à Télécan, où on leur avait aménagé des studios. Maya et François avaient préféré habiter à l'hôtel, de façon à habituer les invités à une plus grande autonomie. Les visiteurs avaient accepté un programme relativement chargé avec deux heures d'entrevues le matin, trois dans l'après-midi, et deux autres en soirée. Généralement, ils prenaient leurs repas au centre même, qui faisait appel à un excellent traiteur. Parfois ils mangeaient en ville, dans des restaurants publics, quand Maya ou François leur offraient une promenade. Ils attiraient toujours l'attention, mais la curiosité des passants ne se traduisait pas en attroupements, la population d'Ottawa ayant conservé une courtoisie invétérée. De toute façon, ils étaient toujours discrètement escortés par une demi-douzaine d'agents de sécurité.

Les entrevues, en personne ou à distance, avec les experts de tous les pays de l'Alliance pacifique, et, à l'occasion, d'Europe ou d'ailleurs, portaient sur une gamme considérable de sujets. On les interrogeait sur les relations sociales, les biens de consommation, la religion, ou plutôt son absence, les institutions politiques, l'histoire, l'expansion interplanétaire, les systèmes philosophiques, la médecine, les moyens de communication, les transports, les sources d'énergie, la biotechnologie, les activités culturelles, les circuits économiques, les techniques d'apprentissage, la diététique, bref, toutes les facettes qui permettaient de se faire une idée de la civilisation de Chumoï. Même s'ils n'avaient que des connaissances générales, ce qui ne manquait pas de frustrer bien des spécialistes, on réussissait à tirer d'eux une somme remarquable de renseignements. Souriants, intéressés, disponibles, ils laissaient une excellente impression à la plupart de leurs interlocuteurs.

Avec toutes ces occupations, ce ne fut qu'au bout de huit jours que Jinik put inviter François à dîner chez elle. Une télé-entrevue ayant dû être reportée, les Extra-terrestres avaient obtenu de Price de leur laisser la soirée de repos.

— J'ai dit à Karen que nous parlerions d'affaires. Elle doit se demander ce que j'ai à discuter avec notre agent de liaison!

Comme il l'invitait, très sérieusement, à lui faire ses commentaires sur le programme, Jinik éclata de rire.

— Vraiment, les Terriens! On essaie de se faire à leurs mœurs, et ils ne comprennent encore rien. Quand une dame et un monsieur se rencontrent, chez vous, ils prennent des tas de précautions. Ils se cassent la cervelle pour trouver une excuse à un rendez-vous, comme s'il était gênant de se voir pour se voir. Alors, c'est ce que j'ai fait.

François sourit. Garou lui avait confié qu'ils appréciaient leurs entrevues parce que les questions qu'on leur posait leur donnaient une bonne idée des préoccupations des Terriens.

— Vous tâtonnez toujours, ajouta-t-elle. Garou et Maya sont bien allés dîner ensemble, mais dans un restaurant. Bien sûr, Francine a invité Vlakoda chez elle, mais cette fille-là n'est pas normale. Elle est trop spontanée. Et je suis sûre que Karen n'apprécie nullement son comportement. Tout ce qui n'a pas de but professionnel lui semble du gaspillage.

Il la complimenta sur sa perspicacité. Il se tenait autour du piège, en le reniflant sans y toucher. On sonna. Un garçon apporta le repas. Jinik avait commandé du poisson. Les Extra-terrestres aimaient cette chair délicate, inconnue sur Chumoï.

— Je tenais depuis longtemps à passer quelques heures décontractées avec un Terrien. Avec un homme. *Avec toi.* Tu vois, vous vous interrogez tous sur nous et sur notre monde. Nous aussi, nous voulons apprendre des tas de choses sur vous. Et pas sur votre technologie! Vous êtes de drôles de gens, les Terriens. Pour nous faire savoir ce que vous êtes, vous nous montrez ce que vous faites: un spectacle télévisé, un détecteur de microbes, un immeuble de deux cents étages. Mais vous, derrière tout ça? Ce qui nous intéresse, c'est de voir ce que les choses que vous faites font de vous. Et ce que vous faites de cela. Ce que vous êtes. Comment vous vivez. Comment vous passez le temps de votre vie.

Elle mangea quelques bouchées, en silence. Puis, après une gorgée de vin dont elle parut se délecter, elle avoua carrément que les maladresses érotiques des Terriens les fascinaient.

— Regarde Garou et Maya. Heureusement, il a une patience inépuisable. Il aime Maya. Beaucoup. Il sait aussi, depuis longtemps, que Maya l'aime. Elle, elle le sait depuis moins longtemps. Vous êtes si lents à vous découvrir vous-mêmes!

— C'est vrai, Jinik. Mais Maya a une sensibilité exquise. C'est un lac tranquille, qui se nourrit de dizaines de sources. Quand elle débordera, ce sera merveilleux.

— Tu avoueras, François, que si elle avait «débordé» il y a quatre mois, ça aurait fait quatre mois de gagnés.

— Par contre, signala-t-il, Francine n'a pris que quelques heures. Mais, comme tu disais, elle n'est pas... représentative.

Francine vivait une vibrante aventure amoureuse avec Vlakoda. Il avait un excellent appétit de plaisir, que la jeune fille voulait bien nourrir et partager. Elle aimait sa curiosité insatiable des choses charnelles et lui enseignait — et, dans une certaine mesure, elle apprenait — toutes les façons qu'ont les femmes de la Terre de faire l'amour, quand elles veulent le faire avec enthousiasme et imagination. François, qui était devenu son meilleur confident, l'encourageait, car il la voyait heureuse dans cette expérience inattendue. Jinik lui suggéra d'encourager cette liaison en prenant Francine comme adjointe. Les gens ne seraient pas dupes, mais la jeune fille pourrait continuer à voir Vlakoda sans trop d'histoires.

Ils entamèrent le dessert. Chacun comprenait, dès le début, le vaste sous-entendu de leur conversation. Amusés, complices, ils la poursuivaient comme on peint le fond d'un tableau pour circonscrire un dessin qui restera blanc. En s'étendant sur les amours de leurs camarades, ils tournaient tranquillement autour du leur, en gardant présente à l'esprit la remarque de Jinik au bal du gouverneur, quand elle s'était interrogée sur la possibilité d'un accouplement entre Terriens et gens de Chumoï. Vlakoda et Francine les avaient pris de vitesse, sans pour autant dissiper leurs propres désirs. Jinik commenta que Vlakoda parlait souvent de Francine: les filles de la Terre l'enthousiasmaient. François hocha la tête, attendri. Francine vivait dans un rêve sensuel, en le maîtrisant très bien. Il n'avait pas d'inquiétude à son endroit. Elle trouvait en Vlakoda un amant passionnant dont la compagnie lui était agréable. Comme un amour solidement charnel est ce qu'il y a de plus beau au monde, il espérait que Maya connaisse cela avec Garou.

— Vlakoda est fasciné par... votre sensibilité épidermique. Comme vous avez la peau très nue, elle est sans doute plus excitable. Chez nous, le plaisir est beaucoup plus concentré là où nous avons des muqueuses.

Il lui avoua qu'il l'avait remarqué, et lui raconta comment il l'avait déjà vue faire l'amour avec ses compagnons. Jinik répondit par un large sourire. Ils se doutaient bien qu'on les avait filmés quand ils étaient sous observation. François promit de leur donner accès à ces enregistrements. Il hésita, songeur, puis ajouta:

— Tu es une très belle femme, Jinik.

— Je t'aime beaucoup, moi aussi.

Ils prenaient le café, tranquillement enfoncés dans le même sofa. François — comme Maya — se sentait en terrain difficile. Les normes professionnelles décourageaient ces insertions de désirs personnels dans le cadre du travail. Par contre, quand il se mettait à la place des visiteurs, il trouvait normal qu'ils se sentent attirés par des gens qu'ils côtoyaient depuis longtemps. Il lui rappela que dans l'entrevue sur les relations personnelles, ils avaient dit que sur Chumoï la plupart des gens se mariaient, mais avaient quand même plusieurs autres partenaires au cours d'une année. Contrairement aux Terriens, cependant, cela, ne leur posait aucun problème. Il se demandait alors si leur vie à trois commençait à leur peser. Jinik éclata de rire : il était tombé juste. Mais pourquoi ne se choisissait-elle pas alors un beau mâle vigoureux de vingt-cinq ans ? Jinik répondit qu'elle préférait découvrir l'amour avec les Terriens sans trop de dépaysement. Comme il la dévisageait, perplexe, elle expliqua :

— Tu as un beau potentiel d'Extra-terrestre, François. Tu t'adapterais facilement à Chumoï, si jamais tu devais y vivre. Tu vois les choses avec un calme un peu fatigué, mais un regard neuf, sans préjugés, et une grande disponibilité. J'ai confiance en toi. Je me sens bien avec toi.

Ému, François saisit la main de Jinik. Oui, pourquoi pas ? Il s'agissait, après tout, d'offrir aux visiteurs un accueil chaleureux. L'amitié amoureuse et le désir tendre qu'il éprouvait pour cette femme, l'amour charnel de Francine pour Vlakoda et la passion sentimentale de Maya pour Garou apporteraient à leur séjour une dimension intéressante. Il n'avait aucune raison de se dérober.

Il se sentait en belle forme, après ce repas léger. Avait-elle choisi le menu exprès ? Comme il tenait toujours la main de Jinik, il n'eut pas de peine à l'attirer vers lui. Elle se coucha, la tête sur ses cuisses, et il lui caressa le visage. Quelle sensation étrange que de laisser glisser ses doigts et sa paume sur cette peau doucement velue et de tracer des dessins autour de ce regard où la tendresse dégageait tant de vitalité !

— Les Terriens, tu as dû t'en apercevoir, ne sont pas naturellement portés sur l'amour. C'est toujours un événement magique et obscur, dont la plupart des gens se passeraient bien.

— Je sais. Vous préférez faire pousser le blé, inventer de nouveaux systèmes électroniques, faire la guerre, regarder des spectacles... Vous parlez très peu d'amour, et presque en secret, comme s'il s'agissait de quelque chose qui vous est imposé par un arrangement fâcheux de vos gènes.

Il sourit, en lui caressant le cou.

— Le plaisir nous a toujours paru suspect, comme une malédiction. Comme chacun est sous le coup de cette malédiction on ne le condamne pas, mais on s'y adonne avec beaucoup de discrétion. Nous sommes si loin les uns des autres que nous devons toujours prendre du temps à nous apprivoiser. Heureusement, il y a des gens splendides, comme Francine, et elle n'est pas unique. Je ne désespère pas de la race humaine, même si nous sommes très lents.

Jinik portait une longue tunique moulante. François fit aller sa main sur le tissu, en effleurant délicatement le buste de sa compagne. Il admira la fraîcheur qui s'en dégageait.

— Votre volonté de vivre nous laisse également perplexes, fit-elle. Vous êtes tellement tournés vers l'action! Dix-sept mille guerres en cinq mille ans, n'est-ce pas? Cela ne vous a pas empêchés de vous bâtir une belle civilisation, mais votre goût de vivre a quelque chose de précaire. Comme s'il dépendait d'un instinct de survie plutôt que d'un amour de la vie. La même chose pour le plaisir. C'est étonnant, pour des gens d'action.

— Heureusement qu'on a ces instincts, autrement on aurait abandonné la partie depuis longtemps. Mais moi, j'aime vivre, et j'aime le bonheur. Viens.

Ils s'étreignirent, debout, avec une douceur tenace. Jinik, avec un sourire espiègle, mentionna qu'elle sentait un parfum léger et très profond. Dans la chambre à coucher, en se déshabillant, elle montra un sourire nerveux, qui l'étonna elle-même: après tout, les gens de Chumoï avaient une pratique réaliste de la sexualité, tandis que les Terriens éprouvaient dans ce domaine un malaise millénaire. François, plus à l'aise, avoua que c'était quand même toute une aventure d'aimer quelqu'un d'une espèce différente. Elle le dévisagea, les yeux limpides:

— Je serai la première femme de Chumoï...

— C'est une façon agréable de passer à l'Histoire. Ça se lira comme ça: L'histoire des échanges sexuels interplanétaires a commencé par la rencontre passionnée de Mme Francine Lacombe et de M. Vlakoda, suivie de la rencontre tranquille de Mme Jinik et de votre serviteur.

Il lui caressait le dos, les fesses, les jambes, avec une douce détermination, en s'habituant à cet étrange épiderme vert. Elle frémissait particulièrement quand il lui caressait le creux des reins et la taille à rebrousse-poil. À mesure qu'il explorait son corps, il y trouvait d'autres zones spécialement sensibles. Son sexe, la pointe de ses seins et son périnée semblaient, bien sûr, les plus excitables, comme elle le lui avait suggéré, mais Jinik réagissait à beaucoup d'autres caresses dont il variait le rythme et l'intensité.

Elle voulut aussi le découvrir, et il s'abandonna. Les mains palmées de l'Extra-terrestre, toujours un peu froides, donnaient une fraîcheur excitante à ses caresses. François ne savait pas si la délicatesse du toucher de sa compagne reflétait une certaine timidité ou s'il s'agissait de son style habituel. Il enlaça ses hanches. L'art érotique de Chumoï n'incluait pas l'amour buccal mais la jeune femme sembla apprécier cette variation. Comme elle voulait tout essayer, après une dernière hésitation, elle plongea dans ce nouveau monde. François soupira, tendu de plaisir.

— C'est étrange, commenta-t-elle. C'est comme un rêve...

— Il est bon de le rêver éveillé.

— Je veux continuer à rêver. Conduis mon rêve.

Couchée sur le ventre, elle souleva les reins en pliant les genoux. François, depuis qu'il avait vu les films tournés dans leurs premières semaines à Inowa, savait que c'était là une des positions favorites des Extra-terrestres, ce qui lui avait toujours semblé physiologiquement raisonnable. Il la lécha doucement, en contenant, de ses mains sur ses hanches, les vibrations de sa partenaire. Il s'agenouilla ensuite et pénétra lentement en elle.

Après un long instant de repos frémissant, il s'engagea dans les derniers gestes de l'amour. Il comprit vite qu'il n'avait plus de rôle actif à jouer. Tout oublier, se perdre dans le seul contact sexuel... Tout à coup, il entendit un long murmure, comme si Jinik chantonnait du bout des lèvres un étrange air de musique. Les pressions s'accentuèrent sur son sexe, avec un mouvement saccadé qui rappelait des vagues. Ému, il comprit que Jinik sombrait dans un orgasme tranquille et mélodieux, et qu'elle l'y entraînait délicieusement. Il l'accompagna. Après une douce éternité, elle se coucha sur le côté. Que tout cela avait été bon! La beauté profonde de leur acte le laissait rêveur. Elle se tourna vers lui quand elle le sentit en dehors d'elle.

— C'est bon, un Terrien, fit-elle.

— C'est beau, de découvrir un nouvel amour.

Jinik étira ses membres. Elle regarda le sexe de François, déjà au repos.

— Chez nous, les hommes prennent plus de temps à redevenir... normaux, après l'amour. C'est peut-être à cause du *bsha*. Je ne sais pas comment c'est fait. Les hommes qui s'en servent le prennent en pastille ou par injection, qui dure trois ou quatre ans. C'est très courant. Ça facilite l'irrigation, ça accroît la sensibilité et ça renforce l'érection. Oh! tu n'en as pas besoin, mais je me demande si ça fait une différence après.

— Nous n'avons pas encore inventé un tel produit. Ce sera une bonne source d'échanges, quand nous nous engagerons dans le commerce interplanétaire.

Ils prirent une douche à ultra-sons, puis passèrent quelque temps à bavarder. Avant de se quitter, Jinik murmura qu'elle aimerait bien renouveler l'expérience.

— Moi aussi, Jinik. C'est vraiment bon, de t'aimer.

Il n'osa pas ajouter qu'elle avait été, durant cette soirée, la plus agréable de ses compagnes.

Le vendredi 30 octobre

Le lendemain, François Leblanc, absolument heureux et dégagé, se rendit au ministère des Affaires extérieures pour participer à une réunion du comité ET. Francine lui parut soucieuse. Elle avait été convoquée la veille au bureau du personnel. On s'était montré flatteur: compte tenu de son excellent rendement et de sa formation, on lui offrait une affection à Bangkok. Elle devrait s'y rendre en janvier. Et elle qui s'apprêtait à demandé un congé sans solde de six mois!

— Pour te consacrer au bien-être de nos visiteurs?

Elle sourit amplement, ravie d'être comprise. Le sous-ministre arriva à ce moment et ouvrit aussitôt la séance.

— Mesdames, messieurs, je regrette de devoir vous imposer une modification à l'ordre du jour. Le ministre a convoqué l'ambassadeur asiate à dix heures trente et je dois participer à l'entretien. Mais je tiens à couvrir les points 5, 6, 8 et 9 avec vous. Excusez-moi de vous bousculer, et commençons.

Il bouscula, en effet. Événements récents à Tachkent: après avoir échangé quelques points de vue sur les mobiles des Asiates, on en conclut que la présentation publique des quatre Extra-terrestres était un bon signe et qu'on pouvait au moins offrir aux Asiates une collaboration au niveau des renseignements obtenus en contrepartie de la réunification des visiteurs. Programme d'activités : il semblait souhaitable d'accorder aux Extra-terrestres une semaine de repos à Inowa, ce qui permettrait aux chercheurs d'approfondir leur analyse des données ; à leur retour, les visiteurs passeraient deux autres semaines au centre de Télécan, puis ils entreprendraient la première étape de leur tournée mondiale en visitant les quelques villes canadiennes déjà choisies. Ensuite, esquisse du séjour des Extra-terrestres aux États-Unis : la première ministre avait obtenu des Américains que les autorités canadiennes conserveraient la co-responsabilité du programme des visiteurs ; on accueillerait avec une attention particulière les suggestions des Américains, mais François Leblanc jouerait toujours son rôle de coordonnateur.

— Là, j'aurai un petit problème, fit ce dernier. Mon expérience des derniers jours m'a convaincu que nous devons renforcer l'encadrement des visiteurs.

— Oui, je sais, dit le sous-ministre. Mme Price m'a envoyé un mot. Je vous autorise à recruter un adjoint. Discutez-en avec la Commission de la fonction publique.

Le sous-ministre, pressé, voulait visiblement passer à d'autres choses. François, au risque de l'indisposer, jugea le moment propice pour lui arracher une décision plus rapide.

— Si vous le permettez, je vous exposerai ma vision des choses. Il me faut deux adjoints. À mesure que nos visiteurs se sentiront à l'aise, ils exprimeront des désirs particuliers. Pour fonctionner de façon souple et efficace, il faudra les décourager de faire appel directement à nos amis américains. Chacun des visiteurs devra être escorté d'un agent de liaison canadien. Je puis assumer cette tâche pour l'un d'entre d'eux en plus de mes responsabilités générales. Madame Golinsky pourrait remplir des fonctions similaires auprès d'un autre. Sa présence nous serait très utile, vu ses connaissances de la langue tchouhio. Avec un troisième agent, un agent fiable, je n'aurais plus aucun problème de supervision.

— Oui, je comprends ce que vous avez en tête, monsieur Leblanc. Il nous faut quelqu'un de chez nous. Mais où trouver un agent supérieur disponible à ce moment-ci de l'année ? Au fond, ce qui compte surtout, c'est la personnalité du candidat. Quelqu'un qui connaît le dossier, et qui serait acceptable... Si Mme Lacombe se portait volontaire, ça me ferait un problème de moins.

François fit semblant de soupeser la proposition, qu'il avait si facilement tirée du sous-ministre. Celui-ci, un éclat de malice dans les yeux, regarda Francine, toute troublée, puis passa au dernier point : la sécurité des visiteurs. Il venait de recevoir des nouvelles inquiétantes à ce propos. Toute négligence en la matière entraînerait des conséquences catastrophiques. Il avait déjà demandé un resserrement de la surveillance, et il faudrait sensibiliser les Américains à la priorité à accorder à cette question.

François et Francine échangèrent un long regard et un sourire amusé : le sous-ministre les avait fait marcher. En se penchant sur le dossier de la sécurité, il avait certainement vu le rapport sur les allées et venues des visiteurs, et ce rapport faisait nécessairement mention des relations étroites que Francine avait tissées avec les Extra-terrestres et surtout avec Vlakoda, qu'elle avait invité chez elle à plusieurs reprises.

Il était près de dix heures trente, et le sous-ministre s'excusa pour aller à son rendez-vous. Francine se leva et l'aborda près de la porte.

— J'accepte, dit-elle.

— Excellent. J'en glisserai un mot au directeur du personnel.

— Merci *beaucoup*.

Il hésita, puis lui serra le bras, amicalement.

— Mais venez donc avec moi. Ce sera utile, puisque vous vous impliquerez encore plus activement dans ce dossier.

Jusqu'à midi, on passa en revue les autres points à l'ordre du jour. Le bilan des entrevues au centre Télécan fascinait tout le monde. En dix jours, les Extra-terrestres avaient couvert une masse impressionnante de domaines. On connaissait de mieux en mieux Chumoï, qui se trouvait bien dans l'orbite de l'étoile Lalande 21185, et on avait dressé une chronologie approximative des voyages d'exploration de vaisseaux chumoïens sur la Terre depuis environ trois mille ans. Karen Price avait vraiment effectué un choix judicieux d'experts. Les connaissances linguistiques des Extra-terrestres facilitaient grandement les échanges. Il était cependant temps de confier à Maya Golinsky le soin de rassembler de la documentation sur la langue tchouhio, de façon à préparer, en collaboration avec des spécialistes, un lexique, un dictionnaire et une grammaire comparée de la langue de Chumoï.

À une heure, Maya et François se retrouvaient pour déjeuner. François fit part à son amie du souhait du comité. Depuis quatre mois, avec l'aide de Garou, elle avait enregistré une cinquantaine de capsules pour s'aider elle-même à apprendre la langue, mais ça lui prendrait un certain temps à tout rassembler et à y mettre de l'ordre.

— Le comité dispose d'un bon budget. Tiens, nous proposerons à Karen de mettre une équipe sur pied, sous l'égide du département de linguistique de l'Université d'Ottawa.

— Mais je tiens à faire la tournée avec vous!

— Bien sûr. Il n'y a aucun problème. Même aux États-Unis, nous serons toujours reliés à Télécan.

François mangeait avec appétit. Maya, au contraire, semblait aux prises avec quelque souci intérieur. Ne voulant pas forcer des confidences, François s'attardait aux ébauches de la tournée. Maya appréciait sa discrétion, mais, à la fin, elle se lança dans le sujet qui la préoccupait.

— Je ne sais pas trop quoi penser de Francine.

— C'est une fille superbe, affirma-t-il.

— Oui, je suis d'accord, je l'aime beaucoup. Mais je pense à elle et à Vlakoda.

— Je crois qu'on doit la remercier d'avoir pris sur elle de donner à nos invités la plus belle marque d'hospitalité.

— Elle a été très courageuse... murmura Maya.

François réfléchit. Cela voulait-il dire que Maya regrettait de ne l'avoir pas été elle-même?

— C'est vrai, fit-il, mais il y a plus que ça. Vlakoda et Francine s'aiment beaucoup.

Maya leva sur lui un regard mélancolique.

— Hier, Garou me parlait de la manie qu'ont les Terriens de cacher leurs désirs. Il ne comprend pas. Peut-être parce qu'ils en sont incapables, entre eux, à cause de leur odorat.

— Et aussi parce qu'ils trouvent naturel d'exprimer leurs désirs. Mais là, il y a une chose intriguante. Nous, ça fait des siècles et des millénaires que nous avons compliqué l'amour. Nous y avons ajouté un contexte sentimental qu'ils jugent abracadabrant, et ils ont sans doute raison. Par contre, nous sommes beaucoup plus avancés qu'eux dans le registre charnel.

Maya retrouva son sourire: Francine ne s'en plaignait pas.

— Ils s'enseignent trop de choses l'un à l'autre pour s'ennuyer. Comment te dire? Chez eux, l'amour est très génital, plus que nous. Par contre, chez nous, il est très épidermique, ce qui les étonne. Notre façon d'utiliser nos mains, nos bouches, nos membres, tout notre corps, cela les surprend. Pour eux, les accompagnements sont un peu superflus. L'odorat suffit à les griser, et le contact sexuel leur semble assez intense pour n'avoir pas besoin du reste.

Elle le dévisagea. D'où tirait-il ces renseignements? Quand elle en avait parlé avec Francine, celle-ci avait surtout insisté sur la curiosité charnelle de Vlakoda.

— J'ai couché avec Jinik, hier soir.

Maya ne s'attendait pas à cette déclaration. Elle avait bien noté les sentiments d'amitié que François portait à Jinik plus qu'aux autres, mais il s'était toujours senti plus proche des femmes, sans nécessairement y mettre un contenu sexuel.

— C'était très intéressant, poursuivit-il. Pour les deux. Nous voulions, l'un et l'autre, connaître nos façons d'aimer, de réagir à... à une présentation différente... à un type de peau, à des habitudes, à des désirs différents...

— Et... c'était vraiment différent?

— Oui.

Des images de la soirée le traversèrent : la découverte du corps velouté de Jinik, sa surprise devant les caresses buccales, sa souplesse musculaire, la qualité musicale de son orgasme. Et surtout, peut-être, son mélange de vitalité et de tendresse, dans une remarquable simplicité.

— Oui, répéta-t-il, et nous avons l'intention de continuer à expérimenter dans ce domaine. Elle est très douce, Jinik. Douce et intelligente. Je l'aime beaucoup.

Maya passa l'après-midi à Télécan. Après une heure de travail, elle avait réussi à repérer ses propres capsules dans la banque de données d'Inowa, ce qu'elle aurait pu faire en demandant à un des adjoints du commandant Bourgault de les lui transmettre. Mais ce travail minutieux l'aidait à se rasséréner.

Les confidences de François l'avaient prise au dépourvu. Avec son attachement profond pour les Extra-terrestres, les derniers événements la mettaient mal à l'aise. L'exubérance de l'idylle entre Vlakoda et Francine ne la troublait pas, mais l'intégration de la jeune fille à leur équipe la gênait un peu, car elle se serait sentie plus à l'aise si leur liaison avait pris fin. Mais pourquoi?

Ensuite, cette nouvelle inattendue, et la manière dont François lui avait parlé de son aventure avec Jinik. C'était tellement froid! Comme si on pouvait présenter une liaison amoureuse sous le couvert d'une expérience scientifique! Mais s'il s'agissait d'une simple forme de présentation? Par pudeur, François avait choisi de dissimuler ses sentiments en parlant de sa liaison avec un détachement irritant.

Maya aurait voulu qu'on offrît aux Extra-terrestres les plus beaux amours dont la Terre aurait été capable. Là, elle se sentait débordée par la réalité. La curiosité charnelle de Francine, la curiosité intellectuelle de François, ne pouvait-on pas faire mieux que cela? Et elle, qui croyait aimer Garou de tout son cœur, qu'est-ce que cela voulait bien dire? Elle avançait tranquillement, et voici qu'on venait de la doubler à gauche comme à droite.

Au fond, se disait-elle, tout cela était bien normal, et quelque chose de semblable serait arrivé dans leur cocon d'Inowa. Après tout, le jour même de l'arrivée de François à la base, elle avait abordé le sujet. Et même avant, lors de leur première rencontre, Vlakoda avait exprimé un désir à son endroit. Si Jinik et Vlakoda, en l'espace de dix jours, avaient fini par s'accoupler avec des Terriens, ils n'avaient certainement pas agi avec précipitation, mais après six mois d'attente. C'était elle qui avait pris du retard.

Car elle était en retard sur ses sentiments. Depuis la nuit du 20 avril, depuis qu'elle avait posé les yeux sur les sept Extra-terrestres endormis, elle avait éprouvé une profonde affection pour eux. Elle les aimait. Toutefois, son amour n'avait pas quitté le domaine du rêve. Garou avait pris une grande place dans son cœur, mais pas vraiment dans sa vie. Il y avait là un manque qui la grugeait.

À six heures, elle se rendit à la salle à manger. En plus des trois visiteurs, il y avait là Karen Price, Lola Gomez, son adjointe, aussi éblouissante que son nom, François, Francine, toujours radieuse, et deux experts du Centre national de recherches. Maya hésita, puis se rappela le commentaire de Garou sur la manie des Terriens de dissimuler leurs désirs. Elle s'arrêta devant lui, avec une exquise détermination. Elle leva les mains. Il fit de même, en les touchant. Elle posa les doigts sur ses tempes, en le caressant légèrement. Il imita le geste. Elle approcha alors son visage et l'embrassa sur les lèvres.

— Je t'aime, Garou.

— Je t'aime, Maya.

On les regardait, les uns avec surprise, les autres avec une chaleureuse sympathie. C'était la première fois qu'on assistait à une manifestation publique d'amour entre une Terrienne et un Extra-terrestre. Karen Price pensait déjà à la façon dont elle pourrait traduire cette relation insolite en un domaine d'analyse.

Chacun prit place à table. Vlakoda s'assit près de Maya.

— Tu as très bien fait, dit-il, en tchouhio. Nous autres, vois-tu, nous désirons faire ce que nous pouvons faire, et nous ne désirons nullement faire ce que nous ne pouvons pas faire. Toi et moi, c'était improbable. Garou est très chanceux.

— Moi aussi, murmura Maya.

Et elle serra la main de Garou, devant elle.

Le mardi 3 novembre

Le 3 novembre, de bon matin, une voiture militaire venait chercher Maya et François à leur hôtel. Ils ne s'étaient presque pas vus les jours précédents. François faisait la navette entre le ministère des Affaires extérieures, le bureau de la première ministre, Télécan, les maisons provinciales et l'ambassade américaine, afin de mettre au point le nouveau calendrier d'activités, et Maya, passionnée par le projet de diffusion de la langue tchouhio, se pressait d'entrer en contact avec des spécialistes en vue de rassembler une équipe de travail.

À Télécan, les Extra-terrestres montaient dans une limousine plus que spacieuse, qui attirait considérablement l'attention. Le véhicule s'arrêta près du Parlement. Deux visiteurs en sortirent, prirent des clichés, saluèrent quelques passants et remontèrent dans leur voiture. Après un crochet aux Affaires extérieures, où Francine Lacombe prit place dans la limousine, les deux véhicules, précédés et suivis de voitures de sécurité, s'engagèrent sur la route de l'aéroport. On faisait exprès pour se faire remarquer.

— Ça fait partie du jeu, fit François, énigmatique.

On les fit attendre quelques minutes à l'entrée de l'aéroport militaire, puis on les dirigea vers un salon d'honneur. Les Extra-terrestres ne s'y trouvaient pas.

— Ils sont déjà montés dans l'avion, et plusieurs journalistes les ont photographiés, expliqua François, en souriant.

Dis, parle-moi de la troisième idylle. Tu as été magnifique l'autre soir. C'était une belle déclaration d'amour.

— J'aurais voulu le faire plus discrètement, comme toi, ou comme Francine. Mais je me suis dit qu'il ne fallait pas le cacher: il fallait le crier. Je n'ai pas couché avec lui, tu sais. J'avais un petit contretemps. Garou le savait. C'est étrange, de se faire à l'idée qu'on ne peut pas leur cacher grand-chose. Ils le sentent, quand on est menstruée. Ils sentent tout. On est toujours en état d'intimité avec eux. Ça explique peut-être la simplicité avec laquelle ils abordent les questions sexuelles.

— Ils ont une idée très dégagée du plaisir.

La veille, Francine lui avait raconté qu'elle avait loué, dans une boutique spécialisée, à l'intention de Vlakoda, une poupée électronique. Il s'agissait de robots de grandeur humaine, en matière plastique à texture de chair et munis de programmes réglables. On leur faisait l'amour comme à des femmes, en contrôlant les postures et les réactions des muqueuses artificielles jusqu'à obtenir des orgasmes d'une qualité exquise. Vlakoda avait beaucoup apprécié l'expérience. Sur Chumoï, on n'avait pas songé à fabriquer de tels androïdes.

Justement, Francine venait de les rejoindre. Elle embrassa ses deux amis et se servit un café. Elle leur apprit qu'elle n'irait pas à Inowa, mais qu'ils se retrouveraient dans dix jours.

— Prends bien soin de ta vie, murmura François.

Maya fronça les sourcils. Il se passait là quelque chose qu'elle ne comprenait pas. Francine les invita à passer au salon voisin, en précisant qu'ils avaient juste le temps d'un baiser. Les Extra-terrestres les attendaient, plus graves que d'ordinaire, mais sereins. Garou serra Maya contre lui. Jinik enlaça François, avec une grande douceur dans les yeux. Vlakoda et Francine s'embrassèrent avec leur voracité habituelle.

Quelques instants plus tard, Maya et François montaient dans l'avion, qui décolla aussitôt. Très étonnée, Maya remarqua que les trois Extra-terrestres s'y trouvaient déjà. Elle ne leur trouvait pas l'air normal. François consulta l'écran de contrôle et attendit que l'appareil atteigne son altitude de croisière.

— Ça va, les gars, cria-t-il. Le jeu est fini.

Les faux Extra-terrestres débouclèrent leurs ceintures. L'un après l'autre, ils ôtèrent leur masque et les gants, qu'ils remirent à François. Maya, suffoquée par la surprise, se tourna vers son compagnon. Les soldats regagnèrent leur place.

— Officiellement et devant témoins, expliqua François, nos trois visiteurs sont en route vers Inowa. De fait, ils ont passé la nuit à l'aéroport et ils seront évacués vers midi sur une autre base, sans nous. Ça fait plus réaliste. Francine les accompagnera. Ce sera sa première mission. Elle s'en tirera très bien. Je te raconterai tout à Inowa.

Le commandant Bourgault, visiblement heureux de les revoir, leur servit un apéritif dans son bureau. Il leur avait réservé un bungalow. François regarda Maya, en songeant à leurs réorientations sentimentales, mais celle-ci trouva l'idée excellente. Le commandant voulut tout savoir des événements à Ottawa. Enfin, François et Maya se retrouvèrent dans la tranquillité de leur villa, où il lui expliqua la situation.

— C'est très simple. La semaine dernière, on a eu vent d'un complot pour enlever nos trois visiteurs. Un commando afghan, très solide, une dizaine d'experts en la matière. Le coup devait se faire hier, au centre Télécan. C'est pourquoi nous avons modifié le calendrier des activités. Et on a pu vérifier que les Afghans étaient bien infiltrés, au courant de tout, car ils ont contremandé l'opération. Tu comprends pourquoi nous avons limité au minimum le nombre de gens au fait de l'opération de ce matin. Les journalistes ont été prévenus à une demi-heure d'avis.

— Le commando a été arrêté?

— Non. On y va en douceur, avec ces gens-là. Une arrestation ne nous servirait à rien et appellerait une riposte fâcheuse. Mais nos amis américains sont convaincus que les Afghans opéraient pour le compte des Asiates. C'est pourquoi le ministre Gillespie a convoqué l'ambassadeur. C'était une façon de le mettre en garde, tout en lui rappelant que nous souhaitions vivement la réunification des sept Extra-terrestres au Canada. Ensuite, ça s'est compliqué.

Maya était bouleversée. Pourquoi ne laissait-on pas les visiteurs en paix? Pourquoi vouloir à tout prix les impliquer dans les conflits terrestres?

— Nous avons appris que deux autres commandos afghans tentaient, eux aussi, de kidnapper nos visiteurs. Là, nous avons jugé préférable de ne pas les exposer davantage. Nous avons des bonnes pistes, et d'ici quelques jours, nous saurons sur quel pied danser. En attendant, nous avons décidé de mettre gentiment nos trois amis en lieu sûr. Et surtout pas à Inowa. Il n'est pas trop difficile de suivre un avion. Avec notre spectacle, nous avons détourné l'attention dans cette direction.

Entre-temps, un avion militaire atterrissait à Saskatoon. Un autocar blindé accueillait, sur la piste, Francine Lacombe et les trois Extra-terrestres. Après une heure de route, on pénétrait dans une zone réservée à l'entraînement de l'infanterie de combat. Au lieu de se diriger vers les bâtiments centraux le véhicule bifurquait et s'engageait dans un tunnel souterrain.

Un lieutenant les attendait. Il les conduisit jusqu'à une salle d'attente. Un homme sévère, avec des galons de colonel, se présenta.

— Mesdames, messieurs, je vous souhaite la bienvenue ici. Je vous prie de m'attendre quelques minutes. Madame Lacombe, veuillez bien m'accompagner.

Laissant ses compagnons avec le lieutenant, Francine suivit le colonel dans son bureau. Il lui rappela qu'ils se trouvaient dans une base à sécurité maximale.

— Je m'en doutais.

Avait-il décelé une certaine impertinence? Non, la jeune fille arborait un air tout à fait sérieux.

— L'endroit n'est pas gai, mais j'obéis à des ordres précis. Je compte sur vous pour expliquer à nos invités que leur liberté de mouvement sera le plus réduite possible.

Serait-il possible de prendre l'air, de temps en temps? On leur accorderait une heure à l'aube et une heure le soir, sous escorte et pas très loin, ainsi qu'un libre accès à la salle de séjour et à la cantine, toujours sous protection.

— J'espère que les appartements sont confortables.

— Suffisamment, mais ne soyez pas exigeants. Nous n'avons que deux studios. Je suis désolé de ne pouvoir faire mieux.

Francine décida de jouer une carte:

— Comme Garou et Jinik désireront rester ensemble, je partagerai le logement de Vlakoda. Nous nous arrangerons.

— Encore là, je suis désolé. Vous devrez partager l'appartement de Mme Jinik. Je suis sûr que vous comprenez que cela vaut mieux ainsi.

Francine vit bien qu'il était inutile d'insister. Elle alla rejoindre ses amis et leur expliqua la situation.

— Eh bien! Francine, fit Vlakoda, nous remercierons le colonel de nous offrir ces quelques jours de repos.

Les autres éclatèrent de rire, devant le lieutenant médusé.

Chaque appartement comprenait une chambre à coucher, une salle de bains et un petit bureau dans lequel on avait installé un second lit. On avait déjà apporté leurs effets personnels. Francine décida de prendre une douche. Elle se déshabilla. Jinik la regarda, intriguée. C'était donc elle que Vlakoda aimait tellement? Il ne tarissait pas d'éloges à son endroit. C'est vrai qu'elle était très belle. Surtout, elle semblait avoir une très grande facilité à vivre, ce que les Extra-terrestres n'avaient pas trouvé chez beaucoup de Terriens. Une idée inattendue se mit à trotter dans la tête de Jinik. Quand Francine revint dans la pièce, après avoir enfilé un peignoir, Jinik commença à se dévêtir. Elle commenta qu'ils n'étaient pas plus à l'étroit là que dans leur vaisseau.

— On s'habitue à un espace exigu, quand on s'entend bien.

— J'espère que vous ne trouverez pas le temps trop long.

— Oh non! On aura l'occasion de mieux se connaître.

Francine la regarda entrer dans la salle de bains. François avait bien raison, qui trouvait Jinik superbe. Quand celle-ci revint dans la pièce, elle avait la peau brillante, à cause de la moiteur retenue dans son duvet. Sans prendre la peine de se rhabiller, Jinik, demanda à la jeune fille de lui expliquer la nature des relations entre Karen Price et Lola Gomez, qui l'intriguaient: vivaient-elles ensemble comme homme et femme?

— Ce n'est plus comme ça qu'on voit ces goûts-là, Jinik. Karen et Lola vivent comme femme et femme. Beaucoup d'hommes préfèrent vivre ensemble, eux aussi. Ils s'aiment, c'est tout. C'est devenu normal, chez nous. Je comprends que ça te rende perplexe: ça nous a pris du temps, à nous aussi. Mais nous avons compris que cela était... raisonnable. C'est bien accepté, aujourd'hui. Et, tu sais, les relations homo-sexuelles ont les mêmes complications que les autres.

Jinik se gratta le menton. Francine souriait devant ses hésitations.

— Toi, fais-tu l'amour avec des femmes?

— Non, pas vraiment, dit Francine. Mais je comprends tous les goûts. Une fois, j'ai aimé une femme. C'était très bon. Quand même, je préfère les hommes.

Jinik posa les mains sur ses seins et les fit glisser jusqu'à ses cuisses, en soupirant.

— C'est dommage. J'aurais aimé essayer avec toi.

Et elle la regarda, les narines ouvertes, comme si elle cherchait à respirer un léger parfum.

— Je veux bien, murmura Francine.

Le mardi 10 novembre

Le Conseil de sécurité des Nations unies se réunit en séance extraordinaire à dix heures du matin. Le Magéria avait porté plainte contre l'invasion d'une partie du territoire ougandais par la Confédération sud-africaine. Bien des pays n'ayant jamais reconnu l'adhésion forcée de l'Ouganda au Magéria, on ne savait pas qui parlait au nom de qui. De plus, il s'agissait d'une invasion pacifique, à laquelle le gouvernement de Kinshasa n'avait pas participé. Wakasondo, qui visitait la région des lacs, avait simplement décidé de se rendre à Kampala. En passant la frontière, il avait déclaré que celle-ci n'existait plus, car il ne faut pas que des frères soient séparés. Des centaines de milliers de personnes accouraient de partout pour le saluer. Le gouverneur de Kampala avait proclamé son adhésion à la nouvelle loi, car la parole de Wakasondo avait plus de poids que celle de Lagos. Les experts juridiques se contredisaient allègrement en essayant d'éclaircir les questions de juridiction.

L'ambassadeur magérian parla vingt minutes des aspects historiques et constitutionnels de la question. La majorité des États africains acceptaient tacitement la souveraineté de son pays sur l'Ouganda, intégré à une époque où Kampala, en pleine guerre civile, n'abritait aucun gouvernement reconnu. Grâce à l'aide magériane, l'Ouganda se dotait peu à peu de structures sociales et politiques efficaces. L'intervention de Wakasondo risquait de troubler un équilibre fondamental à la stabilité de l'Afrique. L'ambassadeur finit son allocution en lançant un ultimatum au régime de Kinshasa: si dans deux jours la situation n'avait pas été rétablie, l'armée magériane entrerait en action.

L'ambassadeur de la Confédération répondit, brièvement, que ses dirigeants n'avaient aucune visée territoriale sur l'Ouganda, mais que la population de ce pays devait avoir le droit de choisir librement son avenir. En attendant, si la sécurité de Wakasonso était menacée, la Confédération n'hésiterait pas à intervenir pour assurer sa protection.

La représentante américaine rappela habilement les sentiments d'amitié qui liaient son pays avec l'un et l'autre des régimes rivaux et les incita à régler ce différend à l'amiable. Une guerre au cœur de l'Afrique, dit-elle, ne serait dans l'intérêt de personne, à l'exception d'une puissance étrangère à la région, cette même puissance qui était en train de déployer ses forces à travers l'Asie, en mettant en jeu l'équilibre mondial.

L'ambassadeur asiate s'insurgea contre cette allusion. Les manœuvres de l'armée asiate à l'intérieur de ses frontières ne regardaient aucun autre pays, et ne visaient surtout pas le royaume saoudien. Par contre, l'arrivée massive de l'aviation américaine en Arabie constituait une provocation dangereuse, que rien ne justifiait.

Un message apparut sur l'écran de travail de l'ambassadrice américaine. Elle le lut par deux fois, puis reprit la parole.

— En ce moment, dix navires de la flotte asiate mouillent au large de la côte de George V. Mon gouvernement désire, de la façon la plus solennelle, mettre en garde les autorités de Tachkent contre la poursuite d'une telle opération.

— Monsieur le président, riposta calmement l'ambassadeur asiate, la flotte de mon pays se trouve dans des eaux internationales et n'a nullement l'intention de débarquer sur le territoire démilitarisé du continent antarctique.

— C'est faux! Le débarquement de troupes est déjà commencé depuis deux heures.

L'ambassadeur asiate eut un sourire indulgent, comme si on lui lançait un argument tiré par les cheveux.

— Ma collègue essaie de nous induire en erreur. Le navire en question ne poursuit que des buts scientifiques sous la direction du professeur Quiroga, dont la réputation est irréprochable. Mon pays poursuit son programme de recherches sur le pôle Sud magnétique en conformité avec le traité antarctique. Les soi-disant troupes ont pour mission de mettre sur pied les infrastructures d'une base de recherches, et de protéger notre équipe de savants.

L'ambassadrice américaine haussa les épaules, irritée par l'outrecuidance du représentant asiate.

— Vous n'avez pas besoin de dix navires de guerre pour protéger une équipe scientifique!

— Je crois qu'il nous appartient de prendre les mesures de sécurité qui nous conviennent, dans le respect des traités existants.

— Mais n'oubliez jamais que nous vous surveillons de près et que nous ne tolérerons aucune manœuvre déstabilisatrice dirigée contre l'Alliance pacifique.

— Et n'oubliez pas que l'Alliance n'a pas le droit de dicter ses volontés aux États souverains qui n'en font pas partie.

Le président du Conseil jugea bon de rappeler que l'on s'était réuni pour traiter de la plainte du Magéria.

— Monsieur le président, fit l'ambassadrice européenne, l'aparté de nos deux collègues n'a pas été hors de propos. Le monde est véritablement en état de crise, et il nous faudra à tous un surcroît de doigté et de prudence pour éviter des gestes irrémédiables. L'Europe est en paix avec le Magéria, mais elle a aussi des intérêts vitaux dans la sécurité de la Confédération sud-africaine. Nous ne resterons pas les bras croisés si Kinshasa était attaqué. D'un autre côté, nous ne croyons pas que le territoire magérian ait été formellement envahi. Le séjour qu'effectue Wakasondo à Kampala soulève quelques problèmes, mais il ne sont pas de nature à justifier une attaque contre un pays ami. Je ne crois pas qu'il y ait vraiment là matière à intervention du Conseil de sécurité. Je propose donc l'ajournement de la réunion.

Le représentant magérian serra le poing. Si le Conseil refusait de se prononcer, Wakasondo consoliderait son emprise sur l'Ouganda, comme il l'avait fait ailleurs. Le Magéria avait besoin d'alliés, qu'il s'agisse de Washington ou de Tachkent. Mais les deux puissances, aux prises avec leurs propres problèmes, ne semblaient guère portées à s'intéresser à un conflit ambigu au centre de l'Afrique. Les autorités magérianes étaient conscientes de la difficulté que posait l'absence de tout soldat de la Confédération auprès de Wakasondo, mais elles comptaient sur l'importance de leurs vastes liens commerciaux avec l'Europe et l'Amérique pour obtenir au moins leur abstention. La position de l'ambasssadrice européenne compliquait la situation. L'ambassadeur jugea qu'il avait besoin de nouvelles instructions, et demanda le report de la réunion jusqu'à dix-sept heures.

Les systèmes de télécommunications s'activèrent entre New York et les grandes capitales terrestres. Les journalistes rappelaient avec leur morbidité professionnelle toutes les guerres majeures déclenchées par des insignifiances. L'expansion du Magéria s'était toujours faite en douceur. Pour la première fois, quelqu'un irritait le géant dont on ignorait la force. Mais comment interpréter cette étrange invasion de l'Ouganda? Les mouvements de la flotte asiate parmi les icebergs polaires intriguaient les analystes, tandis que la concentration d'avions américains en Arabie saoudite inquiétait les stratèges.

Les messages captés à Tachkent étaient aussitôt répercutés sur la côte de George V. Loin à l'intérieur des terres glacées, le général Bokoï recevait les rapports décodés et les discutait avec les quatre Extra-terrestres.

— C'est très bien, fit Bolorta. Le Yémen devrait se rendre aujourd'hui même.

— Si vite?

— Oui. En invitant l'Éthiopie à adhérer à l'Union asiate, sur la base de leur traité de solidarité.

— Quant à moi, fit Val, je voudrais rencontrer Wakasondo le plus tôt possible.

— Et j'irai à Lagos, déclara Mino, pour m'entretenir avec ces fous qui nous prennent pour des dieux.

— Il serait bon que l'Indonésie proclame sa neutralité. Ça forcerait l'Alliance à renforcer son flanc sud.

— Surtout si l'Inde dénonce le traité de Colombo sur la démilitarisation de l'océan Indien.

— En même temps, fit Fladia, Antananarivo pourrait annoncer un gel sur ses exportations de matériel d'informatique.

— Je transmettrai vos propositions, dit le général, décontenancé. Mais que suggérez-vous pour le Conseil de sécurité ?

— Nous allons y réfléchir à l'air libre.

Il faisait quarante sous zéro. Sans prendre la peine de s'habiller convenablement, les Extra-terrestres sortirent de la coupole mobile.

— Il n'y a pas à dire, fit Mino, on s'amuse de plus en plus.

— Ils méritent bien cela. Ils sont trop bêtes.

— Mais n'oublions pas une chose : pas de guerre en Amérique du Nord. Nous ne devons pas risquer la vie de nos compagnons.

— Et il faut habituer nos amis asiates à nous voir nous promener d'un pays à l'autre. Quand ils auront vraiment confiance, nous rejoindrons les nôtres.

— J'ai une idée, pour le Conseil de sécurité. Une belle guerre entre l'Europe et l'Afrique, en mémoire de Napoléon. Là, les Américains devront choisir. D'une façon ou d'une autre, ils s'affaibliront.

— Ça détournera l'attention de l'Ouganda, fit Val, en donnant plus de chances à Wakasondo. Il me plaît, ce bonhomme-là.

— Ce qui m'embête, dit Bolorta, c'est les Asiates. Ils ne se décideront pas à appuyer Wakasondo. La Confédération leur semble trop fragile. Ils misent plutôt sur le Magéria.

— Là aussi, on va brouiller les cartes.

— De retour dans la coupole, ils saluèrent Quiroga, déjà en train de disposer ses équipements, puis allèrent exposer leur plan au général Bokoï.

À dix-sept heures, à New York, le Conseil de sécurité reprenait sa réunion. Le président Collinson s'était entretenu avec son collègue magérian et avait réussi à le dissuader d'envoyer son armée en Ouganda, en échange d'un appui tacite à un appel en faveur de l'unification de l'Afrique. L'ambassadeur magérian annonça que son gouvernement, sensible aux préoccupations des pays amis, acceptait d'accueillir sur son territoire la visite du grand sage Wakasondo.

— La fraternité africaine prime sur toute autre considération, ajouta-t-il. Et comme l'heure est à la paix dans la dignité, nous avons décidé de mettre fin une fois pour toutes à la dernière infamie coloniale en terre africaine. À l'heure qu'il est, la flotte magériane est en route pour libérer l'île Sainte-Hélène. Vive l'Afrique unie!

L'ambassadrice européenne blêmit. Elle était espagnole, mais elle prévoyait déjà la riposte britannique, avec un appui français certain, devant ce sacrilège historique. L'ambassadrice américaine, également prise de court, oublia de lancer un nouvel appel à la raison, tandis que l'ambassadeur asiate applaudissait doucement la déclaration magériane.

Le mardi 17 novembre

Maya se réveilla en entendant le clavier électronique. Il était déjà huit heures du matin, mais ils avaient convenu de dormir aussi longtemps qu'il fallait pour se mettre en forme avant la tournée. Elle jeta un coup d'œil sur François, qui ne bougeait pas, et soupira : un jour, bientôt, elle se réveillerait à côté de Garou. Elle avait encore quelque difficulté à imaginer l'amour physique avec lui, mais il s'était si facilement installé dans son cœur qu'elle se préparait à une qualité exquise et tendre de bonheur charnel.

Déjà deux semaines! Depuis leur baiser à l'aéroport, pas la moindre nouvelle de lui. C'était long, c'était long...

Elle se leva et se dirigea vers le terminal. Le signal bleu indiquait que la machine enregistrait un message chiffré. Sur le code de l'équipe de liaison, ou celui de François? Elle indiqua le premier. Le moniteur s'éclaira aussitôt : il s'agissait du programme de la tournée canadienne des visiteurs.

Maya arrêta la machine. Elle savait déjà l'essentiel : si on leur annonçait la suite du programme, c'est que les commandos avaient été mis hors d'état de nuire. Bientôt, elle reverrait Garou.

Oh oui! ça valait le coup de réveiller François! Ou plutôt non : jouir de son bonheur, en silence... Elle alla s'occuper de sa toilette matinale. À son retour dans la pièce, François l'accueillit en souriant.

202

— Bonjour, beau rêve.

— Bonjour, paresseux. On a des nouvelles, sur le terminal.

— Bon, bon... On ne peut même pas se reposer décemment, dans ce métier...

— Ça fait quinze jours qu'on se repose. Je commençais à avoir la bougeotte, moi!

— Je me débarbouille et je te reviens, propre et pimpant.

La jeune femme soupira: ça faisait partie de lui, de ne pas se presser. Eh bien! elle jouerait son jeu, histoire de lui faire passer un test de patience, à lui aussi. Il revint bientôt, prêt à s'installer au terminal.

— Si on allait déjeuner, d'abord? proposa-t-elle, de la malice plein les yeux.

— Excellente idée. L'estomac avant le travail!

Prise au dépourvu, elle s'inclina. Ils se rendirent à la cafétéria de la base. Maya se contentait d'une bouchée frugale le matin, mais elle admirait l'appétit de son ami, qui dévora un petit déjeuner de bûcheron en faisait semblant de maugréer contre la corvée qui les attendait sans doute dans les circuits du terminal.

— Tu as vraiment une curiosité de taupe, fit-elle enfin.

— Moi? Je meurs d'envie de savoir ce qu'on nous propose. Mais j'ai pensé que tu avais faim.

— Hypocrite! Extra-terrestre manqué! Je te donne une minute pour avaler ton café, même de travers!

Ils regagnèrent leur villa en riant. Attablés devant la console, ils regardèrent défiler le programme de la tournée:

19 novembre. Banff. Visite de la région en monorail. Dîner avec les premiers ministres des trois provinces des Prairies.

20 novembre. Vancouver. Visite de la ville et de l'Aquaport. Conférence de presse. Rencontres avec des représentants indiens et inuit. Dîner avec les autorités provinciales.

21 novembre. Winnipeg. Examens médicaux et repos. Tourisme léger au lac des Bois.

22 novembre. Toronto. Causerie publique. Manifestations artistiques. Visite d'une usine automatique d'androïdes.

23 novembre. Saint-Jean, Terre-Neuve. Visite d'un village de pêcheurs et d'installations pétrolières. Dîner officiel.

24 et 25 novembre. Visites touristiques dans les Maritimes. Dîners officiels.

26 novembre. Québec. Manifestations populaires. Banquet d'honneur.

27 et 28 novembre. Montréal. Visite de musées, d'une usine aéronautique et du centre de biotechnologie. Causerie publique.

29 novembre. Départ pour Washington.

— Il n'y vont pas de main morte! s'écria Maya. Ils auraient dû te consulter.

Même avec les navettes à hydrogène, le nombre des déplacements, la multitudes des activités, les brochettes de personnalités à rencontrer lui semblaient exagérés.

— Justement pas. Ce programme porte le sceau d'Aurélia David. Ça sent le programme électoral. On a dû écarter des centaines de propositions pour en arriver là.

— Mais c'est trop, François.

— J'appellerai Karen Price pour m'assurer de quelques jours de vacances après Washington. Ici, on n'avait pas vraiment le choix. Aux États-Unis, nous mettrons la pédale douce.

L'après-midi même, François s'envolait pour Ottawa, où il assisterait le lendemain à une réunion du comité ET avant de repartir pour Banff. Maya consacra sa journée à mettre de l'ordre dans sa documentation relative au lexique tchouhio-anglais et au dictionnaire de la langue de Chumoï. Grâce à ses indications et ses enregistrements, l'équipe de linguistes, de grammairiens et de philologues chargée de ce projet aurait suffisamment de matériel pour s'occuper pendant quelques mois. Son programme personnel comprenait, même en tournée, deux séances hebdomadaires avec les experts, en communication holographique. En guise de contrôle, on devait sélectionner dix premiers volontaires pour apprendre la langue tchouhio à partir de son lexique, révisé par les spécialistes.

Ces occupations intellectuelles ne l'empêchaient pas de songer à Garou. Que devenait-il? Comment le retrouverait-elle? Avait-elle eu raison de ne pas passer la nuit avec lui, le soir même de sa déclaration? Mais non, il avait bien compris ses réserves. Supportait-il vraiment de tout cœur la continuation de sa liaison avec François? Il l'avait surtout encouragée à vivre, sans sacrifier un amour à un autre.

À sept heures du soir, comme elle s'apprêtait à aller dîner, le téléphone sonna. C'était Francine.

— Oh, c'est toi! Qu'il est doux de t'entendre...

— Je n'avais pas le droit de t'appeler de l'endroit d'où on se trouvait. Ce soir, je suis à Saskatoon. Ma première sortie en deux semaines! J'avais plusieurs achats à faire, pour moi et pour nos amis.

— Comment vont-ils? Raconte-moi tout.

— Un peu fatigués, mais c'est à cause des médicaments.

Le cœur serré, Maya regarda le visage de Francine sur l'écran.

— Non, ne t'inquiète pas, fit celle-ci. C'est pour leur examen médical. Ça assomme toujours un peu. Oh! ça a aussi un inconvénient: pas de relations sexuelles avant une semaine. C'est ennuyeux, mais on n'y peut rien. Vlakoda m'a dit que de toute façon, ces pilules enlèvent le goût de le faire. Heureusement, c'est temporaire. J'espère me trouver un beau cow-boy pour ce soir.

Elles échangèrent un rire complice. Maya connaissait ce type d'examen médical, où l'on cherche à stabiliser la plupart des activités neuro-physiologiques avant les tests. Le programme des visiteurs n'en souffrirait pas, car les médicaments n'affectaient nullement la capacité intellectuelle.

— Ça ne fait rien, fit-elle, en souriant. J'attendrai. Mais comment va Garou?

— Tu ne me croiras pas: il est triste.

— Triste? Garou?

C'était... c'était inimaginable.

— Oui. Triste de solitude. Oh! il fait ça comme un grand, mais il a envie de te revoir. Jinik dit qu'il a vraiment attrapé le «microbe terrien».

— Francine, Francine, je t'embrasse!

Le dimanche 29 novembre

François aurait préféré dormir durant le trajet de Montréal à Washington, mais il y a des invitations difficiles à refuser. En se fabriquant un sourire, il se rendit à la cabine de la première ministre, à l'avant de l'avion. Un café l'attendait déjà. Mme David voulait le remercier personnellement d'avoir si bien coordonné la tournée canadienne. François répondit que les invités s'étaient beaucoup amusés durant leur périple aussi fascinant qu'épuisant. Les Extra-terrestres s'étaient pliés au programme avec enthousiasme, en ne laissant pas le moindre répit à leurs agents de liaison. On devait les arracher à chaque activité pour entamer la suivante, tellement chaque chose nouvelle les émerveillait.

— Je regrette que Mme Golinsky ne soit pas avec nous. Je vous demande de la remercier aussi de ma part.

Maya avait écopé d'une tâche particulièrement difficile. Dès la première journée à Banff, on s'était aperçu qu'un membre de l'équipe, bien au courant des goûts des invités et sensible à leurs intérêts, devait précéder le reste du groupe pour aider les hôtes suivants à mettre leur accueil au point. Comme Maya les connaissait mieux que quiconque, elle les avait devancés d'une journée durant toute leur tournée. Elle avait parfois réussi à les accueillir à un endroit ou l'autre, mais sans pouvoir rester plus d'une heure avec eux. La veille, elle s'était envolée pour Los Angeles, où elle prenait enfin un peu de repos après avoir inspecté leur villa.

207

— On me dit qu'elle a un attachement particulier pour l'un des visiteurs, et que c'est réciproque.

Il était inutile d'afficher trop de discrétion, puisqu'elle lisait les rapports de sécurité. François admit que c'était aussi le cas de Francine.

— Et vous?

— Je suis à leur service, dit François, le regard limpide.

— Je trouve cela très bien, commenta David, avec un sourire empreint de tendresse. Nos invités doivent être heureux de trouver... une chaleur humaine. C'est très civilisé.

Puis, sans préavis, le visage de la première ministre se teinta de gravité, ce qui rappela à François qu'il faisait face à une politicienne, une femme de pouvoir aux reins solides.

— Nous venons de traverser la frontière, monsieur Leblanc. Je compte sur vous pour que le reste du séjour de nos invités soit aussi satisfaisant que ses débuts. Au besoin, n'hésitez pas à contacter notre ambassadeur à Washington. On trouvera tout de suite moyen de vous faire tous rentrer au pays. Je suis... un peu inquiète. Cette menace de guerre... Des tas de choses peuvent arriver, et pas tellement belles. Veillez sur eux. Ils sont plus que des amis: ils sont des témoins. Notre conscience. Non, je n'exagère pas.

François la rassura: il n'est pas agréable de recevoir des invités quand on a une chicane de famille et qu'on se jette des pots de fleurs, mais les visiteurs comprenaient la situation et faisaient la part des choses. Aurélia David décida d'aller rejoindre les Extra-terrestres dans leur petit salon. Ils s'y amusaient rondement en évoquant des incidents de leur tournée. Francine, qui imitait sans doute quelqu'un en faisant de grands gestes, s'immobilisa en apercevant la première ministre. Celle-ci s'installa simplement dans le dernier fauteuil libre, tandis que François s'appuyait sur celui de Jinik.

— Mes chers amis, fit Mme David, je suis heureuse de constater que cette tournée éprouvante n'a pas gâché votre bonne humeur.

— Madame, répondit Garou, la science médicale terrienne vient de confirmer notre robustesse et notre bonne santé.

— Vous avez bien pris soin de nous, ajouta Jinik.

— Et votre pays est presque aussi beau que vous, se permit de dire Vlakoda.

La première ministre sourit. À trente-sept ans, malgré les aspects pénibles de ses fonctions, elle était demeurée, effectivement, une très belle femme. La conversation se poursuivit sur ce ton, dégagée et amicale. Mme David, qui avait un bon nombre de dossiers graves dans la tête, appréciait cette pause rafraîchissante.

L'avion atterrrit à côté de l'hélicoptère présidentiel. Collinson accueillait rarement ses visiteurs à l'aéroport, mais la présence de tant de journalistes lui imposait cette courtoisie. Le chef du protocole canadien semblait fort mécontent, ce qui était chez lui une habitude: c'était la première visite de Mme David aux États-Unis, et les Extra-terrestres lui volaient la vedette. La première ministre, encourageante, lui rappela qu'ainsi accompagnée, elle ferait la manchette de tous les télé-journaux du monde.

Hamed Collinson prit soin de saluer longuement sa collègue avant de souhaiter la bienvenue aux autres visiteurs. Dix minutes plus tard, l'hélicoptère atterrissait à la Maison Blanche, où Aurélia David, les Extra-terrestres, François Leblanc et trois collaborateurs de la première ministre étaient les invités personnels du président.

Le premier entretien officiel des deux chefs du gouvernement commença à onze heures trente, en tête-à-tête.

— Je regrette que... mon accident m'ait empêché de vous accueillir plus tôt, comme prévu.

— J'espère que ça va mieux, maintenant.

— Je me sens très en forme. Je vais même vous confier un secret d'État: je songe à me marier dans quelques mois.

— Eh bien! je vous souhaite beaucoup de bonheur.

Mme David souriait, hésitante. Le président avait une façon curieuse d'aborder l'entretien.

— Je tenais vraiment à vous rencontrer. Vous êtes la première femme à assumer la direction du gouvernement canadien, et je suis le premier président noir de mon pays. Ça donne un cachet historique à cet entretien.

Le tête-à-tête devait durer quarante-cinq minutes. Aurélia David ne voulait pas le perdre en courtoisies.

— L'entretien serait encore plus historique, fit-elle, si nous pouvions régler deux ou trois problèmes.

— Mais bien sûr! s'écria Collinson. Les quota de production des micro-capsules, l'entreposage des bombes propres, le prix de l'eau... Nous avons quelques plis à déchiffonner, mais ça ira comme sur des roulettes.

Cette offre inespérée prit Mme David par surprise, mais elle n'y laissa rien paraître. Il y aurait sans doute un prix à payer, et elle attendait de le connaître. Collinson suggéra de laisser ces questions à leurs adjoints, dont le mot d'ordre était de s'entendre. Cette attitude trop conciliante devenait inquiétante. La première ministre lança un appât, en proposant de rationaliser une fois pour toutes leurs réglementations en matière de biotechnologie.

— C'est vrai, j'y ai pensé. Je ne crois pas que notre concurrence ait été vraiment déloyale, mais vos arguments m'ont toujours semblé raisonnables. Nous pourrons annoncer une entente de principe.

C'était ahurissant. Il s'agissait là d'un dossier épineux, qui traînait depuis vingt ans.

— Vous savez, Aurélia... Puis-je vous appeler Aurélia?

— Bien sûr, *Hamed.*

— Merci. J'ai suivi les événements du 20 octobre. C'était grandiose, et émouvant. Et j'ai trouvé votre geste brillant, quand vous avez décidé d'assumer le coût des contraventions. Deux cent mille voitures en stationnement illégal!

Aurélia David sourit. Pour quelques millions de dollars versés à la ville d'Ottawa, elle s'était gagné la sympathie de tous. La politique est aussi faite de petits gestes.

— Quel succès immense! poursuivit Collinson. Ce souvenir vous garantira toutes les réélections que vous souhaiterez.

— Je compte aussi sur la qualité de mon administration, fit Mme David, avec une pointe d'ironie. Mais j'aime mon métier, et je vous remercie de vos vœux.

— J'espère que moi aussi, je pourrai briguer d'autres élections. J'espère que nos institutions démocratiques demeureront longtemps en place. J'espère que nous n'aurons pas à faire face à une guerre, ou qu'elle sera courte. Si nous y travaillons ensemble, nous réussirons.

Il s'agissait donc de cela: un raffermissement de leur alliance en échange de meilleures relations bilatérales. Allait-il lui proposer l'intégration totale des forces armées, qui avait déjà été refusée?

— Je ne comprends pas les Asiates, fit Collinson, tout à coup. J'ai même la nostalgie de l'Union soviétique. Avec elle, nous savions sur quel pied danser. Elle n'aurait jamais pris autant de risques que les Asiates. Ils jouent vraiment avec le feu.

— Ils nous tendent des pièges dans lesquels nous n'avons pas à tomber.

— Mais, en attendant, ils gagnent du terrain. Ils menacent l'Arabie, et nous y envoyons nos escadrilles en dégarnissant nos autres flancs. Mais les Asiates n'attaquent pas. Et soudain, le Yémen et Oman demandent un statut d'États autonomes dans l'Union asiate. J'ai appelé Moljoïkan pour lui dire que s'il acceptait, nous y verrions une provocation. Mais s'il accepte, nous n'aurons pas un mot à dire.

— C'était bien imaginé, en effet.

— Et cette libération de l'île Sainte-Hélène par le Magéria! C'est idiot. Les Européens sont prêts à défendre cette île de rien du tout. J'ai invité les deux parties à la prudence. Mais s'ils passent à l'action? Nous ne pouvons pas rester les bras croisés. Mais comment appuyer les uns sans indisposer les autres?

Le président se servit un verre de jus. Il avait passé des heures, avec son état-major, à essayer de percer la logique des Asiates.

— Que fait la flotte asiate dans l'Antarctique? Qu'est-ce qu'il y a sous ces manœuvres? J'ai dû autoriser de nouvelles ventes d'armes à la Fédération andine pour inquiéter le Brésil et l'empêcher de ratifier son traité d'assistance mutuelle avec le Magéria. J'ai dû promettre à la Russie un accroissement de nos importations de machinerie lourde pour l'empêcher de vendre ses surplus aux Asiates. Je devrai froisser l'Égypte en déployant des satellites armés sur l'Afrique du Nord. Et Wakasondo, qui veut se rendre à Bangui! Et ce gouvernement fantôme en Birmanie! Et le Cachemire qui parle de sécession! L'équilibre mondial est en train de craquer, sans que Tachkent soit impliqué et sans que l'Alliance soit attaquée!

La première ministre se rappela le commentaire de Leblanc.

— Ce n'est pas le plus beau spectacle que nous puissions offrir à des visiteurs d'un autre monde.

— Justement, fit Collinson, je me demande quel rôle jouent dans tout cela les quatre rescapés aux mains des Asiates.

Aurélia David secoua la tête.

— Aucun, j'en suis sûre. Nos visiteurs sont des touristes, pas des experts militaires ni des apôtres de la paix. Leur présence sur Terre ne change rien à rien. C'est là un autre de nos vieux rêves qui se dégonfle.

Collinson comprenait cette réaction, qu'il avait partagée depuis les premiers rapports sur les connaissances limitées des Extra-terrestres. Mais Cynthia Irving, la directrice de l'agence nationale de sécurité, avait soulevé une autre possibilité, et le président se fiait beaucoup à son jugement.

— Nos visiteurs jouent un rôle dans ce conflit, affirma-t-il. Et si je me trompe, s'ils ne le jouent pas du côté asiate, ils pourront le jouer de notre côté.

— Quel rôle?

— Celui de stratèges-conseils. Le rôle déconcertant et efficace d'amateurs dans une partie de professionnels. J'ai besoin de leur aide, Aurélia. Et j'ai besoin de votre aide pour obtenir la leur.

Aurélia David réfléchit. L'idée lui faisait horreur, mais pouvait-elle sacrifier les avantages bilatéraux qu'on lui offrait en échange? Elle promit de leur présenter cette proposition. Collinson la regarda, impassible. Cela n'était pas suffisant.

— Et je vous appuierai, Hamed, se résigna-t-elle à dire.

Durant le déjeuner, qui réunissait les invités du président et quelques-uns de ses collaborateurs, Collinson fit montre du plus grand charme. Il aborda aussi la question de la guerre, mais comme un père de famille qui voit de haut le tapage de ses enfants. Il voulait inspirer confiance, et il y réussit.

Après le café, il se retira dans le salon ovale avec la première ministre et les trois Extra-terrestres.

— Je voudrais vous parler franchement. Oh! J'ai été aussi franc, tout à l'heure. Mais là, entre amis, je voudrais vous ouvrir mon cœur. Nous avons parlé d'échanges culturels, scientifiques et commerciaux et de coopération générale entre la Terre et Chumoï. Mais pour cela, il faut que la Terre survive, et elle ne survivra qu'avec votre aide.

Les trois visiteurs gardèrent le silence. Enfin, Garou expliqua qu'ils ne désiraient pas être entraînés dans une querelle de famille, même pas pour libérer leurs compagnons.

— Vous avez tout à fait raison, dit la première ministre, en inquiétant grandement Collinson. Nous aussi, nous croyons que devant un conflit, il faut choisir la neutralité et encourager la réconciliation. Ne pas chercher la victoire mais une entente.

Le président, impassible, regardait ses doigts crispés. Qu'est-ce que sa collègue pouvait bien manigancer?

— Mais pour réconcilier les adversaires, poursuivit Mme David, il faut d'abord les comprendre. Et là, vous pouvez nous aider.

— Nous le voudrions bien, dit Jinik, mais vous êtes plus en mesure que nous de comprendre d'autres Terriens.

— Pas nécessairement. Pas si vos camarades, par exemple, aident les Asiates à *nous* comprendre, dans un but tout à fait pacifique. Depuis quelque temps, le comportement des Asiates a des éléments «chumoïens» qui nous échappent.

— Cela est vraiment perspicace, reconnut Vlakoda. Oui, c'est vraisemblable. Surtout avec Bolorta et Val, qui aiment tellement jouer. Et Fladia, qui cherche à tout comprendre. Et Mino, qui ne manque pas d'imagination.

Jinik suggéra que leurs camarades auraient bien pu aider leurs hôtes à concevoir un ordre mondial fondé sur l'abolition des injustices et des dérapages historiques. Le président demanda s'ils auraient pu imaginer de mettre l'île Sainte-Hélène sur l'échiquier.

— Pourquoi pas? Vous pourriez aussi réhabiliter Gengis Khan et soulever la Mongolie contre l'Asie Centrale. Vous pourriez ressusciter l'idée d'un rassemblement des peuples nordiques et brouiller les cartes en Sibérie, promouvoir une république arménienne, un Texas mexicain, lancer depuis la Mecque un appel à tous les musulmans asiates... Il y a tant de possibilités!

Collinson blêmit en imaginant une stratégie basée sur une rectification de l'évolution de l'Histoire. Si les Asiates fondaient leurs actions sur ce que leurs otages pensaient des pays de l'Alliance, on irait de surprise en catastrophe.

— Il se peut que nos camarades donnent quelques idées sur vos conflits, mais ni eux ni nous ne contribuerions à une guerre.

— Par contre, fit Mme David, vous pourriez nous aider à comprendre ce qui se passe. Il vous suffirait de... je ne sais pas... de passer des tests de logique, de comportement, d'attitudes, comme si vous étiez à la place de vos camarades. Si ça marche, nous pourrions cerner les nouveaux éléments d'imprévisibilité qui caractérisent les opérations du régime de Tachkent. Cela nous permettrait de réduire hautement les chances de conflit.

Les Extra-terrestres se mirent à discuter en tchouhio, puis Jinik se tourna vers la première ministre.

— Nous vous devons beaucoup, et nous aimons la Terre. Nous voulons bien participer à une recherche de ce genre, pour la paix. Pendant dix jours.

— Merci, fit Collinson, infiniment soulagé.

Le lundi 30 novembre

Il avait été convenu que le séjour des Extra-terrestres à Washington serait bref et dépourvu de cérémonies officielles, de façon que l'accueil à Ottawa conserve tout son poids, Aurélia David leur ayant souhaité la bienvenue au nom de toute la Terre. Arthur McKeen et bien d'autres s'en mordaient les doigts, mais il avait bien fallu faire des concessions aux Canadiens pour bénéficier d'un plus long séjour des visiteurs aux États-Unis.

Ainsi, au lendemain de leur arrivée, laissant la première ministre et le président à leurs discussions bilatérales, les trois visiteurs, François Leblanc, Francine Lacombe et six responsables sous la direction de McKeen prenaient place dans le Tubecraft, l'appareil ultra-rapide qui effectuait en quelques heures le trajet de Washington à Los Angeles, en circulant dans le tunnel transcontinental récemment inauguré.

François réussit à établir un bon contact avec McKeen. Ce dernier comprenait que, pour obtenir quoi que ce soit des Extra-terrestres, il lui fallait passer par leurs agents de liaison. François, de son côté, appréciait vivement les compétences professionnelles de son collègue et se montrait prêt à lui faire confiance, tout en se réservant un droit de veto.

Après un voyage confortable sur coussins magnétiques, le Tubecraft atteignit Los Angeles à onze heures. Trois véhicules attendaient les passagers pour les conduire à la villa mise à leur disposition, à quelque quatre-vingts kilomètres au nord de la ville. La route longeait la côte et les visiteurs s'émerveillaient devant la beauté lumineuse de la mer.

Les voitures s'arrêtaient à un poste de contrôle. La propriété était également protégée par une double clôture munie de systèmes de surveillance électroniques. Dix minutes plus tard, on passait devant un imposant bâtiment qui leur servirait de quartier général. Leur pavillon, à cent mètres de là, donnait sur la mer. Maya, qu'on venait de prévenir, sortit de la maison et courut à leur rencontre. Elle se blottit tout de suite dans les bras de Garou, devant McKeen interloqué. François suggéra à Arthur qu'il lui faudrait ajuster le programme à ce genre de considérations.

— J'ignorais... Qui est-ce qui a approuvé?...

François haussa les épaules, faussement désemparé.

— Que voulez-vous? Avec le temps, certains liens finissent pas se tisser... Et ça contribue tellement à notre connaissance mutuelle, à nos relations futures...

Après avoir salué ses autres amis, Maya leur fit visiter les lieux. La villa, amplement vitrée, avait été conçue comme un hommage à la lumière et au soleil, dans le pur style californien du vingt et unième siècle. On ne s'y sentait pas dans un endroit fermé. Il suffisait d'appuyer sur quelques boutons lorsqu'on voulait ajouter aux grandes fenêtres un degré d'opacité, pour la nuit ou pour quelques heures d'intimité. Chacun avait sa propre chambre, avec salle de bains futuriste, écran mural, contrôle ambiant, console électronique. Celles de Garou et Maya, de Vlakoda et de Francine, et de Jinik et de François, communiquaient entre elles. Dans une des pièces, les visiteurs rencontrèrent une superbe jeune femme aux yeux très noirs et à la peau dorée. Maya leur présenta Dolorès Johnson, responsable de l'entretien de la maison, c'est-à-dire de la gestion des robots de nettoyage et de service.

— Quelle belle odeur! s'écria Vlakoda.

Francine passa un petit rire malicieux. Ils continuèrent la visite: salon, bibliothèque, salle de jeux avec billard, salle de gymnastique, pièce réservée aux appareils audio-visuels, salle à manger, cuisine. Ils s'installèrent ensuite sur le patio devant la piscine. Des robots apportèrent des jus et un repas léger. Maya distribua des bracelophones, dont elle expliqua le fonctionnement. On les portait au poignet, et on s'en servait pour communiquer entre soi ou passer des commandes aux robots.

Arthur McKeen usait de toutes ses ressources pour se rendre pleinement acceptable. Son charme professionnel ne manquait pas d'efficacité, et les Extra-terrestres, sans plus lui reprocher l'attitude impérieuse qu'il avait affichée à Inowa, s'intéressaient beaucoup à sa façon d'envisager leur séjour aux États-Unis.

— Après l'entrevue de cet après-midi, vous aurez dix jours de repos. Je viendrai vous dire bonjour de temps en temps, mais je n'abuserai pas de votre temps. Les tests dont vous a parlé le président ne prendront pas plus de deux heures par jour. Je suis sûr que votre séjour sera tout à fait agréable.

— Je suis contente, fit Jinik, que vous soyez en charge de notre tournée dans votre pays.

— Si François approuve chaque étape du programme, il n'y aura jamais la moindre difficulté, promit Garou.

— Vous pouvez compter sur moi, fit McKeen.

François sourit : si Arthur se montrait aussi conciliant, cela voulait dire qu'il serait, par contre, un négociateur très dur avec lui. Chacun ayant accès aux plus hautes autorités de son pays, ils devraient vraiment s'efforcer de s'entendre à leur niveau. Au moins, ils avaient déjà convenu qu'Arthur exercerait un contrôle général sur la substance du programme, alors que François interviendrait surtout sur les modalités et, en particulier, le calendrier.

Il faisait chaud. Francine invita Vlakoda à faire une sieste. McKeen les regarda entrer dans la maison, la main dans la main. Médusé, il demanda à François s'il était au courant.

— C'est pourquoi je suis ici. Pour vous aider à gérer un programme qui tienne compte de ces choses-là. Ma première ministre tient avant tout à ce que vos invités soient heureux. Et ce sont eux qui choisissent leurs formes de bonheur. Ne craignez rien, ils sont très civilisés.

— Ça donne quand même une nouvelle dimension... Je ne sais pas sous quelle autorité...

— Ne compliquez surtout pas les choses, Arthur. Allez donc faire une sieste, vous aussi. Nous en reparlerons ce soir.

Après le départ de McKeen, Dolorès leur montra comment se faire apporter un autre plateau de jus de fruit. François la félicita d'avoir si bien programmé ses robots. Comme elle regardait l'eau avec gourmandise, il l'invita à s'y baigner. Ravie, la jeune fille se mit nue, à la mode californienne, et fit un superbe plongeon dans la piscine. Jinik se déshabilla et la rejoignit. François jeta un ballon aux deux femmes et se fit apporter une console portative afin d'examiner l'ébauche du programme d'activités dont Arthur venait de lui fournir le code.

Garou et Maya, munis de deux courts peignoirs, avaient pris le chemin de la plage.

— C'est très joli, la Terre. Quelle belle planète! Chez nous, c'est très différent. Nous sommes tous des citadins. Nous avons aussi de très beaux paysages, mais nous y installons des réserves de vacances.

— J'aimerais bien voir Chumoï, commenta Maya, rêveuse.

— Pourquoi pas? Ce n'est pas impossible.

Il mit les pieds dans l'eau. Maya, qui craignait le ressac, entraîna son compagnon vers une anse mieux protégée. Ils passèrent une demi-heure à nager, à jouer avec les vagues. Le corps vert de l'Extra-terrestre se perdait parfois dans l'eau turquoise, et il apparaissait tout à coup derrière Maya. La jeune femme lui rendait la pareille, et plongeait tout à coup pour lui attraper la cuisse après avoir nagé sous l'eau pendant vingt secondes. Ils étaient deux enfants qui jouaient dans la mer, mais aussi deux amoureux qui se rapprochaient l'un de l'autre dans un même éclat de joie de vivre. Ils regagnèrent les peignoirs abandonnés sur le sable et s'y étendirent, heureux, la main dans la main.

— Je t'aime beaucoup, Maya, dit-il en français, alors qu'ils avaient parlé tchouhio jusque là.

— Moi aussi, Garou. Tellement, tellement... J'ai envie de tant de choses... Non, une seule: être avec toi.

Garou se tourna vers elle. Cette femme avait pris dans sa vie une importance qu'il ne comprenait pas complètement. Comme ses camarades, comme les gens de son monde, il avait toujours vu dans l'amour une manière de se rendre heureux les uns les autres. Ce n'était pas exactement le sentiment qu'il éprouvait à l'endroit de Maya. Elle lui avait *manqué* pendant un mois. Garou aimait aussi Val, et regrettait son absence, mais celle-ci ne lui pesait pas. Il songeait parfois à des êtres chers, sur Chumoï, mais il s'arrangeait fort bien avec leur éloignement. Maya jouait un rôle beaucoup plus vital dans son univers. Sans elle, quelque chose se dépeuplait dans sa vie. Avec elle, il se sentait comblé.

Il posa la main sur sa joue, sur son sein. Que ce geste lui semblait doux, et étrange! Quand il faisait l'amour avec Jinik, ou avec d'autres, à l'époque où il comptait sur plus de partenaires, il s'agissait avant tout d'un partage. Chacun faisait plaisir à l'autre afin d'en recevoir en échange. On se plaisait, on se découvrait, on s'accouplait dans un contact simple et pacifiant, qui reflétait la sérénité de Chumoï. En caressant Maya, il pensait très peu à lui. Il cherchait plutôt à lui dire à quel point elle était précieuse, et qu'il la voulait heureuse.

C'était cela: il voulait la voir heureuse. Et elle l'était. Émerveillé, il la regardait vibrer sous ses mains. Il jouait de son corps comme d'un instrument de musique, en l'effleurant, en y glissant les doigts, en l'animant partout où il constatait une sensibilité particulière. Le bruit des vagues, les baisers du soleil, l'odeur de sel et de sueur se combinaient dans le long frisson de bonheur qui secouait la jeune femme. Garou s'arrêta, tendrement impressionné par ce premier orgasme qu'il voyait chez une Terrienne.

Maya voulut le découvrir à son tour. Elle l'avait déjà vu nu, mais sans la nouveauté fascinante de son érection. Elle y porta la main, puis la bouche. Là se trouvait le centre de sa vie, dans sa force et sa fragilité. Là se trouvait la source profonde de bonheur qui le faisait soupirer.

— Je t'aime, Garou...

Elle aimait la couleur de sa peau et le contact étrangement frais de son épiderme velu, le goût de ses lèvres, la limpidité du plaisir qu'elle sentait circuler en lui. Elle le chevaucha. Assise sur ses cuisses, elle continua à le caresser doucement. Enfin, elle l'introduisit lentement en elle.

— C'est magique, tu sais... Toi, et moi...

Dans cette posture, elle contrôlait parfaitement l'avance des sensations. Fouillée, envahie, remuée, secouée, elle maîtraisait le rythme du plaisir. Parfois elle s'arrêtait pour caresser le ventre de Garou, sa poitrine, son visage. Elle le sentait de plus en plus tendu en elle. Finalement, leurs mains se joignirent et ils voguèrent dans les derniers soubresauts de l'amour.

— Maya, c'était... éblouissant, fit-il, quelques minutes plus tard. Tu es douce et éblouissante.

Elle se blottit contre lui, silencieuse et heureuse. Après s'être saucés une dernière fois dans la mer, ils regagnèrent la villa, soucieux de ne pas risquer une insolation. Garou alla échanger quelques mots avec Jinik, qui bavardait avec Dolorès, à l'ombre. François en profita pour retenir Maya.

— Alors, la plage était belle?

— La plus belle du monde!

— Parfait. Tu as de très beaux yeux, maintenant. Je n'avais pas besoin de te le demander, mais j'aime t'entendre parler quand tu es heureuse.

L'heure de l'entrevue approchait. Francine alla accueillir les journalistes, trois hommes et trois femmes. Elle les connaissait tous de réputation: ils étaient les meilleurs dans leur métier. Chacun s'était réservé deux questions. Ensuite, la conversation se poursuivrait à bâtons rompus. Maya suivait de près les techniciens qui posaient leurs caméras, projecteurs et microphones dans le salon et le patio. L'émission se terminerait sur une splendide image du couchant. François remarqua qu'on avait installé un drapeau américain sur la commode. McKeen expliqua qu'il avait suivi ses instructions, l'émission ayant une diffusion internationale. François lui demanda d'ajouter un drapeau canadien, pour éviter justement une querelle de drapeaux. Arthur accepta, en maugréant. François sourit, satisfait. On lui avait recommandé beaucoup de souplesse dans de tels cas, mais il voulait voir jusqu'à quel point McKeen se plierait à ses suggestions.

L'entrevue commença à cinq heures. Les journalistes posaient des questions pertinentes et d'autres qui l'étaient moins. Plusieurs se montraient agressifs, comme s'ils voulaient forcer les visiteurs à trahir quelque secret personnel. Les Extra-terrestres, après tant d'entretiens à Télécan et durant leur tournée canadienne, n'hésitaient jamais. Décontractés, ils semblaient même s'amuser quand ça tournait à l'interrogatoire.

— Pensez-vous que la Terre peut devenir économiquement importante pour Chumoï?

— Nous sommes très auto-suffisants, et si loin! Mais des échanges culturels et technologiques pourraient se justifier.

— Êtes-vous froissés du peu de temps que vous a consacré le président Collinson?

— Il suffit de quelques heures pour apprécier l'amitié de quelqu'un.

— Quelles sont vos opinions concernant notre conflit avec les Asiates?

— Les conflits commencent quand on prend ses opinions trop au sérieux.

— Le président a-t-il vraiment essayé d'obtenir votre appui en cas de guerre?

— Il serait déraisonnable de penser que trois personnes puissent peser lourd dans la situation hypothétique que vous évoquez.

— Pourquoi avez-vous choisi notre époque en particulier pour vous manifester?

— Il ne faut pas attribuer à la volonté ce qui n'appartient qu'à un heureux hasard.

— Pourquoi avez-vous choisi d'atterrir sur un des pôles magnétiques?

— Ça simplifie la navigation automatique, et nous croyions y trouver un coin discret.

— Quelle influence pensez-vous avoir sur l'histoire de l'humanité?

— L'influence d'une personne ou d'un événement dépend de ce que cherchent ceux qui veulent en être influencés.

— Avez-vous trouvé les Terriens plus ou moins intelligents que les gens de votre monde?

— Ce sera plutôt à vous d'en juger, à mesure que vous nous connaîtrez.

— Avez-vous eu des relations sexuelles avec des gens de la Terre?

— Nous avons été très bien accueillis.

— Avez-vous l'intention de prolonger longtemps votre séjour?

— Nous n'avons pas encore eu l'occasion de nous ennuyer.

— Qu'est-ce qui vous manque le plus, depuis votre arrivée?

— Nous aimerions beaucoup revoir nos camarades.

— Jusqu'où seriez-vous prêts à aller pour obtenir leur libération?

— Je suis convaincu que la force de notre désir suffira à nous réunir.

La conversation, qui ne devait durer qu'une heure, se prolongea jusqu'à sept heures. Ensuite, comme convenu, tout le groupe se dirigea vers la grande maison, où l'on avait préparé un léger buffet.

À sept heures trente, François s'aperçut que Vlakoda ne se trouvait pas dans le salon. Il s'informa auprès de Francine. Non, elle ignorait où il pouvait être allé. On tenta, en vain, de le contacter à travers son bracelophone. François avertit McKeen. On fit fouiller discrètement la maison et la villa.

Vlakoda était introuvable.

Inquiet, McKeen fit appeler le responsable de la sécurité. Personne n'avait quitté la propriété. Du moins, pas à travers la clôture. Les garde-côtes n'avaient repéré aucune embarcation à proximité de la villa. Le radar aurait réagi si on avait voulu kidnapper quiconque par la voie des airs.

Dans le salon, on continuait à bavarder ferme avec Garou, Jinik et les agents de liaison, à qui on essayait de soutirer des anecdotes intéressantes. François et Francine entretenaient la conversation, pour ne pas semer la moindre panique. Entre-temps, Arthur McKeen faisait bloquer l'accès à la propriété.

À huit heures et demie, McKeen décida de sonner l'alarme. Si tout le monde s'y mettait, on pourrait fouiller la plage et les abords des bâtiments. Les lampes de 20 000 watts éclaireraient amplement les extérieurs.

— C'est inutile, Arthur, fit François.

— Il le faut. Autrement, je dois appeler la police.

— On s'inquiétait pour rien. Regardez.

Vlakoda entrait dans le salon, le visage épanoui, accompagné de Laura Delton, une des journalistes dont on n'avait pas remarqué l'absence, tellement on s'était préoccupé au sujet de l'Extra-terrestre.

— Eh bien! fit Arthur, les nerfs à bout, vous m'avez fait passer une heure difficile!

— Moi! s'écria Vlakoda, absolument radieux. Je croyais que c'était fini, l'émission. J'ai été goûter les parfums du soir, en accordant à madame une entrevue privée.

Puis s'adressant à Maya, qui venait de les rejoindre:

— Elles sont vraiment très bien, les Terriennes, dit-il, en tchouhio. Je les aime beaucoup.

Le samedi 12 décembre

Hamed Collinson regardait les images que la directrice de l'agence nationale de sécurité projetait sur l'écran. Les agrandissements permettaient facilement de reconnaître Wakasondo en compagnie d'une Extra-terrestre.

— Cela, c'était la veille de la marche sur Bangui.

Le président magérian avait massé une partie de son armée sur la frontière ougandaise, mais Wakasondo avait passé les lignes et personne n'avait tiré. Ce n'était pourtant qu'un sursis. L'aviation magériane, composée en grande partie de pilotes touaregs, serait beaucoup moins sensible à l'étrange autorité du visionnaire du Sud.

— S'ils tuent Wakasondo, la moitié de l'Afrique sera en guerre. Ça durera deux ans, trois ans. Et ça déclenchera une multitude de guerres tribales.

Collinson resta songeur. Un tel conflit affaiblirait la Communauté, en la coupant de ses sources d'approvisionnement.

— Ce ne serait pas mauvais. Par contre, si l'Europe devient vulnérable, les Asiates n'en feront qu'une bouchée.

— Vous avez raison, Cynthia. Et l'île Sainte-Hélène?

— Les Européens y ont dépêché trente-sept chasseurs et huit bombardiers. L'aéroport ne pouvait pas en accueillir davantage. La flotte magériane encercle l'île, mais les combats n'ont pas commencé.

— Et Mikhaïl Tarpov qui prend des vacances en Égypte!

— Pas seulement des vacances. Regardez.

L'écran montrait un Extra-terrestre face aux Pyramides. Le rendez-vous avait été confirmé. À l'image suivante, un groupe de touristes apparut en gros plan contre le superbe décor de Machu Picchu. Une Extra-terrestre parlait avec un homme dont on distinguait mal les traits.

— C'est Roberto Duarte.

Le leader péruvien était en train de mettre sur pied une nouvelle fédération des syndicats sud-américains. Collinson avait de la sympathie pour lui, mais si Duarte réussissait à accroître son poids politique, il deviendrait un interlocuteur difficile.

— Hier, Duarte a fait un discours très anti-américain. Il a invité les trois grands syndicats brésiliens à unir leurs forces avec les siennes. Tenez, voici un autre Extra-terrestre, en banlieue de Djakarta.

— Suwono m'a assuré de son appui! s'écria Collinson.

— Celui-ci n'a pas vu le président mais deux généraux.

— Eh bien! Cynthia, ça se gâte. Vous féliciterez vos services. Ces clichés sont inestimables.

Il consulta sa montre. Bob Danburg aurait déjà dû les rejoindre. Collinson sonna un de ses adjoints, pour qu'on s'enquière des raisons du retard du secrétaire d'État, puis se carra dans son fauteuil. Il pouvait enfin prouver que les Extra-terrestres, sans doute manipulés par les Asiates, s'étaient engagés dans des manœuvres douteuses, plus que douteuses.

— Malheureusement, fit Cynthia, les Asiates ne font rien contre nous. Nous ne sommes attaqués nulle part. Ni même à travers nos alliés.

— Nous n'allons pas rester les bras croisés pendant que les autres prennent tranquillement position autour de nous!

— Que voulez-vous? Une attaque de dissuasion? Où?

— Non, non... Nous ne pouvons pas attaquer les premiers. Qu'avez-vous pu tirer de nos visiteurs?

Cynthia Irving avait été chargée de ce dossier. Les trois Extra-terrestres s'étaient prêtés à plusieurs tests, y compris à un simulacre de conflit mondial. Ils y avaient même pris goût, au point de suggérer une série de scénarios invraisemblables. Leur collaboration avait surtout mis en évidence l'inefficacité des moyens de défense dans une demi-guerre conduite selon une stratégie «chumoïenne». Devant six ou sept points d'attaque, comment deviner celui que les Asiates choisiraient, puisqu'ils n'optaient pas nécessairement pour le meilleur? Comment contrer des manœuvres de déstabilisation dont on ignorait les objectifs et la logique? Cynthia Irving proposa encore une fois de tenter d'enlever les Extra-terrestres avant qu'ils ne regagnent l'Union asiate, mais Collinson ne voulait pas courir un tel risque.

— S'ils étaient tués, par accident, ce serait une honte pour nous tous...

Un adjoint l'informa que Bob Danburg avait été retenu au Pentagone, mais il venait de se mettre en route pour la Maison Blanche. Collinson se préparait déjà au pire: peu de choses justifiaient qu'on se rende en retard à un appel du président.

— Vous savez, Cynthia, je suis quand même étonné que vous parliez encore de kidnapper nos quatre moineaux.

Après tout, Irving savait que les services secrets américains ne pouvaient pas monter une opération d'envergure sans la complicité des autorités locales, sauf dans les rares pays qui ne disposaient pas d'un solide appareil de sécurité. Trop d'agents américains avaient été identifiés, au cours des années, pour que le rassemblement de plusieurs d'entre eux n'éveillât point de soupçons.

— J'y ai réfléchi, monsieur le président. Je sais à qui l'on pourrait confier une telle tâche. Mais ça coûterait cher.

— Nous pouvons payer n'importe quoi!

— Un coût politique énorme. Et ça irait à l'encontre de vos directives. Je pense à des experts. Les meilleurs.

Collinson resta bouche bée : des commandos afghans... Et les Asiates ne se douteraient de rien. Il admira l'audace de la proposition, et promit d'y réfléchir.

On annonça enfin le secrétaire d'État. Collinson s'apprêtait à le taquiner sur son manque, très habituel, de ponctualité, mais le regard désorienté de son collaborateur le retint.

— Eh bien! Bob, je crois que je vais entendre une autre mauvaise nouvelle.

— Deux, monsieur le président.

Collinson, résigné, l'invita à s'asseoir.

— Ce matin, fit Danburg, la deuxième armée, stationnée à Kiev, s'est soulevée contre le gouvernement de la Communauté. Le général Boloniuk a proclamé l'indépendance de l'Ukraine et son droit à s'allier à l'Union asiate en tant que république autonome.

— Décidément, la formule fait son chemin.

Le ton léger du président masquait une profonde préoccupation.

— Les naïfs n'ont jamais manqué, murmura Cynthia.

La myopie dont Boloniuk semblait faire preuve lui inspirait une horreur viscérale.

— Et Tarpov?

— Aucune réaction. Il peut attaquer Kiev à la tête de l'armée russe ou à la tête de l'armée européenne. D'une façon ou de l'autre, ce ne sera pas beau. Il peut aussi entamer des pourparlers, pour essayer de garder l'Ukraine dans la Communauté.

— Ce serait peine perdue, intervint Irving. Boloniuk a été ministre de la Défense sous Golonov. Ce n'est pas un amateur, en politique. Il sait que la Communauté ne l'accueillera jamais aussi bien que l'Union asiate. Et il est incapable de voir plus loin que le court terme.

— L'Union asiate, avec l'Ukraine, serait beaucoup trop forte, fit Collinson.

Cynthia Irving imagina un autre scénario: reconnaître l'Ukraine comme État souverain avant que Tachkent réagisse. Boloniuk accepterait cet appui, s'il n'a pas déjà été acheté.

— C'est brillant, Cynthia, mais là, Tarpov deviendrait notre ennemi mortel. Non, ça prendra plus de réflexion. J'espère, Bob, que votre deuxième nouvelle est... plus supportable.

— Non, monsieur le président.

Danburg ferma les yeux, comme si la nouvelle dont il était porteur le terrassait encore. Il soupira, et annonça:

— Dix-sept de nos satellites stratégiques ont été mis hors d'action. Dix-sept. Y compris les neuf qui couvraient le territoire asiate.

— Ce n'est pas possible... murmura Cynthia. Dix-sept sur vingt-cinq? C'est techniquement infaisable.

— Mais c'est fait.

Les lèvres de Collinson se serrèrent au point de lui faire mal. Il réfléchit, furieusement. Porter l'affaire devant les Nations unies? Devant la Cour internationale de justice? On n'avait jamais réussi à déterminer jusqu'à quel point la souveraineté sur l'espace aérien s'appliquait à la stratosphère. Surtout, de quelles armes les Asiates s'étaient-ils servis? Les satellites, hors de portée des missiles conventionnels, étaient pourvus de mécanismes de défense contre les fusées téléguidées. Le point capital, c'était que, pour la première fois, les Asiates avaient frappé des installations de l'Alliance pacifique.

— Cela veut dire, fit Cynthia Irving, que nos missiles Z9 ne peuvent plus opérer sur le territoire asiate.

En effet, le système de direction de ces missiles dépendait des signaux transmis par les satellites. Avec la destruction de ces derniers, les missiles asiates anti-missiles pouvaient arrêter n'importe quel Z9.

— C'est inacceptable, fit Collinson. Convoquez l'état-major. J'assume dès maintenant tous les pouvoirs militaires. J'accepte de fournir cinq — non, huit bombes propres aux Chinois. Ça suffira pour détruire l'armée asiate en Mongolie.

— Et l'Alliance?

— Je communiquerai dès demain avec chacun de nos alliés. Il faut que toutes les armées de l'Alliance soient mises sur pied de guerre. Quelle heure est-il à Tachkent?

— Il doit faire nuit.

— Eh bien! on le réveillera.

Il donna des instructions pour communiquer immédiatement avec le président Moljoïkan. Il se tourna ensuite vers ses collaborateurs.

— Il faudra activer le plan Kansas.

— Si nos alliés l'apprennent, c'est la fin de l'Alliance.

— Notre peau d'abord. Je l'annoncerai comme un exercice.

Il s'agissait là d'une mesure très grave. Depuis trente ans, près de Wichita, on travaillait à la mise au point d'une station spatiale qui, mise en orbite fixe à une hauteur de sept cents kilomètres, entourerait les États-Unis, dans un rayon de trois mille kilomètres, d'un écran conique infranchissable, un véritable mur de radiations magnétiques. D'après la théorie, la plus grande partie du territoire nord-américain se trouverait ainsi sous un entonnoir imperméable à toute attaque venue de l'extérieur. On évaluait à soixante pour cent les chances de succès de l'écran. Par contre, les perturbations climatiques ainsi provoquées entraîneraient un chaos des communications. De plus, sur le plan politique, l'activation du système indiquerait aux Japonais, aux Chinois, aux Australiens et au monde entier que les États-Unis avaient décidé de se protéger en abandonnant leur alliés situés en dehors du périmètre. C'était pourtant la seule façon de se soustraire à une attaque nucléaire généralisée.

Devant la pâleur du président, Irving et Danburg hésitaient à discuter une telle décision. Le placement en orbite de la station présentait un avantage stratégique considérable face aux Asiates. sa mise en opération posait beaucoup plus de difficultés, à cause de l'ampleur des risques présentés par les radiations sur l'ensemble des installations électroniques du pays, sans parler du reste de la planète.

Enfin, on annonça que le président Moljoïkan se trouvait à l'autre bout de la ligne d'urgence. Cynthia, qui parlait le russe, servit d'interprète. Sur l'écran, Moljoïkan ressemblait surtout à un homme qu'on vient de réveiller en sursaut. Collinson commença par s'excuser suavement de le déranger à une telle heure. Le président asiate esquissa un vague sourire de courtoisie.

— Je vous en prie, Hamed. Si vous trouvez que c'est grave...

Collinson rappela d'abord que l'Alliance n'accepterait pas de républiques dites autonomes dans la mer Rouge, sur l'océan Indien, ou en Ukraine. Moljoïkan riposta que l'Alliance ne devait pas s'ingérer dans des ententes entre des États qui n'en faisaient pas partie. Collinson comprenait que son interlocuteur ne pouvait réagir autrement, mais qu'il tiendrait compte de cet aspect de la question.

— Ensuite, votre attaque contre nos satellites est un acte de guerre. Vous le saviez. Je vous tiens responsable des conséquences, et je vous répondrai en Mongolie.

— Prenez garde, Hamed. Ne déséquilibrez pas la situation.

«Quel toupet!» songea Collinson. Pourtant, Moljoïkan lui présentait un visage tellement sincère!

— Nous n'avons jamais attaqué vos satellites. On m'a fait part de tempêtes magnétiques à haute altitude. Je suis désolé pour vos satellites, mais je n'y suis pour rien.

— Les paroles ne me suffisent pas, Dachi. Vous jouez une partie très dangereuse. À partir de ce moment, je considère que la sécurité de l'Alliance est menacée.

Il s'agissait là d'une mise en demeure proche d'une déclaration de guerre. Moljoïkan ne sourcilla pas.

— Je vous remercie de m'avoir appelé, Hamed. Je vous incite à la prudence. Vous savez que je ne veux pas la guerre. Faites très attention, car l'Union est en mesure de se défendre.

— Vous voilà prévenu, Dachi.

— *Nous* voilà prévenus, Hamed.

Collinson mit fin à la communication, puis se tourna vers ses collaborateurs. Il maintenait sa décision concernant la Mongolie : tout mouvement en Ukraine se répercuterait sur la frontière chinoise. Mais il voulait une enquête sur les satellites.

Le soir même, les experts américains confirmaient l'existence de bouleversements dans la magnétosphère. Les nappes d'électrons de la calotte polaire antarctique rejoignaient celles de l'Arctique et leur contact provoquait des tempêtes inouïes qui pouvaient affecter un grand nombre de satellites. En apprenant la nouvelle, Collinson se rappela que lors du déjeuner, les Extra-terrestres s'étaient étonnés du fait que les Terriens n'avaient pas encore acquis la maîtrise de l'énergie des vents solaires. Il songea au professeur Quiroga, sur la côte de George V. Il y avait là quelque chose qu'il fallait tirer au clair.

Le jeudi 31 décembre

Les derniers jours de l'année apportaient quand même quelques bonnes nouvelles. Les Chinois n'avaient fait sauter qu'une bombe «propre», au sud du désert de Gobi, en guise d'avertissement. L'explosion avait détruit une base militaire désaffectée et entraîné la mort de quelques centaines de personnes mais, comme elle ne dégageait pas de radiations, cette utilisation exceptionnelle d'une arme nucléaire n'avait pas entraîné une riposte catastrophique. Tachkent avait reconnu le régime de Kiev comme mouvement de libération plutôt que comme gouvernement, ce que les autorités de la Communauté européenne pouvaient tolérer. Après quelques escarmouches sérieuses au large de l'île Sainte-Hélène et la destruction de deux destroyers magérians et de douze avions britanniques et français, les adversaires avaient conclu une trêve d'un mois pour tenter de régler leur différend à l'amiable. Les Asiates, tout en continuant à tergiverser, avaient accepté en principe de négocier avec la Commission antarctique un protocole de surveillance des expériences scientifiques dans la magnétosphère qu'ils effectuaient à partir de la côte de George V. Wakasondo, déjà arrivé à Bangui, avait invité le président magérian à l'y rencontrer, en mettant ainsi en veilleuse son projet de se rendre à Lagos. La flotte asiate mouillait toujours au sud de Java, mais prétendait chercher des ravitaillements, sans manifester l'intention d'attaquer l'Indonésie. Collinson avait entamé des discussions avec Pékin et Tokyo

234

pour fournir au flanc asiatique de l'Alliance une station du type Kansas. L'Égypte, qui possédait des armes atomiques, avait incité Oman et le Yémen à reconsidérer leur demande d'affiliation à l'Union asiate.

Bref, en dépit des nombreuses tensions, la situation mondiale, en ce dernier jour de l'année 2043, présentait un aspect supportable.

Après un mois aux États-Unis, où ils avaient souvent souffert de la chaleur, les Extra-terrestres prenaient une semaine de repos à Inowa, partiellement dépeuplé. Conformément à de vieilles coutumes, le tiers des soldats et des officiers avaient obtenu la permission de passer la saison des fêtes dans leurs familles. Tout fonctionnait au ralenti.

Il faisait très froid. Francine accompagnait parfois les visiteurs dans des balades en forêt, bien emmitouflée dans un bon manteau de fourrure, alors qu'ils se promenaient le plus souvent en chemise. Maya et François, de leur côté, ne se sentaient guère portés à partager les ébats de leurs amis à quarante sous zéro.

Maya consacrait beaucoup d'heures à la mise au point du lexique et du dictionnaire tchouhio. François la taquinait sur l'emploi qu'elle faisait de son temps de vacances, mais elle se sentait très nerveuse et ce travail lui permettait de garder sa sérénité.

— Tous les moyens sont bons, commenta François avec quelque malice. Cela, ou l'amour...

— Cela, *et* l'amour. Je nous sens tellement menacés!

— Il ne faut pas trop s'en faire. Malgré les apparences ces petites guerres à droite et à gauche sont des feux de paille.

— Et un jour la plaine est en feu, et la forêt, et les villes.

François sourit. Il avait une grande faculté d'acceptation du chaos. Maya jugea bon de changer de sujet, ce dernier jour de l'année, et lui demanda des nouvelles de ses amours.

— C'est très intéressant. D'un côté, surtout pour Jinik, notre liaison constitue la mise en pratique d'une encyclopédie érotique interplanétaire. Elle veut tout savoir, tout connaître, tout essayer. Elle n'a pas choisi la personne la plus vigoureuse pour ce type d'exercice, mais elle est très... compréhensive.

Maya éclata de rire: il n'était pas si mauvais, pour un vieillard quadragénaire.

— Merci, merci. De mon côté, c'est différent. Tu sais bien que je n'ai plus mes curiosités de jeunesse. Et pourtant...

Il réfléchit. Des tas de souvenirs s'accumulaient dans ses yeux comme un passage d'oiseaux sauvages dans le couchant.

— En explorant l'érotisme avec Jinik, je crois réapprendre le bouddhisme, ou quelque chose de semblable. Tuer le désir par son assouvissement serein. Redécouvrir la paix intérieure. Ceci dit, un peu de *bsha* me ferait du bien, à l'occasion.

Maya ne connaissait pas ce produit. François lui expliqua qu'il s'agissait d'un stimulant sexuel, en usage sur Chumoï.

— Vlakoda aura peut-être des problèmes quand son injection commencera à perdre de son effet. Avec la vie qu'il mène...

Au cours des dernières semaines, ils avaient séjourné à San Francisco, Chicago, New York, Houston et La Nouvelle-Orléans. Le mot s'était passé parmi les journalistes, et Vlakoda avait vécu un bon nombre de liaisons de passage. Doué d'un appétit vigoureux, il avait poursuivi en même temps son idylle avec Francine, que les aventures de son amant amusaient beaucoup. Il avait vécu une autre expérience fascinante avec une poupée érotique dont Francine contrôlait les commandes, ce qui équivalait, pour elle, à faire l'amour par le truchement d'une intermédiaire. Malgré ses réticences devant l'homosexualité, Vlakoda avait même succombé au charme d'un travesti particulièrement séduisant.

— Et toi, avec Garou?

— Il est mon plus bel amour, fit Maya, simplement.

C'était suffisant. François sourit. À ces moments, tellement de bonheur tranquille émanait de la jeune femme qu'il en était ému. Ce côté fragile de Maya l'avait toujours fasciné. À Inowa, ils avaient été camarades et amants, mais quelques années plutôt, à la baie James, il avait connu une Maya radieuse et amoureuse. Cet état, cette effervescence du cœur, cette abolition du monde au profit d'un être aimé, cela l'intéressait déjà moins, à son âge, mais il s'émerveillait de voir chez son amie cette éternelle capacité de fraîcheur.

— Prenez-vous des contraceptifs?

— Non. Je ne veux pas... Et toi?

— Jinik ne semble pas en avoir besoin. Elle dit que chez eux, les femmes sont fertiles cinq jours par mois, et qu'elle le *sent*. Ces jours-là, nous faisons... d'autres choses. Mais, sérieusement, voudrais-tu... avoir un enfant...?

— Ce serait beau, dit Maya, en souriant.

Il comprenait maintenant davantage l'inquiétude de son amie face aux conflits terrestres. Elle était encore, ou de nouveau, tournée vers l'avenir. Que cela lui semblait étrange, tout à coup! Comment pouvait-on avoir confiance en l'avenir? Mais cela aussi était splendide. Pourquoi pas? D'un côté, les préparatifs de la fin du monde. De l'autre, l'ouverture de la Terre à un monde nouveau, quelque part dans les étoiles.

— Je vais te confier un secret, François. Mon plus grand secret, à ne dire à personne. Tu te souviens de l'après-midi où nous avons fait faux bond, à La Nouvelle-Orléans?

Elle tira de son porte-documents une enveloppe bleue, grand format. François l'ouvrit. C'était une attestation de mariage entre Garou et Maya Golinsky. La loi de la Louisiane permettait ce type de mariage secret, dont la validité était reconnue dès que les conjoints décidaient de rendre leurs liens publics. François félicita chaleureusement son amie, qui avait sans doute de bonnes raisons de vouloir éviter l'énorme publicité que leur mariage aurait provoqué.

— C'est Garou qui l'a proposé, fit-elle. Il a voulu se comporter en Terrien. C'était très gentil à lui. Tu comprends maintenant pourquoi il passe tellement de temps avec Francine? Il a besoin de leur amitié, parce qu'il m'aime beaucoup.

— Cela aussi, c'est très terrien.

Il embrassa Maya et alla trouver Garou. Il devait lui parler. Il ne savait pas trop de quoi, mais il voulait le voir, essayer de deviner quelque chose. Il déambula dans l'immeuble principal, en ne rencontrant que des membres du personnel de la base. Finalement, une voix l'interpella:

— Es-tu une âme en peine ou un être en chair et en os?

C'était Francine. Assise à terre, elle jouait une partie d'échecs avec Garou. Pas étonnant qu'il ne les ait pas vus.

— Ça fait trois fois qu'on te voit passer, fit-elle, gentiment. Viens, assieds-toi. Je fais semblant d'expliquer le jeu à Garou. En réalité, nous parlons d'amour.

Tiens, eux aussi? Il s'installa auprès d'eux. Les joueurs n'avaient pas encore établi leurs positions d'attaque. Francine avança un pion, puis se tourna vers François. Son visage combinait une joie profonde et un calme infini.

— Garou dit que je suis une Extra-terrestre déguisée, parce que j'aime faire l'amour pour *partager* du plaisir.

— Il a tout à fait raison, fit François, tu n'es pas assez compliquée pour être une Terrienne représentative de l'espèce.

Garou bougea une pièce, puis leva la tête. Il avait l'air encore plus tranquille que d'habitude. L'inaltérable sérénité de son regard pouvait même mettre quelqu'un mal à l'aise.

— Francine, dit-il, fait l'amour comme le soleil qui vient, s'en va, et revient. Le soleil ne s'occupe pas de ce qu'il éclaire ou qu'il réchauffe. Ou bien, imaginons qu'il s'en occupe, mais de très loin, sans que ce qu'il éclaire ou réchauffe puisse l'affecter. Oui: Francine est un soleil heureux d'éclairer et de réchauffer, et heureux d'être admiré et apprécié.

Pendant qu'il parlait, la jeune fille observait le jeu avec une évidente concentration. Mais elle l'écoutait. Après avoir bougé une tour, elle leva les yeux vers François:

— J'aimerais partager de l'amour avec toi, François. Cet après-midi. Tout à l'heure.

Il la dévisagea, pris de court, peu habitué à recevoir des propositions du genre, devant témoin en plus. Mais depuis six mois, l'idée d'une liaison flottait entre eux comme une musique qui attend sur une capsule enregistrée qu'on veuille bien l'insérer dans une capsule.

— C'est une excellente idée, fit-il, suavement. Eh bien! Garou, ai-je réagi selon les usages de Chumoï??

— Oui. Le soleil passait, et tu l'as accueilli.

— Dégageons-nous des parfums propices? demanda Francine, avec tout le sérieux du monde.

— D'une vivante délicatesse, commenta Garou, avec tendresse.

Il se concentra sur l'échiquier, et bougea un cheval. La conversation ne dérangeait pas la réflexion.

— Moi, j'ai appris autre chose, avec Maya. Grâce à Maya. C'est très nouveau, pour moi. J'ai appris que l'amour est aussi un monde d'oubli. Comment expliquer...?

— Laisse-moi essayer, dit François. Sur Chumoï, le soleil passe, et on s'y baigne. S'il ne passe plus, on attend, ou on fait autre chose. Sur la Terre, si le soleil ne passe plus, on éprouve l'ampleur de notre besoin de soleil. On en souffre, ou on cherche à le rattraper.

— Je découvre chaque jour l'ampleur de mon affection pour Maya. Je crois que tu comprends, oui. L'amour est un monde d'oubli, parce que tout disparaît de la conscience, à l'exception de la personne qu'on aime. Pas toute la journée, mais à certains moments, et cela suffit. Sur Chumoï, ce sentiment est peu imaginable, Je suis devenu Terrien, François.

Un bruit de pas leur fit lever la tête. Jinik et Vlakoda venaient d'entrer, essoufflés, en riant, après une course dans la neige. En attendant que Francine et Garou finissent leur partie, François invita les autres à prendre un café chaud.

— À minuit, leur rappela-t-il, on se retrouve dans le foyer pour sabler le champagne. C'est une vieille tradition.

— Et vous avez raison. Il faut profiter de toutes les excuses pour saluer l'avenir, fit Vlakoda.

— Si avenir il y a. Pour beaucoup, ce ne sera pas un Nouvel An joyeux. On a vraiment besoin de votre aide.

Jinik lui prit la main. Ils avaient souvent abordé le sujet. Les Extra-terrestres s'étaient prêtés aux tests de stratégie préparés par les services américains, sans résultats probants. Ensuite, ils avaient refusé de coopérer davantage.

— Tu connais nos raisons, dit-elle.

— Et je suis d'accord avec vous. Mais si vous nous aidiez au moins à faire cesser les hostilités... Je ne sais pas comment. Mais mon instinct me dit que vous êtes les seuls à pouvoir nous expliquer ce que font vos camarades avec les Asiates.

— Est-ce que vous ne vous imaginez pas des choses? fit Vlakoda. Nos camarades sont comme nous. Ils n'auront jamais pris parti pour les uns ou pour les autres.

François secoua la tête. On lui avait fourni tant de preuves! Les quatre Extra-terrestres, à Lagos, à Djakarta, à Pretoria! Comment croire qu'ils n'étaient pas de connivence avec les Asiates?

— Ce sont eux qui déterminent la stratégie asiate. Une statégie d'une logique décousue. Et nous nous battons contre cette stratégie, comme des aveugles, sans rien comprendre...

— Eux non plus, déclara Jinik, tout à coup. Oui, tu m'as donné une idée. Eux aussi, ils agissent à l'aveuglette. Ils ne pourraient pas faire autrement. Oh! Mino et Val s'amusent sans doute beaucoup, et Bolorta aussi. Mais... Oui, oui, je crois qu'on peut vous aider.

François la dévisagea, intensément. Enfin!

— Les tests étaient stupides, dit Jinik. Ils ont été conçus stupidement. Les Américains voulaient découvrir quel genre de conseils nos camarades pouvaient donner aux Asiates pour gagner la guerre. Ils croyaient pouvoir y trouver des schémas culturels par-delà les initiatives individuelles. Mais notre logique est la même que la vôtre. Nos camarades ne s'intéressent pas du tout à vos guerres. Ils veulent nous rejoindre, c'est tout.

François sirota son café, l'esprit libéré. Les tests n'avaient rien donné parce qu'on prétendait, malgré les dénégations des Extra-terrestres, que leurs camarades aidaient les Asiates. Mais s'ils se *servaient* d'eux, tout s'expliquait.

— Jinik a raison, opina Vlakoda. Mais là, nous avons un problème.

— Un problème, et sa solution, fit François. Si on connaît l'objectif et les moyens, on peut y trouver un ordre. Mes chers amis, vous venez de nous donner là le plus précieux des cadeaux du Nouvel An.

Le mercredi 6 janvier 2044

La base scientifique asiate, au sud de la côte de George V, connaissait un moment de répit après plusieurs journées de mauvais temps. Des vents de deux cents kilomètres par heure l'avaient longuement fouettée, en la recouvrant de la neige dure ramassée sur les plaines antarctiques. Une douzaine de soldats s'étaient mis à la tâche pour déblayer les abords des immeubles. Mais pour combien de temps? D'après les experts, d'autres tempêtes se succéderaient jusqu'à la fin du mois.

On ne pouvait pas blâmer le professeur Quiroga de l'affollement météorologique. Cette région du monde n'était jamais propice à des séjours prolongés, mais la période de novembre à avril demeurait la plus démente. José Quiroga, de toute façon, ne s'intéressait guère à ces questions, si loin de la magnétosphère! Les résultats de ses expériences le comblaient: il avait réussi, à plusieurs reprises, à attirer de violentes décharges électriques sur ses ondes spatiales, qui agissaient à la façon de paratonnerres. C'était un début, un beau début. Il passait des heures à étudier les cartes magnétiques. Ayant les moyens d'utiliser les masses d'électrons sur un pôle pour attirer celles qui se trouvaient au-dessus de l'autre, il lui fallait contrôler la direction des vents polaires.

Il restait tellement à faire! Le but, qui était de capter cette énergie et la rendre utilisable, demeurait si lointain! Il ne pouvait même pas se rapprocher du pôle Sud magnétique en terre

Adélie, la bureaucratie française ayant décidé de retenir la requête asiate «pour étude supplémentaire». Et les crédits de Valine, qui menaçaient de s'épuiser! Le président Moljoïkan lui-même commençait à s'intéresser à ses expériences, en soulevant la question des risques qu'elles faisaient courir à la Terre entière. Bien sûr, il y aurait des bouleversements climatiques, des inondations, des réajustements à faire... Est-ce que cela comptait, devant l'objectif poursuivi? Et on lui demandait d'interrompre ses travaux, pour aller défendre lui-même son dossier à Tachkent!

Il attendait, en maugréant, l'avion qui venait le chercher en profitant de l'accalmie.

Val, Fladia et Mino ne partageaient pas sa mauvaise humeur. Pour eux, c'était un jour de fête, après un mois fort éprouvant. D'un côté, ils avaient dû se séparer à plusieurs reprises, afin de mener à bien leurs missions respectives. Chaque jour, ils s'étaient levés avec la crainte d'une guerre généralisée qui, en paralysant les communications, les aurait isolés les uns des autres. De l'autre côté, malgré l'efficacité des services asiates en charge de leurs déplacements, leurs multiples voyages avaient grugé leur résistance.

On leur avait accordé quinze jours de repos en climat froid, pour les remettre d'aplomb. Dans une heure ou deux, Bolorta les rejoindrait enfin. Dehors, en regardant les soldats chargés du déblaiement de la neige, ils se racontaient des anecdotes de leurs voyages.

— J'ai vraiment trouvé Wakasondo intéressant, dit Val. C'est le seul qui a trouvé normal, tout à fait normal, de rencontrer... une Extra-terrestre, comme ils disent. Quel regard! Il m'a surtout demandé si je pensais que la justice entraîne la paix, ou si la paix amène la justice.

— Qu'est-ce que tu lui as dit? demanda Fladia.

Elle aurait beaucoup aimé rencontrer Wakasondo, mais elle s'était désistée en faveur de Val après avoir constaté, à la suite de divers tests, qu'elle ne supporterait pas un climat tropical, même pas pour quelques jours.

— Je lui ai dit que la justice est une forêt qui pousse sur une terre de paix. Les arbres ne poussent pas sur une terre troublée, mais la terre ne se stabilise que lorsque les racines des arbres la retiennent. Ils sont vraiment drôles, les humains. Ils veulent tout dissocier, pour analyser chaque élément, sans comprendre que tout s'interpénètre et se tient. Je l'ai quand même rassuré en lui disant que sur Chumoï, nous avons toujours vécu dans la paix et dans la justice, et que son action était bonne. Je l'ai encouragé à se rendre à Lagos.

— Je lui souhaite bonne chance, fit Mino. Quel coin sauvage! Oh! c'est impressionnant, et très beau! Mais les gens! J'ai rencontré notre prophète, qui tient à nous faire passer pour des dieux. J'ai toujours répondu à côté de ses questions, et il s'en est fait un livre sacré. Je l'ai incité à annoncer la bonne nouvelle chez les musulmans du Nord. J'avoue que je trouve cela amusant, d'aviver ces batailles de singes.

Des dizaines de conflits religieux mettaient aux prises, depuis lors, les Maghrébins avec les Magérians, en compliquant d'une guerre sainte les tensions politiques.

— Moi, j'ai surtout aimé les Andes, raconta Fladia. J'ai réussi à convaincre Duarte de lancer la grève générale de solidarité dont il rêve depuis des années, semble-t-il. Mais j'ai aussi encouragé des chefs indiens à prendre le contrôle du mouvement en prétendant que nos ancêtres, depuis l'époque de Nazca, avaient une entente d'appui mutuel avec les leurs. Dire que Duarte voulait coucher avec moi!

Elle secoua la tête, encore ahurie, presque incrédule.

— Tu as refusé?

— Je n'ai pas de goût pour les Terriens. Ils me semblent... malades.

Val lui adressa un regard très tendre.

— Ils ne sont pas si mal que ça, dit-elle. J'ai fait l'amour avec un prince saoudien, pour l'encourager à financer un soulèvement intégriste en Éthiopie. C'était agréable. Nos amis asiates sont très pudiques, mais ils ne m'ont pas empêchée d'utiliser cette tactique à trois reprises.

Fladia la regarda, époustouflée: elle n'avait pas eu peur?

— Je suis trop curieuse, tu le sais bien.

Val évoqua quelques doux souvenirs. Les façons dont les mâles et les femelles de la Terre s'approchaient les uns des autres l'étonnaient encore, mais elle avait apprécié le résultat.

— J'ai aussi essayé quelques Terriennes, avoua Mino. À Calcutta, à Bangkok, à Vientiane, à Surabaya... Elles sont beaucoup plus compliquées que nous, mais c'est souvent exquis. Elles utilisent... tout leur corps... C'est étrange.

— Je me demande ce que nous racontera Bolorta, fit Val, en montrant l'horizon, ou plutôt ce qui devait l'être, car on ne distinguait pas vraiment de ligne entre la blancheur du ciel et celle de la plaine enneigée.

L'avion n'était encore qu'un point noir. Mais il s'agissait nécessairement de celui qu'ils attendaient, puisque jamais personne ne s'aventurait sans raison dans ces terres dangereuses.

Tout à coup, deux de leurs interprètes arrivèrent en courant.

— Vite, vite! Rentrez!

À l'intérieur, des discussions inquiètes troublaient le calme discipliné des techniciens et des officiers. Comme tout se déroulait en russe, les Extra-terrestres n'y comprenaient rien, à l'exception de Val, qui parvenait à saisir quelques mots au passage.

On venait tout juste de recevoir un message chiffré. Le commandant de la base avait l'ordre de camoufler les installations — en cinq minutes? — et de s'y barricader. Par contre, le pilote de l'avion annonçait son atterrissage immédiat et demandait que les Extra-terrestres soient prêts à embarquer d'urgence, car la météo ne lui laissait que quelques minutes de répit.

Ce fut la grande dispute entre le commandant de la base, le général Bokoï, et Quiroga. Le général Bokoï voulait obéir au message chiffré, qui laissait entendre que l'avion représentait un danger grave. Quiroga, très heureux de la tournure des événements, prétendait qu'on avait décidé de le laisser à la base et d'emporter les visiteurs pour une nouvelle mission. Mais cela n'expliquait pas la raison du message, dont on essayait de confirmer la provenance, même si le chiffre asiate en garantissait l'authenticité.

— Vous voyez bien que c'est un de vos avions! s'écria le professeur.

L'image magnifiée sur l'écran de radar permettait de distinguer la silhouette de l'appareil.

— Ça peut être un avion ennemi. Les V-34 américains ressemblent à nos transporteurs. L'image n'est pas vraiment nette...

— Mais regardez-le de près! Les V-34 n'ont pas cette bosse sur le fuselage. C'est un DM, c'est *le* DM!

Ils s'approchèrent de la fenêtre. L'avion venait de se poser sur la piste temporaire. En dépit de la faible visibilité, le commandant se rendit à l'évidence: les V-34 prenaient plus de temps à freiner.

La voix du pilote retentit dans le moniteur:

— Mais qu'est-ce que vous attendez? Nous commençons le débarquement. Qu'on vienne donc nous aider, et vite!

— Mon équipement! s'écria Quiroga. Mais allez-y, commandant! Ils risquent de repartir avec!

Le commandant lança un juron. Les instruments du professeur l'intéressaient moins que les ravitaillements. Soudain, calmé, il donna des instructions à deux de ses adjoints, puis ordonna aux autres de procéder au débarquement de la marchandise. Six véhicules à chenilles se dirigèrent vers l'avion. Le général Bokoï prit des jumelles, gagné par une préoccupation croissante.

246

— Je n'aime pas ça, fit-il, en observant les membres de l'équipage, qui descendaient de l'avion. Ce sont des Afghans.

— Et alors? Les Afghans sont aussi Asiates, et ils sont vos meilleurs pilotes.

— Oui. Mais ceux-ci sont *tous* Afghans.

Le commandant ordonna l'évacuation immédiate de Quiroga et des trois Extra-terrestres. L'avion de secours les déposerait sur la côte, dans un port temporaire aménagé à l'intention de la flotte asiate. Presque aussitôt, six Afghans atteignaient la porte blindée. Le commandant les somma de s'identifier.

— Nous n'avons pas le temps!

La porte céda sous le tir. Le général Bokoï lança une une contre-attaque. Quiroga, Mino et Fladia, entraînés par des soldats, montaient déjà dans l'avion. Ceux qui entouraient Val s'écroulèrent. Deux hommes s'emparèrent de la jeune femme. Dans l'immeuble, le crépitement de balles avait cessé. Bokoï, blessé à la cuisse, grimaça un sourire et montra au chef afghan l'avion de secours qui décollait.

— Ça ne fait rien, dit l'Afghan. Deux sur quatre...

— Vous ne sortirez pas d'ici. Vos moteurs... sont hors d'usage...

L'Afghan haussa les épaules et sortit. Les soldats asiates, désarmés, avaient été conduits sur la piste.

— Les salauds ont sabordé le moteur! cria un des assaillants.

— C'était prévu, fit le chef. Rassemblement!

Huit hommes, dont deux blessés, et Val, qui n'y comprenait rien, remontèrent dans l'avion. Tout à coup, l'un de ceux qui étaient restés à bord montra l'écran du radar. Sept avions sans doute des chasseurs, entouraient la base. Le chef afghan haussa encore les épaules.

— Cela aussi était prévu. Nous avons eu de la chance, nous en avons, et nous en aurons.

247

Il s'engagea dans le ventre énorme du transporteur. Une écoutille s'ouvrit au centre de la soute. Une femme leur fit signe de venir. Ils descendirent dans la fusée de sauvetage. Là, Val écarquilla les yeux en reconnaissant Bolorta.

— Toi! Toi, ici! Mais que se passe-t-il?

— Je ne le sais pas. Mais je ne crois pas que nous soyons en danger. Eux, au moins, ils savent ce qu'ils font.

Bolorta lui expliqua tout. Il attendait, sur le pont d'un navire, au large de l'île de Pâques, l'arrivée du transporteur. Un avion inconnu avait lancé un appel de détresse. On lui avait permis d'atterrir sur le navire. Le commando, en profitant de la surprise, avait pris possession du pont, en bloquant les entrées et en occupant la cabine de contrôle.

— Il y a eu plusieurs morts, mais ces types-là semblaient s'amuser. Ensuite, le transporteur a atterri sur le pont. Encore de la bagarre. Et puis nous sommes montés, et nous voilà.

Un homme les invita à boucler les ceintures de sécurité. La fusée décolla brusquement. Quinze minutes plus tard, elle dépassait la côte, après avoir semé ses poursuivants. Elle se dirigeait maintenant vers les îles Balleny.

Deux avions s'approchèrent, menaçants, en projetant des rayons lumineux. Aussitôt, la fusée piqua du nez. Deux minutes plus tard, elle s'enfonçait dans la mer.

Le dimanche 10 janvier

Maya, mélancolique, regardait la capsule spatiale s'élever dans les airs. Vlakoda lui serra le poignet. Comprenait-il ses sentiments, ou voulait-il lui faire partager son enthousiasme face au succès de l'expérience? Francine ne craignait pas de manifester sa joie:

— Ça marche! Ça marche!

Arthur McKeen exultait. Encore une réussite, dans une carrière qui n'en manquait pas! À l'occasion, il laissait croire qu'il avait volontairement cédé à François Leblanc le rôle d'agent de liaison afin de se consacrer à la coordination de dossiers plus substantiels. Celui-là, il l'avait lui-même conçu, à partir d'une simple remarque de Karen Price; il l'avait piloté, et il l'avait mené à terme, en bousculant la planification de la recherche aérospatiale américaine.

— C'est un grand jour, déclara-t-il. La plus grande victoire de notre technologie!

Il exagérait, bien sûr. Mais il avait tellement fondé ses requêtes de crédits, et surtout de temps, sur cette splendide démonstration des capacités techniques américaines! En quatre mois, les services de l'agence spatiale avaient réussi à fabriquer une reproduction parfaite du vaisseau des Extraterrestres, à l'exception de la voie d'accès. On avait copié les équipements sans les affecter, sans les démonter, sans même connaître les bases théoriques de leur fonctionnement. Grâce à des analyses minutieuses par spectrographie, par échoscopie, par radiologie, par bilatérisation, on avait décomposé chaque instrument et on en avait produit la réplique exacte.

Et l'engin avait décollé! Il y avait de quoi jubiler, mais Maya se sentait le cœur gros. Garou, Jinik, François et une douzaine de spécialistes avaient pris place dans le vaisseau, tandis que les autres suivaient l'expérience depuis la salle de contrôle.

— Que c'est beau! murmura Francine, en regardant la sphère parfaite qui scintillait dans le ciel bleu.

Comment Maya aurait-elle pu apprécier cet exploit? L'expérience démontrait surtout que le vaisseau original pourrait aussi repartir en direction de Chumoï. Elle et ses camarades étaient arrivés deux jours plus tôt à Cap Canaveral, remis d'aplomb par leur séjour à Inowa. Ils étaient depuis longtemps au courant du projet, mais ne s'attendaient guère à un résultat aussi parfait. Malgré les améliorations qu'il fallait encore apporter à l'alliage principal de la carcasse, qui n'avait pas l'élasticité de l'original, le vaisseau ressemblait à s'y méprendre à l'astronef des Extra-terrestres.

— En effet, dit Vlakoda, en tchouhio, il est triste de constater que notre départ fait désormais partie des possibilités. J'aime bien la Terre, tu sais.

Il avait compris. Mais jusqu'à quel point? Le départ de Garou ne serait pas quelque chose de triste mais d'horrible, comme une amputation majeure.

L'un des moniteurs montrait la position de l'engin par rapport à la courbe prévue. Il se trouvait déjà à quatre mille mètres d'altitude, et devait atteindre les dix kilomètres avant de redescendre. Un autre moniteur montrait Jinik et Garou assis devant le tableau de bord, très à l'aise, émerveillés de la qualité du travail accompli par les techniciens de l'agence spatiale. Francine et McKeen revêtirent des casques émetteur-récepteur, qui permettaient de communiquer avec l'astronef.

— Alors, là-haut, vous vous amusez bien? dit Francine.

— Tu parles! répondit François. Tout fonctionne comme prévu. Même les senseurs. Nous voyons à l'extérieur comme si on avait des fenêtres.

— Avez-vous trouvé pourquoi le vaisseau s'est échoué?

— Une panne temporaire, ou un caprice des aurores boréales. Sur le plan mécanique, tout a l'air irréprochable.

— Félicitations à tous! lança McKeen. Il est temps d'aborder la phase deux.

Le vaisseau commença à se déplacer latéralement. Il effectua quelques mouvements de montée et de descente, en suivant les étapes du plan de vol.

— Excellente maniabilité, commenta François. C'est tellement tranquille, ici! On se croirait en montgolfière.

Sur l'écran cathodique, le point rouge qui représentait le vaisseau se déplaçait sur les lignes vertes du programme. Vlakoda se tourna vers Maya.

— C'est vraiment impressionnant. Mais tu ne devrais pas encore t'inquiéter.

Comment rester placide lorsqu'on la confrontait avec l'avenir précaire de son amour?

— Nous ne partirons jamais sans nos compagnons, expliqua Vlakoda.

Ce n'était là qu'un sursis. Elle songeait aux récents événements sur la côte de George V. On n'avait que des renseignements confus sur le sort des quatre Extra-terrestres. Étaient-ils morts ou en fuite? S'ils avaient pu échapper aux Asiates, comment rejoindraient-ils leurs camarades? Vlakoda lui serra l'épaule, amicalement.

— Vous autres, les Terriens, vous êtes si peu réalistes! Vous pensez toujours à autre chose qu'au présent. Vous évoquez le passé pour regretter que telle chose ait eu lieu ou pas, et vous songez à l'avenir en craignant tel événement ou en vous rongeant les doigts parce que tel autre n'arrive pas assez vite. Que de difficultés à vous accommoder de ce qui est! Mais je t'aime bien, Maya. Incompréhensible et tout, tu me plais toujours.

Elle sourit. Malgré leur séjour prolongé, les Extra-terrestres éprouvaient bien des difficultés à comprendre les méandres de l'amour humain. Ainsi, on pouvait avoir du mal à comprendre le sens de l'honneur des samouraïs, l'excès de pudeur des musulmans de jadis, le fanatisme sectaire de tant d'Églises disparues, l'importance accordée aux opinions politiques, les ajustements à tant de systèmes discriminatoires.

De temps en temps, sans forcer la note, Vlakoda lui rappelait qu'elle avait été, pour lui, la première Terrienne désirable. Il ajoutait parfois qu'il la trouvait toujours à son goût. Un jour qu'elle se sentait de très bonne humeur, elle avait poussé les allusions plus loin et lui avait carrément demandé si elle devait coucher avec lui, puisqu'il la désirait et qu'elle le trouvait bien gentil et agréable. Il avait dit qu'une femme de Chumoï n'aurait pas hésité, dans de telles circonstances. Mais Garou? Oh! il n'aurait vu là rien de répréhensible. Cependant, avait précisé Vlakoda, si elle avait eu la moindre hésitation, même une femme de Chumoï se serait retenue. «Eh bien! avait-elle dit, moi, j'hésite.» Il n'avait été nullement offusqué: «Alors, tu ne dois pas le faire. Il ne faut jamais se forcer dans ce domaine, ni forcer les autres.»

Elle aimait beaucoup cette attitude tranquille. La vitalité gourmande de Vlakoda la séduisait moins que celle, profonde et parfois taciturne, de Garou. Et puis, il n'y avait pas là matière à s'interroger. L'attrait qu'on éprouve pour des êtres et non pour d'autres est absolument gratuit.

Le vaisseau avait atteint huit mille deux cents mètres.

— J'espère qu'ils pourront redescendre, murmura Francine.

Maya frissonna: et s'ils ne le pouvaient pas?

— Eh bien! fit Vlakoda, en souriant, ils s'envoleront tous vers Chumoï Je ne me fais aucun souci pour François: il est très adapté à nos mœurs. Il sera très à l'aise chez nous.

Il blaguait, mais Maya, qui n'avait pas le cœur à rire, ne pouvait s'empêcher de songer à un accident.

— Mais j'aurais dû monter et laisser Garou sur la Terre, ajouta Vlakoda. Lui, il est beaucoup plus adapté que moi aux Terriens.

Il regarda Maya, un éclat de malice dans les yeux, et précisa :

— Non : c'est à toi qu'il s'est adapté.

Un élan de bonheur se mêla aux bouffées d'anxiété qui secouaient la jeune femme.

— Tiens, ils ne montent plus, remarqua Vlakoda.

— François, s'écria Francine, qui avait gardé son casque, que se passe-t-il ?

— Un petit problème. On y travaille.

La nef refusait de s'élever davantage.

Et elle se mit à descendre.

— Prête-moi ton casque, fit Maya. Je veux parler à Garou.

— Non, décida McKeen. Il ne faut pas les déranger. C'est une opération délicate.

Maya se cabra à l'idée qu'un contact avec Garou puisse être qualifié de «dérangement». Mais Arthur avait raison. Angoissée, elle regarda le point rouge qui chutait le long de la ligne verte. On voyait maintenant l'engin à l'œil nu. Sur le moniteur, l'altimètre indiquait trois mille mètres, deux mille mètres, mille cinq cents, mille deux cents...

Arthur McKeen donna le signal d'alerte. On avait prévu des mesures pour rescaper les astronautes s'ils tombaient en haute mer, bien que d'après les Extra-terrestres, leur vaisseau pouvait se manœuvrer comme un sous-marin. S'ils s'écrasaient sur la terre ferme, il fallait surtout se fier à la chance.

— Essayez de vous éloigner de la côte, lança Arthur.

253

— Ça va, ça va, répondit François, avec une nonchalance incongrue.

— Tu vois? remarqua Vlakoda. Il est calme, lui. Regarde les autres.

On voyait, sur l'écran, les visages de Garou et de Jinik, qui s'occupaient paisiblement des instruments. Les spécialistes, par contre, paraissaient tendus.

— Je vais te confier un secret, fit Vlakoda, toujours en tchouhio. Nous aimons passionnément la vie, mais la mort ne nous dérange pas. Nous avons une grande facilité à accepter l'irrémédiable.

C'était un commentaire atroce à faire, dans l'état où se trouvait Maya. Mais elle le reçut comme un coup de bistouri qui crève enfin un abcès douloureux.

— Ce n'est pas irrémédiable. J'ai confiance.

— La confiance, c'est encore l'avenir, insista Vlakoda. Essaie de rester dans la réalité.

— Oui, fit-elle, en reprenant son souffle.

Le vaisseau se trouvait maintenant à quatre cents mètres de hauteur.

— Ça va très bien, annonça François. Nous avons repris le contrôle. Les freins fonctionnent. Nous avons trouvé la raison de l'accident.

Il parlait du naufrage du 20 avril, sur l'île Ellef Ringnes. Vladoka montra du doigt, sur l'écran, les points critiques de l'évolution de l'astronef.

— L'accélérateur est défectueux, expliqua-t-il. On règle mal l'intensification de l'énergie magnétique. Malheureusement, Bolorta est peut-être le seul à pouvoir le réparer. Lui, ou Fladia.

Le vaisseau venait de se poser sur l'aire d'atterrissage. Maya sourit, radieuse: le départ des Extra-terrestres n'était pas pour demain. Et elle se rendit à la rencontre de Garou.

Le mardi 12 janvier

— Ne vous préoccupez pas, madame Irving. J'ai promis de vous aider. Mes amis ont dit : après le déjeuner.

La directrice des services de renseignements promenait sa langue contre ses dents. Ce petit tic nerveux l'aidait à garder son calme. Prix Nobel de biochimie, le docteur Chazad avait laissé de côté une carrière scientifique exceptionnelle pour assumer la direction du bureau afghan d'information à Washington, qui finançait des colloques, des projets de recherche et des publications sur la civilisation afghane depuis l'antiquité jusqu'à l'époque contemporaine. Personne ne mettait en doute l'importance du bureau parmi les sociétés savantes. Son sceau apparaissait sur des traités d'histoire, des albums d'art, des études sociologiques, et leur donnait une respectabilité indiscutée.

— Mais avez-vous des nouvelles de... vos amis?

— Je ne les connais pas, madame. Je ne suis pas en contact avec eux. Mais on m'a fait savoir que tout se passait bien.

Cynthia Irving avait pris bien des risques en s'abouchant avec Chazad. Ce dernier attachait la plus haute importance au respect de la légalité. Jamais, malgré des enquêtes très serrées, on n'avait réussi à établir le moindre lien entre le bureau afghan et des commandos. Maintenant que l'attaque contre l'établissement asiate en terre antarctique faisait l'objet d'une

255

plainte formelle devant le Conseil de sécurité, Chazad avait une raison de plus de nier toute relation avec les groupes terroristes. Il avait accepté de servir d'intermédiaire, de recevoir et de transmettre des messages, sans se départir de sa neutralité. Cynthia Irving ne parviendrait jamais à l'incriminer, et elle ne le souhaitait pas. L'opération avait coûté vingt millions de dollars plus l'emprunt d'un sous-marin, sans que les Américains aient eu accès au commando fantôme qui se servait du bureau comme boîte aux lettres.

— J'en profite pour vous remercier des mesures additionnelles de protection que vous avez prises à notre intention.

— C'était prudent. Les Asiates sont de très mauvaise humeur.

En resserrant la surveillance, Mme Irving avait surtout essayé de faire un coup double en mettant la main sur le commando, une fois son travail fini. Chazad lui répéta de ne pas s'inquiéter, et Cynthia raccrocha. Quel homme étrange! On l'appelait «le docteur». Citoyen américain, né à Boston, il s'était tout à coup passionné pour ses origines et avait choisi de consacrer le reste de sa vie à la promotion des choses afghanes. Il avait toujours refusé de faire le moindre commentaire sur les questions politiques, comme s'il n'avait que des intérêts intellectuels en la matière. La multiplicité de ses contacts en faisait un allié précieux, même si Cynthia Irving le soupçonnait d'aider parfois ses compatriotes à planifier des coups de force.

Avait-il trempé dans celui-ci? L'ambassadeur asiate avait formellement accusé les autorités américaines d'avoir été les instigatrices de l'attaque d'une base scientifique située en territoire neutre et démilitarisé. Le gouvernement de Tachkent avait ajouté à l'émoi général en annonçant que l'opération avait entraîné la mort de deux Extra-terrestres, perdus en mer, et avait décrété une journée de deuil au nom de l'humanité.

Deux jours plus tôt, Mme Irving avait été convoquée chez le président. Hamed Collinson était bien embêté. Les Extra-terrestres avient-ils disparu ou avaient-ils été rescapés par le sous-marin? Dans le premier cas, l'enlèvement aurait été un fiasco, même si on avait privé les Asiates de l'appui logistique de deux Extra-terrestres sur quatre. Dans le second cas, on devrait cacher leur présence au monde entier, pour ne pas s'exposer à une accusation de complicité dans une manœuvre hautement illégale.

Vingt minutes plus tard, on annonçait à Cynthia Irving l'arrivée de ses visiteurs et la réception d'un message secret en provenance d'Ushuaia. Le chiffre spécial l'obligeait à se rendre au centre de communications. Elle apprit alors que le sous-marin *San Diego*, disparu huit jours plus tôt à Valparaiso, où il subissait des réparations mineures, venait d'être retrouvé, échoué sur la côte, à l'entrée du canal de Beagle. Elle ordonna aussitôt de mettre fin aux recherches et d'abandonner l'action en cour intentée contre les autorités du port, accusées de négligence.

— Ce n'est pas tout, John. Quand la troisième flotte prendra possession du *San Diego,* demain matin au plus tard, vous annoncerez que les chaloupes de sauvetage ne se trouvent pas à bord du sous-marin et vous lancerez un appel général pour qu'on procède à la recherche des naufragés en haute mer. Il faudra faire vite. Personne ne peut survivre plus de quelques jours dans ces latitudes. Autre chose : les directives et les communiqués doivent émaner du secrétariat de la Défense, pas de nous.

Elle regagna son bureau, suivie de John Calmers, son adjoint principal. Elle avait invité Arthur McKeen, François Leblanc, Jinik, Vlakoda, et Garou pour faire part à ces derniers des événements qui avaient provoqué la disparition de deux de leurs camarades.

— Le président Collinson s'est engagé, le jour même de votre arrivée dans notre pays, à tout mettre en œuvre pour vous réunir avec vos compagnons. Les autorités asiates n'ont pas jugé bon de donner suite à nos représentations. Comme nous savions que vos amis ne se trouvaient plus en territoire asiate, nous avons lancé un appel à toutes les personnes de bonne volonté et à tous les gouvernements respectueux des lois internationales pour assurer votre réunification.

— Mais il s'agissait d'une attaque afghane, interrompit Jinik. Les Asiates sont davantage victimes que coupables.

— Je n'écarte pas la possibilité que les Afghans, toujours en quête de publicité, aient vu là une occasion de se signaler. Je regrette que les Asiates n'aient pas pu mieux assurer la sécurité de leur base.

— L'Antarctique est démilitarisé, rappela Garou.

— Je vous avouerai autre chose, fit Mme Irving. Notre politique nous interdit de négocier avec des terroristes qui, vous vous en souvenez, n'ont pas hésité à s'attaquer à notre président lui-même. Cependant, nous avons discrètement fait savoir que nous consentirions à faire un geste exceptionnel —le paiement d'une rançon, ou la remise de peine de quelques détenus afghans — si le commando en question consentait à libérer vos camarades.

— S'ils sont en vie, dit Jinik.

— Nous n'avons aucune raison de croire qu'ils ne le sont pas.

La sonnerie du terminal retentit. Cynthia Irving fronça les sourcils: elle ne devait être dérangée qu'en cas de raison grave. On lui annonçait l'arrivée d'un colis contenant de la documentation sur «la contribution afghane à l'avancement de l'humanité», de la part du docteur Chazad. Elle s'attendait à autre chose qu'un colis, mais elle demanda qu'on le lui livre immédiatement. Cinq minutes plus tard, quatre porteurs déposaient dans le bureau une malle aux dimensions respectables. Cynthia comprit. Elle arbora un sourire énigmatique pendant qu'on relâchait les crampons qui retenaient le couvercle.

Val se redressa, en étirant ses membres. En apercevant ses trois camarades, elle éclata de rire, émue. On n'entendit alors que du tchouhio dans le bureau. Enfin, Cynthia Irving fit sortir les porteurs médusés puis souhaita la bienvenue à la visiteuse. Val ne comprenait pas l'anglais, mais Jinik se chargea de la traduction. La nouvelle venue décrivit alors l'attaque afghane, ses retrouvailles avec Bolorta, la chute de la fusée de secours, sa rencontre avec le sous-marin, qui s'était ensuite engagé dans le détroit de Drake pour remonter jusqu'aux côtes du Brésil.

— Là, nous avons été transférés sur une vedette qui nous a conduits près de Recife. Après deux jours de repos, on m'a emmenée en avion jusqu'au sud du Mexique, et par voie de terre jusqu'ici. Je n'ai passé que deux heures dans cette caisse. Tout s'est si bien déroulé! Ce n'était pas trop inconfortable.

— Et Bolorta?

Il devait quitter Recife hier matin. Les Afghans sont des gens passionnants. Bolorta s'entend très bien avec eux. Ils sont tellement ingénieux! Et avec tant de bonne humeur!

Cynthia Irving serra les dents. Avec la complicité d'un Extra-terrestre, les commandos deviendraient encore plus imprévisibles et redoutables.

— Madame Val, dit-elle, je vais vous demander une chose. La version des événements sera la suivante: l'avarie du *San Diego,* pour laquelle il se faisait réparer à Valparaiso, s'est aggravée durant le voyage; vous avez tous abandonné le sous-marin; grâce à votre constitution, à votre habileté à supporter les grands froids, vous avez survécu à la mort des autres naufragés; un navire américain de la troisième flotte vous a recueillie; votre compagnon, Bolorta, a été perdu de vue, mais nous avons de bonnes raisons de croire qu'il a été sauvé par un des navires de pêche qui circulent dans ces régions, et qui finira par mouiller dans un port chilien ou argentin. John, allez donc préparer un communiqué dans ce sens.

Ce scénario évitait de compromettre les autorités brésiliennes et mexicaines et protégeait les Afghans, garants de la sécurité de Bolorta. Calmers se retira. Cynthia Irving, que sa profession incitait à se méfier de tous, y compris ses collaborateurs, voulait réduire au minimum le nombre de gens au courant de la question.

259

— Monsieur McKeen, monsieur Leblanc, je compte sur vous pour expliquer à nos amis à quel point nous avons besoin de leur collaboration et de leur discrétion. Ce matin, il y a eu un soulèvement populaire à Istanbul. L'armée a refusé de le mater. Je vous prie d'en informer votre amie.

— C'était prévu, fit Val. L'empire ottoman...

— Oh, non! s'écria Mme Irving, en entendant ce mot.

— L'Union asiate a besoin d'une sortie sur la Méditerranée, expliqua Val.

— Mais vous jouez avec la carte du monde comme si rien n'était arrivé depuis des siècles!

Elle se calma. Il ne fallait surtout pas effaroucher la seule personne qui pouvait lui fournir des renseignements fiables sur la stratégie asiate. Elle fit venir du café, du thé, des jus, ce qui donna lieu à une pause bien soulageante.

— J'aimerais savoir, dit-elle enfin, à quoi riment toutes ces suggestions... déroutantes.

Val ne se fit pas prier.

— Nous avons remarqué que les pays de la Terre avaient pris l'habitude de s'allier ou de redevenir ennemis très facilement. Ceci, dans toutes les régions du monde, et depuis des siècles. Quand le maréchal Valine nous a consultés, nous lui avons fait part de nos réflexions.

— Vous avez donc décidé d'aider les Asiates...

— Oh! pas tout à fait: nous ne faisons que des suggestions. Nous rencontrons des gens, nous leur parlons... Au fond, nous aimerions bien que la Terre soit un seul pays.

Cynthia Irving avala sa salive sans quitter son sourire.

— Pour nous, dit-elle, ça fait une petite différence si la capitale se trouve à Tachkent ou à Washington. Et s'il faut passer par une guerre...

Ces distinctions semblaient surprendre Val.

— Mais il y a toujours eu des guerres! Qu'elles soient ici ou là... Vraiment, nous n'avons pas changé grand-chose à rien.

Cynthia se sentait désemparée devant autant de naïveté. C'était cela, jeter un regard frais, objectif et neutre sur les affaires terriennes? Faire de la stratégie politique et militaire comme on brasse une marinade, en se disant qu'au fond, on ne change pas les ingrédients?

— Et vous, cherchez-vous quelque chose pour vous, dans tout cela? Avez-vous un objectif à vous?

Jinik posa la question à Val. Celle-ci hésita. Les quatre visiteurs échangèrent quelques phrases en tchouhio. Val se laissa convaincre qu'elle se trouvait avec des amis.

— Notre but, c'était d'inspirer confiance à Valine, d'accroître notre liberté de mouvement, et d'entrer en contact avec nos camarades. Au début, nous voulions provoquer une situation qui aurait favorisé notre réunification. C'est-à-dire, une victoire asiate imminente qui vous aurait forcés à libérer nos compagnons. Mais c'est devenu très compliqué. Nous avons alors décidé de rendre la situation encore plus compliquée, et de convaincre Valine d'attaquer l'île Ellef Ringnes, en lui faisait croire qu'une fois en possession de notre vaisseau, nous pourrions intervenir directement dans la lutte. C'était encore vague, mais notre but, c'était de rencontrer nos camarades à la base Sir James Ross le 20 avril. Oui, dès le début, même avant notre naufrage, nous avions limité à un an notre séjour sur la Terre.

Mme Irving passait ces scénarios au crible, bien décidée à les contrer les uns après les autres. La complicité éventuelle entre Bolorta et les Afghans compliquait les possibilités. Mais chaque chose à la fois.

— Et pendant les trois mois qui restent?

Après une nouvelle consultation en tchouhio, Val répondit:

— Ça s'aggravera. Valine a offert des armes atomiques à Boloniuk, à Kiev. Comme Tarpov a refusé nos avances, nous déstabiliserons toute l'Europe, dans presque chaque pays. Le nouveau régime turc doit réclamer la neutralité du Caucase, en se retirant de la Communauté. Tarpov doit être kidnappé. Les Chicanos doivent réclamer l'autonomie du sud des États-Unis. L'Éthiopie revendiquera une partie du territoire soudanais, pour occuper les Égyptiens. Quoi encore? Wakasondo doit se rendre à Bélem pour gagner du terrain au Brésil. On a prévu une république basque. Les musulmans chinois doivent se rallier à l'Union asiate. Oh! il y a deux ou trois choses, en Asie du Sud et en Inde, mais c'est Mino et Bolorta qui s'en occupaient. Fladia a aussi concocté quelques scénarios avec les empires des Aztèques et des Incas.

Ahurie, Cynthia Irving suivait ces péripéties sur l'échiquier mondial qu'elle connaissait trop bien. Qui pourrait contrôler le chaos qui s'ensuivrait? Moljoïkan prenait des risques énormes.

— Oh! il n'a rien à faire dans cela. C'est une bonne personne, lui. Valine veut d'ailleurs s'en débarrasser. Oui, j'ai appris quelques mots de russe, avec le temps. J'ai entendu des conversations entre le maréchal et la générale Jogaï. Moljoïkan sera renversé d'ici deux mois.

— Mais Valine ne peut pas prendre le pouvoir! Il est russe.

Cynthia Irving s'arrêta. Ses services de renseignements lui avaient fait part de pourparlers, de voyages secrets, de séjours de Djan Jogaï à Rabat, à Marrakech, à Nouakchott...

— Golonov, n'est-ce pas? fit-elle. Vous avez songé à Golonov?

— Non, dit Val. Cela, c'était une idée du maréchal.

Le lundi 25 janvier

Valine faisait l'amour pour se calmer les nerfs. Plusieurs rabatteurs lui fournissaient régulièrement des adolescentes belles et intelligentes, que le maréchal récompensait généreusement en leur fournissant une maison familiale, l'accès aux meilleures universités, de menus cadeaux de circonstance. L'offre de partager quelques heures avec le héros légendaire de la guerre de l'indépendance suffisait généralement à les séduire. Celles qui refusaient n'étaient nullement harcelées. Le maréchal n'appréciait que des femmes consentantes.

Il avait passé la fin de la soirée précédente avec trois ravissantes jeunes filles, et s'était levé le cœur et le corps en paix. À huit heures et demie, il déjeunait avec la générale Jogaï. Elle aimait le voir ainsi, sûr de lui, le regard clair, son visage massif irradiant une volonté souveraine. Pour sa part, chaque mois de juin elle s'offrait des vacances de plaisir, en se choisissant une quinzaine d'amants parmi les jeunes soldats des garnisons de Balkhach, de Vladivostok, de Kaboul ou d'Irkoutsk. Le restant de l'année, elle ne voulait guère être dérangée et n'y pensait même pas: elle était à la disposition de Valine. Elle avait pris cette habitude depuis longtemps et s'en trouvait fort bien.

Ils passèrent en revue les derniers événements. On n'avait pas retrouvé la piste de Bolorta, mais Jogaï était persuadée qu'il ne se trouvait pas aux États-Unis. Même si elle n'avait pas réussi à placer de ses gens dans l'entourage de Cynthia Irving, elle faisait suivre de près les mouvements des Extra-terrestres. On lui aurait fait part de tout contact avec leur camarade perdu.

— C'est inquiétant. Si l'attaque de la base a été une opération afghano-américaine, la femme a servi de paiement partiel et ils retiennent Bolorta en échange d'une autre faveur.

— Ou pour s'en servir eux-mêmes. Si nous pouvions prouver l'existence d'une complicité entre les autorités américaines et les terroristes afghans, ce serait un très beau coup.

— Nous ne pourrons pas le prouver, Djan. Ils ont trop bien déguisé l'affaire, y compris le sauvetage de Val en haute mer, avec photographies à l'appui. Mais l'accusation suffira.

— Je m'en charge. Aux Nations unies?

— Non. Notre ambassadeur n'est pas fiable. Je convaincrai le président de traiter de ce dossier à son niveau.

Il avala une longue gorgée de café. Val lui avait toujours paru la plus intelligente du groupe. Sa perte l'affectait cependant moins que de l'imaginer en train de livrer aux services américains les renseignements dont elle disposait.

— Assurez-vous que les deux autres ne bougent pas de Khabarovsk. Et qu'on s'en occupe très bien. Il faut que nous soyons sûrs de leur appui, en cas de besoin. Et Golonov?

— J'ignore encore où il se trouve, mais je suis en contact avec lui par personne interposée. Je crois que lorsque nous nous serons entendus avec lui, il voudra en discuter personnellement avec vous. Il a gardé ses habitudes impériales.

— Je serai prêt à le rencontrer, dit Valine, en lui lançant le regard gourmand et autoritaire qu'elle connaissait bien.

— Nous avons... trois quarts d'heure, maréchal.

En sortant de la chambre à coucher, ils ressemblaient davantage à des amoureux épanouis qu'aux maîtres d'œuvre d'une guerre mondiale. En arrivant au palais présidentiel, leurs visages avaient changé: Valine affichait un air dur, calme, la puissance incarnée, alors que la générale irradiait la compétence militaire dans sa froide cruauté.

Dachi Moljoïkan avait convoqué un véritable conseil de guerre. Valine ne se sentait pas entre amis. D'une nomination à l'autre, Moljoïkan s'était entouré d'un cercle de fidèles parmi lesquels le maréchal se voyait de plus en plus isolé. Le président n'avait pas encore touché à l'armée. En tant que ministre de la Défense, il avait tenté de bouger quelques pions, mais Valine l'avait tout de suite arrêté. Les deux hommes jouaient une longue partie de go, en consolidant leurs positions sur le damier. Le maréchal tenait toujours fermement les commandes de l'armée. Sans son accord, les décisions du conseil n'avaient aucune chance d'être suivies.

Moljoïkan n'était pas insensible aux talents du maréchal et partageait une grande partie de ses vues. L'expansion de l'Union lui paraissait souhaitable, quoique pas aussi indispensable qu'à Valine. Il s'agissait d'une appréciation différente des risques. Prudent et foncièrement pacifique, Moljoïkan redoutait le dynamisme dangereux du maréchal; mais il était prêt à accepter les gains territoriaux que ce dernier pourrait lui apporter. Quand il songeait à Valine, il oscillait entre la méfiance et la fascination.

— Chers collègues, chers amis, nous faisons face aujourd'hui à une situation critique. J'ai dû prendre quelques décisions difficiles, dont je désire vous faire part pour recueillir vos avis, et particulièrement les vôtres, maréchal.

Ce style fatiguait singulièrement Valine, qui n'était pas dupe des flatteries venimeuses dont le couvrait son président.

— La Russie a fermé sa frontière à l'est, et Tarpov a commencé à entourer l'Ukraine. Il y a eu une recrudescence de propagande dirigée vers la Sibérie, pour rappeler aux mécontents que l'Oural ne nous a pas toujours séparés, mais a été la colonne vertébrale de l'Union soviétique. J'ai demandé au maréchal Valine de renforcer la sécurité dans toute cette région. J'au aussi décidé d'offrir aux autorités turques la démilitarisation de la mer Caspienne. Les Européens s'y opposent, car ils ne peuvent pas s'affaiblir sur ce flanc, surtout lorsque

Istanbul est encore plongé dans le chaos. Pour faire diversion, je signerai un traité d'assistance mutuelle avec Bagdad, en prenant note des revendications irakiennes concernant le réaménagement des frontières en Asie mineure.

Chacun émit ses vues sur la stratégie proposée par le président. Ensuite, Valine prit la parole.

— La situation s'est stabilisée sur le flanc mongol depuis que nous y avons disposé des missiles nucléaires. Il est temps d'élargir le terrain d'opération. Le nouveau Dalaï Lama est prêt à proclamer l'indépendance du Tibet, en profitant de la paralysie de l'armée chinoise. Dès qu'il le fera, nous lui accorderons notre appui, avec protection militaire.

— Ce serait très grave. Pour la première fois, nous occuperions un territoire de l'Alliance pacifique.

— Justement, Washington ne s'y attend guère. Il nous faut le Tibet , le Bangladesh et la Birmanie, pour mieux marchander un arrangement avec l'Inde. Celle-ci ne bougera pas contre nous, autrement on la fera éclater en dix morceaux. Il faut compléter la déstabilisation et passer à l'étape suivante, à l'instauration d'un nouvel équilibre. Je propose un coup d'audace, rapide et efficace.

— Vous oubliez les Z9, rappela le président.

— Ils sont inopérants, affirma Valine, comme s'il s'agissait d'une remarque naïve. Autrement, les Américains s'en seraient déjà servi. Monsieur le président, nous devons prendre ici une décision historique. Nous ne pouvons pas encore toucher à l'Asie du Sud-Est : cela indisposerait Djakarta. De plus, les Japonais y ont trop d'intérêts vitaux. Mais personne ne se portera à la défense du Tibet. Nous devons isoler l'Inde et affaiblir la Chine. La survie de l'Union asiate en dépend. Je peux accomplir cela en un mois.

La plupart des intervenants exprimèrent de la sympathie pour le projet du maréchal. Cartes à l'appui, en fournissant des détails convaincants sur les forces en présence dans la région, Djan Jogaï brossa un scénario des opérations. Il s'agissait d'un quitte ou double, mais l'enjeu était séduisant. Moljoïkan avait besoin d'y réfléchir. Il invita le maréchal à traiter de la situation en Afrique, en Amérique latine et dans le Pacifique-Sud, afin de gagner du temps.

La veille, l'ambassadeur asiate aux Nations unies, en qui il avait une confiance absolue, et qui participait à la réunion du conseil à titre exceptionnel, lui avait transmis en secret un message personnel du président américain. Hamed Collinson, étrangement, lui recommandait de ne pas indisposer le maréchal Valine, mais de lui laisser les coudées franches dans sa conduite des opérations militaires. Déconcerté, Moljoïkan avait appelé Collinson. Comme ses communications étaient sans doute interceptées par Valine, il avait pris prétexte de la situation en Turquie pour mettre son homologue en garde contre toute ingérence dans cette dispute régionale. Collinson avait répondu qu'il prenait note de son avertissement, et avait ajouté: «Quant à vous, Dachi, vous pouvez avancer, mais rappelez-vous que je serai là si jamais vous allez trop loin.»

Malgré son ton menaçant, cette remarque confirmait le message transmis par l'ambassadeur. Mais elle plaçait Moljoïkan devant un dilemme: Collinson évoquait-il un plan visant à éliminer Valine, ou lui tendait-il un piège à lui? Moljoïkan ne pouvait ignorer que l'affaiblissement de l'Union répondait aux intérêts américains.

Valine venait de finir son exposé, avec l'aide de Jogaï.

— Maréchal, fit le président, je suis très impressionné par votre projet. Mais je n'oublie pas une chose: en octobre, vous affirmiez que la guerre serait courte et décisive. Or, elle se prolonge. Nous avions cinq mille conseillers militaires à l'étranger. Aujourd'hui, nous y avons trois cent mille soldats, et la liste des morts et des blessés s'accroît chaque jour. Notre engagement commence à nous coûter cher.

— Il y a toujours un prix à payer, riposta le maréchal. Nos positions sont de plus en plus fortes, partout.

— J'en conviens. Mais les Américains ne se sont pas croisé les bras. Leurs positions aussi se sont raffermies.

Djan Jogaï jugea bon d'intervenir:

— C'est pourquoi il faut frapper maintenant! Avant que de nouveaux satellites stratégiques couvrent le ciel asiate! Avant que la barrière du Kansas soit mise en activité!

Valine écouta sa collaboratrice, et posa ses mains sur la table. On attendit, en silence. Il demanda un mois. Si dans un mois l'armée asiate ne contrôlait pas Lhassa, Dhaka et Rangoon, il présentait sa démission. Moljoïkan secoua la tête. Si Valine se voyait aux abois, il risquerait de frapper trop fort.

— Je refuse votre offre de démission: l'Union a trop besoin de vous. Je vous accorde trois mois, maréchal. Je me réserve le droit d'autoriser l'emploi d'armes nucléaires. Pour le reste, procédez comme vous le jugez bon, tout en me consultant. Par contre, je proposerai au président Collinson une rencontre au sommet afin de discuter d'une trêve.

Sur le plan stratégique, une telle diversion convenait au maréchal. De plus, ça lui donnait le temps d'arriver à un arrangement avec Golonov.

— Je vous remercie de votre confiance, monsieur le président. Je serai à la hauteur.

Le dimanche 14 février

— On a des nouvelles de Bolorta! annonça François.

Il s'agissait d'une capsule enregistrée, expédiée au bureau du docteur Chazad, transmise par ses soins à Cynthia Irving, qui en avait fait parvenir une copie à François Leblanc, à l'intention de tout le groupe. Ils se trouvaient à Inowa, après un périple qui les avait conduits à Mexico, à Kyoto, à Shanghaï, à Hanoï, à Yogyakarta, à Sydney et à Bora Bora. Malgré les réticences d'Arthur McKeen, François s'était encore une fois montré intransigeant: l'équipe avait besoin d'une semaine de congé total chaque mois, et Inowa leur offrait les meilleures chances de tranquillité.

Ils se rendirent tous à la section des communications, où le terminal du magnétoscope était relié à un grand écran. Les premières images présentaient une ville ensoleillée. François reconnut Bélem, sur l'Amazone. Le narrateur du reportage expliquait, en portugais, qu'on allait assister aux préparatifs du prochain carnaval. Après quelques prises de vue superbes, la caméra s'attarda sur divers groupes de danseurs. Il y avait plus de samba que de texte, et François n'avait pas de difficulté à offrir une traduction simultanée. Enfin, le narrateur s'attarda sur les déguisements des participants. Pour la première fois, mais il fallait s'y attendre, des fêtards s'étaient affublés en Extra-terrestres. Le film en montra une douzaine. Val et Vlakoda riaient aux éclats. Quelles mœurs étranges! Et qu'il était drôle de voir des Terriens aux masques verts danser la samba!

269

«Notre choix, poursuivit le narrateur, va à celui-ci. Il est le seul à porter des gants et à avoir déguisé ses yeux de Terrien. De plus, il danse merveilleusement bien. S'il est encore là le jour du carnaval, il remportera certainement le premier prix.»

— Mais c'est lui, lança Val. C'est Bolorta!

La caméra suivit pendant quelques minutes ce danseur qui se mêlait joyeusement à la cohue puis finit par se perdre dans la foule.

— Eh bien! commenta François, votre camarade ne s'ennuie pas. J'espère qu'il apprécie les Terriennes, car au Brésil, il a la crème de la crème.

— Les Terriennes ne lui déplaisent pas, fit Val. Mais d'où vient ce film?

— Je suppose que nos amis afghans ont voulu nous rassurer à son sujet.

François repassa le documentaire en marche arrière et l'immobilisa sur les gros plans de Bolorta. Aucun doute n'était possible. Val leur apprit que Bolorta baragouinait l'espagnol, grâce à la complicité de Quiroga, et qu'il devait communiquer avec les Afghans dans cette langue. François se dit que Cynthia Irving avait sans doute déjà alerté tous ses agents au Brésil. Mais les Afghans n'étaient pas bêtes, et ils n'auraient envoyé le reportage que si Bolorta avait déjà quitté la région. L'essentiel, c'était de le savoir en bonne santé. Ça leur faisait une autre raison de fêter : c'était, après tout, la Saint-Valentin, et le commandant Bourgault avait autorisé la tenue d'un dîner dansant.

Francine leur annonça une surprise. Ils la suivirent jusqu'à la pièce du bâtiment central où se trouvaient les jeux électroniques. La petite salle était plongée dans la pénombre. On avait disposé des coussins contre les murs. Quand ils furent tous confortablement installés, Francine prit la parole.

— Mes amis, mes plus qu'amis, mes frères, mes sœurs, mes plus que frères et sœurs, j'ai demandé au technicien de la base de nous assembler un spectacle de circonstance. Aujourd'hui, depuis un siècle ou deux, nous avons l'habitude de fêter les amoureux. Grâce à vous, l'amour humain a désormais une dimension toute nouvelle, et je voudrais fêter, ce 14 février, les merveilleux liens d'amour entre la Terre et Chumoï.

Elle appuya un bouton. Sur les quatre murs de la pièce, accompagnés d'une musique langoureuse et de bouffées de parfum, des images splendides commencèrent à évoquer l'amour terrestre. Des couples se fondaient dans des paysages romantiques, des œuvres artistiques, de la Vénus de Milo aux fresques érotiques de l'Inde, des femmes de Botticelli à celles de Bertrand, alternaient avec des scènes d'une superbe sensualité, des accouplements merveilleux, la gamme éblouissante des désirs et la tendresse des caresses accueillies.

— Ce n'est pas un spectacle, précisa Francine, mais une atmosphère dans laquelle je voulais vous dire que je vous aime tous.

Elle parlait avec entrain, avec légèreté, ce qui rendait ses propos infiniment émouvants.

— Vous savez, je suis très gênée, nous sommes très gênés des circonstances dans lesquelles nous vous avons reçus. Nous avons gâché le premier contact interplanétaire homologué. Vous veniez nous visiter, et nous vous avons engagés dans nos disputes. Mais si nous avons fait de vous, des fois malgré nous et parfois volontairement, nos complices dans nos conflits, nous vous avons aussi offert notre complicité dans l'amour. Tout n'est donc pas perdu, et j'espère qu'avec le temps, nos amours survivront au souvenir de nos guerres.

Francine s'arrêta. Des larmes lui coulaient des yeux. Jamais il ne lui était arrivé de parler de cette façon. Sans même voir les visages immobiles tournés vers elle, elle s'essuya les joues et ajouta:

— Je voudrais... je voudrais... Oh! et puis voilà: conformément à nos meilleurs usages, voici un témoignage d'affection de la Terre à ses invités.

Elle ouvrit une boîte et passa un petit paquet à Maya et à François, en gardant le troisième. Il s'agissait, évidemment, de cœurs en chocolat, enrobés de papier rouge. Francine donna le sien à Vlakoda:

— Veux-tu être... mon Valentin?

Et elle plongea le visage dans l'épaule de son ami, qui lui caressa les cheveux. Maya offrit son cadeau à Garou.

— C'est la formule consacrée, mon amour. Et je la dis de tout mon cœur: veux-tu être mon Valentin?

François tenait toujours son chocolat dans la main. Francine remarqua alors qu'elle n'avait rien prévu pour Val.

— Oh! j'ai gaffé, murmura-t-elle.

— Non, fit Jinik.

Elle prit le cœur que lui tendait François, le déballa, et le brisa en deux. Elle en offrit alors une moitié à Val.

— Je peux partager? demanda-t-elle à François. C'est... une habitude de Chumoï.

François sourit, et l'embrassa. Ensuite, il embrassa Val. Les deux autres couples échangèrent le baiser traditionnel.

— Vous savez, dit finalement Vlakoda, vous ne devez pas vous faire des soucis à cause de ces guerres. Nous sommes très heureux chez vous. Il y a... énormément de compensations.

— C'est tout à fait vrai, renchérit Val.

Elle regarda les images érotiques qui se succédaient doucement sur les murs, dans une chaleureuse expression de beauté humaine.

— Nous sommes venus un jour de vent et de pluie, et vous nous avez offert un accueil parfumé, ajouta Jinik.

— Et vous avez accepté d'établir avec nous les liens les plus chers, dit Garou. Nous sommes heureux avec vous, et nous sommes heureux grâce à vous.

François sourit. Il savait que Garou faisait allusion à son mariage secret avec Maya. Ils passèrent ainsi le reste de l'après-midi, en devisant de leurs amours et de leur séjour. Vers six heures, ils regagnèrent leurs appartements. Jinik invita Val et François à prendre un verre chez elle, avant le dîner.

— Francine est une fille merveilleuse, dit-elle. Nous avons été très touchés.

— Elle m'a surpris, avoua François, bien que rien en elle ne me surprenne. Elle a un cœur en or.

— C'est cela qui compte pour nous. Les événements, ce qui se passe un peu partout, ce n'est rien. Nous avons rencontré des gens splendides, depuis dix mois déjà!

— Moi aussi, dit Val. Nous regrettons tous ces tensions entre les Terriens, mais ça ne nous empêche pas de vous trouver beaux.

— Vous me réconfortez. Voyons s'il y a d'autres bonnes nouvelles.

Il régla le téléviseur au poste des informations, sans lever le volume. L'écran montrait des villes européennes, des paysages asiatiques, des rues arabes.

— Oh! je veux écouter cela, s'écria Val, tout à coup. C'est Wakasondo. Je l'ai rencontré. C'est un homme exceptionnel.

On voyait le vieux chef africain, au milieu d'une foule, les bras levés, dans un geste de bénédiction.

— Nous transmettons maintenant, en direct, l'arrivée de Wakasondo à Lagos. Le gouvernement du Magéria a annoncé qu'en signe de respect à l'endroit du saint homme, il suspendait toutes ses opérations militaires à l'extérieur comme à l'intérieur de ses frontières.

Le reporter se tut, pour qu'on puisse entendre Wakasondo, qui parlait en anglais:

— Mes frères, mes sœurs, mes enfants, à partir d'aujourd'hui, l'Afrique est votre maison, votre champ, votre jardin. L'Afrique est un seul pays. Bientôt, la Terre sera un seul pays.

Je veux que désormais la justice et la paix emplissent votre cœur.

Il poursuivit son discours en diverses langues africaines. Le reporter précisait qu'il s'adressait à la foule en bantou, en yoruba, en kiswahili, en ouolof, en peul, en zoulou. Quelques mots suffisaient, aussitôt noyés sous les acclamations.

Brusquement, un homme s'approcha de Wakasondo. Il cria: «Magéria!», sortit un revolver, et tira.

— Oh, non! murmura François.

La caméra prit un gros plan du vieil homme. La balle l'avait frappé sur le côté de la gorge, en sectionnant la carotide.

— C'est terrible, disait le reporter, décontenancé. C'est terrible. C'est terrible.

Wakasondo avança et posa ses deux mains sur les épaules de l'assassin sidéré. L'intensité de son regard faisait presque oublier le sang qui giclait de sa blessure.

— Je vous... aimais... tous... fit le vieillard, en français.

Il plia les genoux, et s'écroula. L'assassin leva le revolver, et se tira une balle dans la tempe.

— C'est terrible, dit Val. Pourquoi? Pourquoi? Un si grand homme...

— Comme Gandhi... comme tant d'autres... Jaurès, Lincoln, King... fit François, abattu.

Il songeait encore aux derniers mots de Wakasondo: «Je vous aimais tous.» Francine avait dit quelque chose de semblable, tout à l'heure.

Jinik lui posa la main sur l'épaule. Val ferma le téléviseur. Tous trois se regardèrent, en silence.

— La fête de l'amour... dit, François, amèrement.

— Un si grand homme... répéta Val. Pourquoi lui? Il apportait tellement...

François se redressa, accablé mais aussi décidé.

— Il faut... Il faut organiser votre départ. C'est trop moche. Et ça s'annonce de plus en plus mal. La Terre n'est pas bonne... Il y aura tellement de convulsions... Dès que Bolorta vous rejoindra, il pourra réparer l'accélérateur de l'astronef. Oh! si vous pouviez oublier cette planète!

— Jamais nous ne partirons sans nos camarades, lui rappela Jinik. Jamais. Et puis, il y a tellement de belles choses...

— De moins en moins, Jinik. C'est la fin...

Jinik lui adressa un regard soudainement très calme, dont François comprit la portée. Il ne fallait justement pas céder devant cet épisode barbare. En mourant, Wakasondo n'avait pas parlé de justice ni de paix, mais d'amour.

— Ce qui vous arrive est atroce, dit Val. Mais je crois qu'il faut, plus que jamais, affirmer autre chose: ce que vous appelez l'amour. Nous allons partager...

François la contempla, avec un sourire triste.

— Je ferai semblant d'avoir confiance, fit-il. Jusqu'au rendez-vous du 20 avril. Dans neuf semaines. Ce jour-là, il faudra partir. Ça ne vaut plus le coup...

Jinik le regarda, attendrie et encourageante.

— Neuf semaines, répéta-t-elle. Ça donne le temps...

François lui prit la main et l'embrassa. La paume de Val, sur sa nuque, semblait souligner la continuité de la vie, la permanence de la vie. Il leva la tête.

— Essayons donc de faire échec à l'horreur, tant que nous le pourrons.

Le jeudi 3 mars

L'avion privé du maréchal Valine atterrit à Zagora au début de l'après-midi. Accueilli par le gouverneur, sur ordre du palais royal, le maréchal se prêta aux cérémonies d'usage : un homme de son envergure ne pouvait aspirer à l'incognito. Il avait payé ses renseignements au prix fort : la remise de la dette encourue par les autorités marocaines pour l'achat de quinze avions militaires. Et encore, les Marocains n'avaient facilité sa rencontre avec Golonov qu'avec le consentement de ce dernier. Ainsi, ils ne sacrifiaient ni l'honneur ni les lois de l'hospitalité, tout en profitant amplement des circonstances.

— On m'a dit que vous aimez le désert, maréchal. La palmeraie de Ziguilit est un joyau méconnu. La nuit que vous y passerez vous laissera un souvenir inoubliable.

Ziguilit. C'était la première fois qu'on révélait le nom de l'endroit où l'ancien tsar se cachait depuis plus de dix ans. Le maréchal présenta ses accompagnateurs, dont Mino. Le gouverneur ne s'attendait pas à rencontrer un Extra-terrestre, mais il conserva une attitude digne dans la surprise. Il invita les visiteurs à prendre le thé sous la tente qui servait de salon d'honneur, l'aéroport de Zagora ne consistant qu'en une piste d'atterrissage et un petit immeuble administratif.

— Nous avons eu quelques difficultés, expliqua le gouverneur.

276

Valine fronça les sourcils. Sa longue expérience lui faisait comprendre «danger» quand il entendait «difficultés».

— Rien de grave, rassurez-vous. Une fuite dans le réservoir. On l'a fait réparer à l'atelier de Kouraïchi. Tout va très bien, maintenant. Kouraïchi Kazni s'y connaît, dans ces appareils.

— Kazni? C'est un Afghan?

— Il habite ici depuis trente ans.

Le maréchal but son thé, lentement. Le chef du service d'espionnage asiate à Casablanca lui avait confirmé l'absence de toute manœuvre suspecte du côté américain comme européen, tout en signalant la présence inhabituelle de quelques personnages afghans importants. Comme il arrivait souvent que des membres de commandos afghans se réunissent au Maroc, qui avait accueilli près de dix mille réfugiés au début du siècle, il n'y avait pas là de quoi s'inquiéter. Valine n'était pas paranoïaque. Il ne s'était pas opposé à ce qu'on assigne à Mino, depuis deux mois, une interprète d'origine afghane. Il avait même mis sur pied, dans ses services, une escouade anti-terroriste très efficace composée entièrement d'Afghans, qui lui servait parfois de police secrète. Mais, à l'étranger, il valait mieux se méfier.

Le maréchal donna l'ordre de procéder à une révision méticuleuse de l'hélicoptère. On ne trouva rien d'anormal. Une soudure récente prouvait qu'on avait réparé une légère avarie au goulot du réservoir. Par prudence, on fit faire un vol d'essai. Tout fonctionnait à merveille.

Le maréchal et sa suite, dix personnes en tout, gagnèrent l'appareil. Cinquante minutes plus tard, on atteignait la palmeraie. Au milieu du désert, à l'orée du Draa, elle constituait un refuge parfait, qu'on ne pouvait approcher sans être détecté. L'hélicoptère se posa dans la cour intérieure du palais, protégé par une enceinte fortifiée. Valine remarqua, sur les murs, les signes d'un système de surveillance électronique. Il nota également que toutes les gardes étaient des femmes. L'une d'elles s'approcha, en lui accordant un salut militaire en règle.

— Bonjour, générale, fit-il, en reconnaissant les galons impériaux qui avaient été en usage, pendant quelques années, dans l'ancienne armée russe.

— Sa Majesté vous recevra dans une heure. Entre-temps, vous pouvez vous rafraîchir et vous restaurer.

Mino, fasciné, regardait le palais, de pur style almoravide. Pourrait-il visiter les jardins? Son interprète, une jeune Afghane, montra une grande dune, cent mètres à l'est: ce serait un excellent point de mire pour admirer le couchant. Valine, peu sensible aux velléités touristiques, haussa les épaules, en rappelant à l'interprète qu'il comptait sur la présence de Mino dans une heure, et entra dans le palais. Alors qu'il faisait excessivement chaud et sec dehors, les salles intérieures, couvertes de mosaïques superbes, exhalaient une fraîcheur parfumée.

On conduisit les visiteurs aux appartements aménagés pour leur bref séjour. Encore là, Valine s'étonna de ne voir que des femmes. L'une d'elles s'offrit à rester avec lui. Il accepta un massage, pour se débarrasser des fatigues du voyage, puis s'installa devant la fenêtre, fasciné par l'immensité sablonneuse.

Un homme — enfin — vint le chercher pour le présenter à son hôte. Golonov avait vieilli mais il demeurait imposant, avec son regard aussi perçant que majestueux et sa robuste carrure. Ses cheveux avaient toutefois grisonné, et il ne portait plus la barbe. Comment un homme aussi intelligent avait-il pu croire qu'il pourrait imposer son couronnement en tant que tsar de toutes les Russies en plein vingt et unième siècle? Mais Valine admirait cette audace, ce courage dans l'ambition.

— Mes respects, Majesté, fit-il, en s'inclinant.

— Non, pas vous, maréchal, pas vous! dit Golonov, en éclatant de rire. Appelez-moi «Sire», tout simplement.

Valine comprit que la partie ne serait pas facile. Golonov l'invita à s'asseoir. Son invité lui présenta des compliments au sujet de la beauté du palais.

— Je l'ai arrangé selon mes goûts. Il est introuvable et inexpugnable. Il y a neuf palmeraies semblables dans la région. Le roi seul connaît l'emplacement de celle-ci, en plus de mon pilote, qui vous y a conduit. Les gens croient que je suis un frère bâtard du roi, gardé au secret dans les profondeurs du Sahara. Mais trêve de bavardage! Laissez-moi vous féliciter. Vos services ont quand même découvert que je me trouvais au Maroc.

— Nous sommes... efficaces.

— C'est bien. On m'a fait part de vos propositions. Elles m'étonnent. Après tout, vous m'avez trahi une fois.

Valine demeura impassible. Après avoir soutenu le regard de Golonov, et après l'avoir forcé à soutenir le sien, il déclara:

— Non, Sire: je vous ai préparé un empire digne de vous.

Golonov éclata de rire, encore une fois.

— Je vous en prie, maréchal! Même ici, je suis au courant de tout. La Russie s'effondre, avec la révolte de l'Ukraine. Les Chinois vous résistent tellement bien au Tibet que vous avez dû déployer deux fois des armes nucléaires de courte portée. On ne fait cela que lorsqu'on est aux abois. Et je connais l'état de l'arsenal asiate! Les Américains n'en feront qu'une bouchée!

Le maréchal comprenait que l'exubérance joyeuse de l'ancien tsar dissimulait une position de négociation, autrement cet entretien n'aurait jamais été accordé.

— Vous avez raison, Sire. Et pourtant, les choses sont tout à fait différentes. Le soulèvement de Kiev, c'est nous. La Turquie, c'est nous. Les émeutes en Pologne, en Écosse, en Bavière, en Bretagne, c'est nous. Les grèves en Catalogne, en Sicile, en Slovaquie, c'est nous. Et quand Tarpov aura dix millions de morts sur les bras, vous reviendrez en apportant la paix en Europe. Déjà maintenant, l'opinion publique vous appelle. L'éclatement de la Confédération sud-africaine, les attentats en Égypte, les affrontements entre le Maghreb et le Magéria, c'est nous. Avec le chaos qui s'installe en Afrique, l'Europe doit se tourner vers l'Est. Cette partie est gagnée d'avance. Les Européens sont des faibles. Ils préféreront le désarmement à une guerre. Tant qu'on leur garantira la paix, ils accepteront votre autorité. Ce que j'ai fait depuis dix ans, ça a été d'habituer l'Europe à la Russie.

— À la Russie européenne, précisa Golonov.

Il ferma les yeux. Peut-être se remémorait-il le temps où, président de l'Union soviétique, il avait déjà favorisé un resserrement de ses liens économiques avec le reste de l'Europe. En devenant tsar, il avait cru pouvoir se placer au-dessus des divergences idéologiques et promouvoir une vision politique plus vaste. Mais on ne l'avait pas compris.

— L'Union asiate est vouée à la ruine, affirma-t-il. Vos jeux en Russie ne vous donnent rien à l'Est. La Chine vous aura. C'est pourquoi j'ai voulu régler notre dispute frontalière une fois pour toutes avec eux. Mais vous m'en avez empêché!

Valine demeura imperturbable devant cette colère soudaine, comme devant une tempête qui passera.

— J'ai fait mon devoir, Sire. Parce que je pensais à l'avenir. Je vous l'aurais expliqué, si Moljoïkan ne s'était pas soulevé contre vous. Là, j'ai dû jouer les cartes qui me restaient.

— Ne vous dérobez pas, maréchal! fit Golonov, en pointant un doigt accusateur. Ne vous cachez pas dans le passé! Vous avez osé réutiliser des bombes atomiques! Pourquoi?

— Les Chinois l'ont fait les premiers, en Mongolie.

— C'était une bombe propre. Pas les vôtres! L'humanité ne vous le pardonnera pas.

Valine sourit. Ce vocabulaire, chez le tsar, trahissait une hypocrisie profonde. S'était-il ramolli à ce point? Mais non, ce devait être une tactique.

— Je l'ai fait à la demande du général Wong.

— C'est impossible! Il y a deux cent mille Chinois de tués!

— Avec quels résultats? Wong continue à se battre. Et son prestige menace déjà le régime de Pékin. Eh oui! Sire: d'ici

280

deux semaines, le général Wong prendra le pouvoir. N'oubliez pas qu'il représente cent cinquante millions de musulmans chinois. Il a un faible pour l'Union asiate. Il négociera avec nous la cession du Tibet et du Nord de la Chine en échange du contrôle du Mékong. Ensuite, nous consoliderons nos liens avec l'Inde. Vous voyez la carte, Sire. Votre empire s'étendra de l'Atlantique à l'océan Indien et au Pacifique. L'union eurasienne, enfin! Ça valait bien dix ans d'attente, n'est-ce pas?

Depuis les premières approches, deux mois plus tôt, Golonov avait rêvé à son retour à la tête de l'ancienne Union soviétique reconstituée. Ce qu'on lui présentait dépassait l'imagination. Mais il connaissait bien Valine, et il savait de quoi il était capable. Tout de même, il s'installa paisiblement sur son trône.

— Pourquoi partir d'ici? fit-il. C'est un paradis...

Valine sourit. Si Golonov avait vraiment abdiqué, de tout son cœur, il ne se serait plus intéressé aux affaires du monde. Le maréchal savait trop bien que le besoin du pouvoir, chez les gens comme Golonov ou lui-même, était plus vital que celui des plaisirs et du repos.

— Je vous offre le plus vaste empire de la Terre. Ce que j'ai mis en branle pour vous fonctionne comme un mécanisme d'horlogerie, y compris les fausses pistes et les faux conflits.

Golonov écarta la tentation du revers de la main.

— Ici, je suis heureux. Cent cinq femmes, d'un dévouement absolu. Quelques hommes, bien sûr: des cuisiniers, des techniciens, des archivistes... Pour ma sécurité et mes plaisirs, je ne me fie qu'aux femmes.

— L'empereur de la moitié du monde peut avoir cela au centuple, sire!

— Et l'autre moitié?

Valine comprit qu'il avait gagné.

— Ça viendra, fit-il. L'Afrique Noire, l'Indonésie, le Pacifique devront se rallier à l'Eurasie tôt ou tard.

L'ancien tsar, déjà séduit, le regarda, pensif.

— Mais pourquoi faites-vous appel à moi?

— Moljoïkan n'est pas de taille.

Golonov n'aurait pas pu savourer de meilleure réponse.

— Et vous?

— Je suis russe. Nous sommes une petite minorité dans l'Union asiate. Je n'ai aucune chance. Et puis, je suis un soldat, pas un gouvernement. Vous, Sire, qui avez osé vous faire sacrer tsar, vous êtes le seul homme sur terre capable de régner sur l'empire que je vous offre!

Le visage de Golonov trahissait une profonde jouissance, venue des profondeurs. Ce que lui disait Valine, il l'avait toujours su. Régner encore, même un an, même un mois, cela valait bien des risques. Le plus difficile, ce serait de contrôler le maréchal.

— Et je vous offre autre chose. Vous serez le seul chef d'État terrien à être reconnu formellement par le monde de Chumoï. Je suis venu avec un des ambassadeurs extraterrestres pour vous le confirmer. L'Histoire saluera en vous le géant que vous êtes.

Golonov frémit. Pourquoi ne lui avait-on rien dit? Mais il avait demandé à n'être pas dérangé. Il frappa des mains. Une femme parut aussitôt. Quelques minutes plus tard, on partait à la recherche de Mino. Sa pièce était vide. Dans celle de son interprète, on trouva un pli adressé, en caractères cyrilliques, «Au tsar de toutes les Russies». Golonov le décacheta, et pâlit. Valine prit le feuille de papier et lut: «*Je suis Afghane.*» Le guerrier en lui n'hésita pas.

— Il faut fuir. Tout de suite.

— Mais...

Golonov avait visiblement perdu quelques réflexes.

— Prenons l'hélicoptère, décida Valine. Il est sûr.

Entre-temps, de la dune, Mino admirait le couchant sur la palmeraie.

— C'est vraiment une belle planète...

— Bientôt, elle sera plus belle, fit l'interprète.

Il la regarda, intrigué. Elle montra du doigt la cour principale. Un groupe de personnes sortait précipitamment du palais. On les voyait bientôt grimper dans l'hélicoptère.

— Toi, tu es innocent, dit-elle. J'étais prête à mourir pour la cause, mais j'ai voulu te protéger. Couchons-nous.

La jeune femme sortit tranquillement un étui qu'un manœuvre de Kouraïchi lui avait remis discrètement à Zagora. Elle libéra le mécanisme en ouvrant le couvercle. Le petit déclic fut suivi d'une immense explosion, et une gigantesque boule rouge dévora le palais et la moitié de la palmeraie.

Le jeudi 17 mars

Grenade, Rome, Prague, Leningrad, Berlin, Paris, Londres. L'Europe leur avait paru belle et inquiète. Les confrontations en Ukraine, en Turquie, en Yougoslavie, se répercutaient à travers la Communauté sous forme de désordres civils et d'opérations terroristes. L'application rigoureuse des mesures de sécurité avait entraîné l'élimination des escales en Grèce, en Pologne, en Belgique. Un peu plus, et toute la tournée aurait été décommandée.

Malgré quelques restrictions à leur liberté de mouvement, les Extra-terrestres avaient fait du grand tourisme. Des brochettes de savants et de spécialistes européens les avaient déjà rencontrés à Télécan et aux États-Unis ou avaient eu accès aux résultats de leurs entrevues. On avait depuis longtemps cerné les limites de leur crédibilité scientifique, philosophique, politique, et on les traitait surtout en visiteurs de marque, ce qui leur convenait parfaitement. On s'efforçait de leur être agréable, de leur montrer ce qu'on avait de mieux, de plus beau. Les cérémonies protocolaires cédaient la place aux visites de sites et de musées, aux manifestations artistiques, aux entretiens avec des personnalités du monde culturel, parfois fades et pompeuses mais souvent passionnantes.

Val suivait de près les événements qui troublaient le continent. Souvent elle y reconnaissait sa marque ou celle de ses collègues. L'Europe n'était pas seulement aux prises avec l'imbroglio en Ukraine, la guerre civile en Turquie et les séquelles de la lutte pour la défense de l'île Sainte-Hélène. Elle subissait aussi les contrecoups des foyers d'instabilité en Afrique, en Asie, en Amérique latine. Coupée des deux tiers de ses sources d'approvisionnement, elle se tournait désespérément vers l'Amérique du Nord. L'Alliance pacifique tergiversait, partagée entre ses intérêts commerciaux, qui la poussaient à permettre un effondrement relatif de son plus grand compétiteur, et ses intérêts politiques, qui la portaient à secourir l'Europe pour l'empêcher de se tourner du côté asiate.

Les multiples guerres locales se poursuivaient, nourries par leurs dynamiques internes. Les manœuvres diplomatiques lancées par les Américains, les Japonais, les Indiens, les Indonésiens, les Arabes, les Européens, donnaient peu de résultats. Non seulement elle se contredisaient, mais chacun avait intérêt à attiser tel foyer de conflit et à apaiser tel autre, selon ses stratégies régionales.

Le décès du général Valine avait fait croire à une pause. Le contraire s'était produit. Moljoïkan avait accusé les Américains d'avoir saboté l'avion du maréchal, qui s'était écrasé en Libye. On n'avait retrouvé que des corps calcinés et des médailles militaires accrochées à des lambeaux d'uniformes. Les Asiates avaient refusé de se retirer du Tiber, tout en répétant leur offre de tenir une rencontre au sommet pour discuter de la situation.

Les Extra-terrestres et leurs agents de liaison déploraient unanimement la poursuite de la guerre. François soupçonnait toutefois Maya de bien s'en accommoder, car ces événements retardaient la réunification et le départ éventuel de Garou et de ses camarades. Val aussi trouvait tout cela bien drôle. Elle ne parvenait pas à prendre au sérieux la folie étrange qui a toujours poussé les Terriens à s'entretuer pour une raison ou une autre. Vlakoda partageait quelque peu ces sentiments, mais parce qu'il avait découvert, surtout chez les femmes européennes, que la conscience du danger leur faisait dégager un parfum capiteux.

Le capitaine annonça que l'avion allait faire à Gander une escale de deux heures. Une tempête tardive s'était abattue sur l'est du continent et on n'avait pas fini de déblayer la neige à l'aéroport de Mirabel. François, qui voyageait à côté de Jinik, sourit en voyant que Val continuait à dormir. Jinik regarda sa camarade avec une bouffée de tendresse.

— Elle fait de beaux rêves. Elle m'a dit qu'elle avait eu sept amants, durant notre séjour. Ça laisse des souvenirs.

François se fabriqua un soupir de soulagement.

— Et c'était plus reposant pour moi. J'ai très peu d'aptitudes pour la bigamie.

— Ça n'a pas trop paru, commenta Jinik, avec une exquise malice.

Il lui prit la main. Le contact des doigts à demi palmés ne le surprenait plus. Il s'était aussi habitué à son épiderme velouté, à sa limpidité sexuelle, à la fraîcheur de son corps. Leur liaison avait le calme souriant d'une entente complice.

— Toi, fit-il, as-tu pris quelques amants, en passant?

— Non, répondit-elle, avec une douce simplicité. Je fais une différence entre ceux qui veulent vivre une expérience érotique nouvelle, ce qui est bon, et ceux qui désirent partager un instant de vie et d'amour, ce qui est très bon. La curiosité des Terriens me fatigue, alors qu'elle enthousiasme Val. Moi, tu me séduis encore. Rien ne te surprend. Tu te glisses en moi (elle sourit, en s'apercevant de l'ambiguïté involontaire du terme) sans me trouver moins naturelle qu'une Terrienne.

Ému, il opta pour une goutte de badinage.

— En effet, à mon âge avancé, je ne m'étonne plus de rien.

— On va voir, fit Jinik, amusée. Tu te souviens de notre conversation, au bal du gouverneur général?

— Bien sûr. C'est là que tout a commencé. Tu te demandais si les gens de Chumoï pourraient s'accoupler avec ceux de la Terre. Eh bien! ça a été maintes fois prouvé.

— Plus que prouvé, François: je suis enceinte.

Il se gratta posément le menton.

— Je suppose que je ne dois pas manifester d'étonnement, pour être à la hauteur de ma réputation.

— C'est la réaction à laquelle je m'attendais. Si on part le 20 avril, comme prévu, j'accoucherai sans doute en voyage. Ça fait partie de l'expérience que je voulais vivre.

Les procédures d'atterrissage commençaient. Ravi du sursis, François commenta que le secret du calme, c'est aussi d'apprendre à gagner du temps. Jinik approuva de la tête, en souriant. Quelques minutes plus tard, ils entraient tous dans l'aérogare. Il y avait foule, car huit avions avaient déjà été détournés sur Gander. D'autres attendaient à Halifax, à Boston, même à New York. François invita Maya au bar et lui apprit la nouvelle. Le visage de la jeune femme s'illumina. François ne lui avait pas vu les yeux aussi brillants depuis longtemps.

— Tiens, elle aussi, fit-elle.

Cette fois, il sursauta.

— Au début, expliqua-t-elle, je croyais que c'était de la nervosité. Ne le dis à personne, surtout pas à Garou. Je veux qu'il se sache libre de partir, s'il le souhaite.

— Mais... il ne l'a pas senti? fit-il, en reniflant malgré lui.

— C'est peut-être un parfum nouveau pour lui, dit-elle, en riant. Toi, qu'est-ce que tu penses faire?

Là, François se gratta le crâne.

— Que Jinik soit enceinte, cela la regarde. Elle a voulu, très librement, avoir un enfant, et elle l'aura. Mais je caresse parfois l'idée de rester avec elle.

— Mais elle veut rentrer chez elle!

— Je peux envisager de m'en aller vivre sur Chumoï.

Elle ne l'aurait jamais cru capable de songer à une telle aventure. Il avait tellement souvent parlé, avec nostalgie, de la vie paisible qu'il avait menée au Brésil! Il est vrai que Chumoï offrait beaucoup plus de tranquillité que la Terre.

— Monsieur Leblanc! Quel bonheur! Bonjour, madame Golinsky.

François tourna la tête en entendant son nom. Il reconnut tout de suite le célèbre prix Nobel qui avait été mêlé à l'arrivée incongrue de Val chez Cynthia Irving. Chazad s'installa à leur table. Maya et François avaient si souvent paru à la télévision en compagnie des Extra-terrestres qu'ils ne s'étonnaient pas d'être facilement repérés.

— J'ai une agréable nouvelle. J'en ai même deux.

— On n'en est pas à une nouvelle près. De quoi s'agit-il?

— Mes amis — je les appelle mes amis, mes frères, car nous sommes tous Afghans, même si je réprouve leurs moyens d'action — mes amis m'ont appris que... comment l'appelez-vous... Bolorta se trouve enfin aux États-Unis.

— Où donc?

— Je ne sais pas, fit Chazad, le regard désolé. Mes amis ont eu beaucoup de difficulté à lui faire passer la frontière mexicaine, et ils s'excusent de ce contretemps. D'ici quelques heures, je préviendrai Mme Irving. Mais, en vous voyant, j'ai pensé que ça vous ferait plaisir de l'apprendre.

François crut bon d'insister, même en sachant qu'un homme comme Chazad ne dirait jamais que ce qu'il avait décidé de dire.

— Bon! entre nous: son motel s'appelle le *Riverside.*

Cela suffisait. Les services de renseignements américains passeraient au crible les noms de tous les motels et enverraient des escouades dans tous ceux qui portaient celui-ci.

— Quant à l'autre nouvelle... Il s'agit de Mino. C'est plus compliqué. Il n'est plus en Union asiate. Mes amis me disent qu'il se porte bien et... et qu'il est heureux.

— Avouez, docteur, que c'est mince.

Chazad leva les mains, dans un geste rassurant.

— Je vais tout vous dire. Il se trouve dans une caravane de nomades, quelque part dans le Sahara. Il file une belle liaison d'amour avec une jeune femme de chez nous. J'ai un cousin... Kouraïchi... qui a tout arrangé. Mais voilà... Ils sont tellement nerveux, dans le Maghreb... Et l'Égypte, sur pied de guerre... Bref, on circule difficilement, et... Oh! ils n'ont rien à craindre, mais ça prendra quelque temps avant de... avant qu'il puisse rejoindre ses camarades. Mais ne craignez rien: mes amis s'occupent d'eux, et tout s'arrangera.

On annonçait l'embarquement des passagers pour Washington.

— Excusez-moi, mes chers amis. J'espère que je vous ai été utile. Quant à dernière, mes amis y travaillent. Nous avons une piste.

Le docteur disparut dans la cohue.

— Quel personnage étrange! fit Maya.

— J'ignore quel est son rôle dans cette histoire, mais il faut dire que... ses amis sont des gens efficaces.

Il appréciait aussi le geste de Chazad, qui avait certainement agi par courtoisie, par amitié, en sentant à quel point ces nouvelles réconforteraient les quatre Extra-terrestres.

À sept heures du soir, un peu fourbus, ils arrivaient enfin à Ottawa et gagnaient leur hôtel.

— Tiens, monsieur Leblanc!

Quoi encore? François se retourna. Edward Gillespie, le ministre des Affaires extérieures, lui tendait la main.

— Tout s'est bien passé, en Europe? demanda le ministre, en le prenant à l'écart.

— À merveille. À Gander aussi.

Gillespie fronça les sourcils. Il ne s'attendait pas à ce qu'une simple escale soit évoquée au même titre que le reste. François prit un air nonchalant.

— J'y ai appris, par hasard, que deux des Extra-terrestres sont aux mains des Afghans.

Et il partagea les renseignements qu'il tenait de Chazad.

— C'est très intéressant! Cette filière afghane m'intrigue, fit Gillespie. Nous n'avons rien pu tirer des Américains à ce propos. Pourtant, ils savent quelque chose... Je sens une complicité... incompréhensible. En ce qui concerne nos invités, votre dernier rapport disait qu'ils souhaitaient rentrer chez eux.

— C'est juste. Les vacances aussi ont une fin. Nous ne pouvons pas les retenir, avec ce risque de guerre générale.

— Eh bien! rassurez-les. Les hostilités cesseront très prochainement.

— Je vois peu de signes encourageants, observa François.

— Je vous le dis. Le président Collinson a enfin accepté de rencontrer le président Moljoïkan, sans conditions. Nous avons dû... lui forcer la main, au sein de l'Alliance. J'ai confiance. Les Asiates recevront une offre de paix singulièrement alléchante. Ils ne s'accrocheront pas à cette Fladia. Bref, si nos amis veulent rentrer chez eux, c'est bien. Mais s'ils désirent rester plus longtemps parmi nous, c'est également bien. Ils verront peut-être une Terre en paix. C'est ce que voulais vous dire. Maintenant, excusez-moi, je ne vous retiens plus.

Le vendredi 8 avril

Les pays membres de l'Alliance avaient opté en faveur d'un sommet bilatéral, autrement Moljoïkan aurait exigé d'être accompagné par les présidents des pays qui souhaitaient s'intégrer à l'Union en tant qu'États autonomes. De toute façon, un sommet multilatéral aurait été impossible sans la Chine, et celle-ci refusait de dialoguer avec le régime de Tachkent tant que des troupes asiates se trouvaient au Tibet. La rencontre avec Moljoïkan fut précédée d'un sommet de l'Alliance à Hiroshima, ville symbolique qui rappelait à tous l'importance de la paix. Personne n'envisageait toutefois de paix à tout prix. La Chine réclamait le respect de ses frontières, l'Australie rêvait de la démilitarisation de l'Indonésie, le Canada insistait encore sur le retour de la dernière Extra-terrestre, le Japon présentait une liste impressionnante de demandes de compensation pour des dommages infligés à ses investissements à l'étranger. On ne s'attendait pas à ce que Collinson se fasse le porte-parole et l'avocat de chaque membre de l'Alliance, mais on voulait s'assurer qu'il ne négocie pas un arrangement inacceptable aux autres.

La question du site posa quelque difficulté. Le Magéria, engagé dans une lutte difficile avec ses voisins du Nord comme du Sud, ne pouvait pas offrir ses bons offices. Les tensions entre l'Égypte et le Maghreb écartaient l'un et l'autre. Moljoïkan rejetait tout endroit en Europe ou dans le Moyen-Orient, sauf à la Mecque, ce que Collinson refusait par principe.

Colombo venait d'être affecté par un raz-de-marée. On se tourna vers l'Amérique latine. Comme les pays andins, et le Mexique, secoués par des troubles syndicaux et des révoltes paysannes, semblaient peu sûrs, et que l'Argentine était politiquement trop proche des États-Unis, Moljoïkan proposa le Brésil. Collinson accepta, mais pas dans la capitale, vu la froideur de ses relations avec les autorités du pays.

Les Américains voulaient copier le modèle de la rencontre sur la mer du Japon. Les Asiates insistaient cette fois sur un format plus intime, ce dont les conseillers de Collinson se méfiaient, convaincus que Moljoïkan manquerait de poids pour imposer quoi que ce soit à ses collègues à l'issue d'une réunion d'où ils auraient été écartés. Après une dernière ronde de pourparlers, on s'entendit sur un sommet à Manaus, le 8 avril, chaque président étant accompagné de quatre collaborateurs de niveau ministériel. La paix était le seul sujet à l'ordre du jour.

Réquisitionné pour l'occasion, le nouvel hôtel Amazonas, construit en pleine jungle à cinquante kilomètres de la ville, fut passé au crible par les services de sécurité américains et asiates. Les deux équipes s'entendaient bien, car elles faisaient le même métier. Arrivés la veille du sommet, les deux hommes d'État avaient pu prendre un café, tranquillement, sur la terrasse, en échangeant des commentaires de courtoisie qui ne manquaient pas de donner le ton de leur rencontre du lendemain: «C'est impressionnant. Nous avons des forêts du genre, en Floride.» «Nous aussi, en *Birmanie*.» Moljoïkan n'était donc pas prêt à lâcher le morceau. «Ça ne vous dérange pas trop, le décalage horaire?» «Le temps n'est pas très important pour nous, Hamed.» Donc, il ne se sentait pas au pied du mur et négocierait durement.

Le vendredi 8 avril, Collinson prit le petit déjeuner avec Cynthia Irving, son secrétaire d'État, son secrétaire à la Défense et le président du Sénat. Moljoïkan se concerta avec la générale Jogaï, qu'il avait nommée ministre de la Défense, son ministre de l'Économie, son ambassadeur auprès des Nations unies, qui allait devenir ministre des Affaires étrangères, et son ministre de l'Intérieur, chargé du dossier des républiques autonomes.

La première rencontre entre les deux délégations débuta à dix heures dans la grande salle panoramique avec vue sur l'Amazone et, plus proche, une vingtaine de perroquets multicolores qui voltigeaient autour d'une termitière construite sur le tronc d'un arbre géant.

— Je suis venu à Manaus avec un seul désir, déclara Moljoïkan, et c'est que cette rencontre aboutisse à des résultats plus satisfaisants que notre sommet d'octobre dernier.

— Je partage vos sentiments, monsieur le président, fit Collinson. Mon but, c'est une entente durable. J'en profite pour vous exprimer mes condoléances pour la perte malheureuse du maréchal Valine, qui se serait sans doute trouvé parmi nous si le sort n'en avait décidé autrement.

— Le maréchal n'est pas vraiment absent, dit Moljoïkan. Ce grand homme appartient à l'Histoire, mais j'ai confié à la générale Jogaï le soin de préserver son héritage.

Collinson hocha la tête, doucement. Quel était donc le jeu de son adversaire? Était-il encore l'otage des alliés de Valine?

— Ce qui me rassure, fit-il, c'est la certitude de notre bonne volonté. Nous ne cherchons pas à imposer quoi que ce soit, et l'on ne peut rien nous imposer. Nous sommes en mesure de ceinturer l'Alliance d'un écran infranchissable de radiations.

Moljoïkan, qui savait que le projet Kansas constituait aussi une arme redoutable par ses effets sur l'environnement extérieur à la zone protégée, répondit simplement que l'Union asiate avait également besoin de frontières sûres.

— Vos frontières les plus sûres sont celles que vous avez établies il y a dix ans, affirma Cynthia Irving.

— Vous savez bien que les frontières naturelles de l'Union asiate ont été établies par Gengis Khan, lança Djan Jogaï.

Collinson sourit vaguement, comme s'il entendait encore le maréchal Valine, ou les Extra-terrestres.

— Nous désirons vraiment insister sur l'urgence d'une entente, ajouta l'ambassadeur asiate, parce que nous connaissons la vulnérabilité de votre système Kansas.

— Ce système est absolument efficace, protesta le secrétaire à la Défense. Du moins, il l'est pour nous.

— Pas lorsque nous contrôlons la magnétosphère.

Moljoïkan exagérait sans doute l'étendue de ce contrôle, mais Collinson en eut des sueurs froides. Ses conseillers lui avaient confirmé les succès croissants du professeur Quiroga. Le sommet du cône de protection constituerait-il le défaut de la cuirasse? Collinson jugea bon de proposer un aparté pendant que leurs collaborateurs examineraient ensemble la situation dans le monde.

— Je suis d'accord, dit le président asiate. Allons donc prendre une tasse de thé.

Collinson dressa la tête: Moljoïkan venait de parler en anglais. Ce dernier confirma qu'il ne souhaitait pas la présence d'interprètes. Il avait décidé, quelques mois plus tôt, de rafraîchir ses connaissances d'anglais, qu'il avait commencé à apprendre dans sa jeunesse. Les deux hommes s'installèrent dehors, malgré la chaleur. La brise leur apportait des bouffées de parfums de fleurs.

— Ainsi, fit Collinson, Valine est toujours parmi nous.

Le soir même de l'attentat à la palmeraie, il avait appelé Moljoïkan. On avait pu camoufler la mort du maréchal dans un accident d'avion, en Libye, et annoncer l'assassinat de l'ancien tsar Golonov aux mains d'un commando afghan sans révéler sa collusion avec le chef militaire asiate. Collinson n'en voulait nullement à son homologue d'avoir dû, pour des raisons internes, accuser les Américains d'avoir trempé dans cette histoire.

— Je regrette la mort de ce héros, dit Moljoïkan, gravement. Mais, à part ça, je vous suis très reconnaissant, Hamed, croyez-moi. Comment avez-vous réussi?

— Je n'ai rien à voir dans cette histoire. L'adresse de Golonov est tombée dans de mauvaises mains, c'est tout, soupira Collinson. Pourtant, il y a dix ans, quand nous avons demandé au roi du Maroc de l'accueillir, nous pensions qu'il trouverait un abri sûr dans sa palmeraie... Mais vous, pourquoi n'en avez-vous pas profité pour prendre votre armée en main?

Moljoïkan sourit, comme s'il trouvait son interlocuteur bien naïf.

— Djan Jogaï m'est tout à fait fidèle. Quand Valine est mort elle a compris à quel point c'est bête et laid, la guerre. Je lui ai promis de faire la paix, mais pas n'importe laquelle : une paix durable. Je n'aime pas les changements brusques, Hamed. En dépit de nos antipathies, j'ai toujours respecté chez le maréchal une vision très juste de la place de l'Union dans le monde.

— Nous en voyons les résultats, Dachi. Je vous rappelle mes propositions d'octobre : la prospérité économique à l'intérieur de vos frontières reconnues, avec des zones tampons démilitarisées au Moyen-Orient, en Russie et à travers l'Asie.

Moljoïkan sirota son thé, avec une indifférence étudiée.

— On ne peut pas passer l'éponge sur six mois.

— On le *doit*, quand ces six mois ont été marqués par des guerres pénibles pour tous.

— Je ne crains pas la guerre, Hamed.

Collinson, surpris, regardait les yeux clairs et tranquilles de l'homme qui venait de prononcer de tels mots. Mais, après tout, cet homme paisible avait certainement autorisé l'emploi d'armes nucléaires au Tibet. Par contre, ne l'avait-il pas fait lui-même en Mongolie? Il fallait jouer serré.

— Moi non plus, Dachi. Et je peux la faire, sans hésiter et sans me cacher derrière d'autres pays.

— Pour vous, c'est différent. Vous êtes une autarcie, comme l'Europe. Vous oscillez toujours entre l'impérialisme et l'isolationnisme. Dès que la population se sentira secouée, elle réclamera la paix et le désarmement. Et vous l'écouterez.

— J'écouterai avant tout l'intérêt de mon pays et l'intérêt de l'Alliance.

Mais il savait que son interlocuteur avait raison. Il pourrait faire appel à la vieille fibre conquérante des États-Unis, du Japon, de la Chine, mais au prix d'une tension sociale presque insupportable.

— Si nous parlons de nos intérêts, fit Moljoïkan, nous pourrons nous entendre. C'est pourquoi nous avons laissé nos collègues bavarder entre eux, n'est-ce pas? Cela nous permet de régler nos conflits bien plus facilement.

Moljoïkan contempla la forêt, l'air méditatif. Décidément, se dit Collinson, le président asiate se révélait plus coriace qu'on le pensait. Ce dernier présenta ses éléments non négociables : le Tibet, le Bangladesh, la Birmanie et la Turquie.

— Des républiques «autonomes»? Vous voulez rire.

— Non : des provinces asiates. Vous savez, on ne fait pas un pays en se souciant des cultures, des ethnies, des traditions historiques. On fait un pays parce qu'on le veut. Ma proposition nous évitera bien des tensions futures. En échange, je reconnais la frontière chinoise avec la Mongolie.

— En échange? Vous ne donnez rien! s'écria Collinson, estomaqué.

— Je vous offre la paix. Une paix pour des siècles.

— Mais la Turquie? C'est inacceptable. C'est l'Europe!

— C'est l'Islam, rectifia Moljoïkan. Il y aura un nouveau gouvernement à Ankara d'ici quelques jours. Un pouvoir populaire. Tarpov fermera les yeux, en échange de la paix en Ukraine. Croyez-moi, Hamed, cela n'est pas négociable. Le reste, oui. Vous pourrez gagner alors quelques points.

Il y avait quelque chose d'impitoyable dans le visage serein de Moljoïkan, qui inspirait confiance à Collinson. S'il essayait d'imposer quoi que ce soit à cet homme, la lutte se poursuivrait, catastrophique. Mais s'il cédait, tout bonnement, Moljoïkan en profiterait pour forcer de nouvelles portes.

— Vous pensez à la Chine, bien sûr. Mais le général Wong prendra le pouvoir dès que vous regarderez d'un autre côté, et il sait que l'Indochine est plus importante que le Tibet.

— Il y a des millions de Chinois au Tibet. Wong ne pourra pas les laisser tomber.

— Il y en a des millions en Asie du Sud-Est, lui rappela Moljoïkan. C'est à votre avantage: la Chine nouvelle restera membre de l'Alliance. Nous, nous consoliderons nos liens avec l'Inde.

— L'Inde, dans votre orbite? C'est insupportable.

— Il le faut, dit le président asiate, la voix douce et envoûtante. Je pense que vous ne me comprenez pas encore, Hamed. Mon intérêt, c'est la paix en Asie. Et la seule paix que je peux garantir, c'est la paix selon mes termes.

La puissance même de l'Alliance pacifique handicapait Collinson: il pouvait parfaitement admettre cette expansion territoriale de son rival. Cependant, ses responsabilités politiques l'obligeaient à arracher quelque chose à son adversaire!

— Évidemment, une paix durable exige la transformation de l'Afghanistan en république autonome.

— Vous n'y allez pas de main morte! Après cinquante ans?

— *Il le faut*, Dachi. Avec des élections libres, qui porteront Chazad au pouvoir. Cela est nécessaire, pour la sécurité de tous.

— C'est trop demander.

Il n'avait toutefois pas dit non. Collinson poursuivit:

— Il faut aussi que vous acceptiez l'adhésion de l'Indonésie à l'Alliance. Bien sûr, nous devons négocier la disparition de vos barrières tarifaires et l'ouverture de vos marchés financiers à nos banques et aux banques arabes. Il va aussi de soi que nous nous attendons à une coopération dans l'étude de la magnétosphère.

— Vous cherchez trop d'avantages, protesta Moljoïkan.

— Permettez-moi d'être plus clair, Dachi. Je cherche un mariage entre l'Alliance et l'Union. Avec séparation de quelques biens et mise en commun d'autres biens, de façon à rendre, d'ici un siècle, tout divorce impossible.

Moljoïkan prit la théière et remplit les tasses. Il pensait aux autres «biens». En obtenant l'accès des banques arabes aux circuits financiers de l'Union, Collinson se gagnait l'appui de la plupart des pays du Moyen-Orient et du Golfe. Mais, du même coup, le monde arabe liait ses intérêts à ceux de l'Union.

— Dites-moi, Hamed: Wakasondo, c'est vous?

— Non. Je pensais que c'était vous.

Le ton paraissait sincère. Moljoïkan resta songeur.

— J'avais beaucoup de respect pour cet homme.

— Laissons donc courir. Le Magéria dominera l'Afrique, et nous n'y toucherons pas trop. L'Amérique latine demeurera dans l'orbite de l'Alliance, mais avec autant d'autonomie que l'Europe.

— Cela me semble raisonnable.

Cette combinaison d'exigences et de concessions satisfaisait Collinson, qui comprenait qu'une Union asiate faible aurait représenté une menace constante de déstabilisation. La fermeté et la souplesse de Moljoïkan en faisaient un interlocuteur fiable.

— Cet après-midi, nos experts raffineront un peu notre entente, et d'ici un an, nous pourrons signer un traité de coopération. Avec un protocole d'entente sur les façons de modifier, au besoin, cet équilibre général.

Ils échangèrent une poignée de mains, en souriant.

— Une dernière chose, Hamed. Valine avait créé une unité secrète dans l'armée, très mobile, très autonome et à majorité afghane. Djan Jogaï elle-même a du mal à en reconstituer le réseau d'autorité. La disparition du maréchal a entraîné un bris des communications, et je dois vous avouer que j'ignore tout à fait où se trouve la dernière Extra-terrestre.

— C'est fâcheux, en effet. Je tiens vraiment à leur réunification. Avez-vous quelque piste?

— Oui: la méfiance du maréchal à mon endroit. Il a dû donner des ordres pour que je sois assassiné. Tôt ou tard, un attentat aura lieu, et nous les démasquerons. Oh! je ne crains rien. Mes services de sécurité sont très efficaces.

Collinson lui adressa un sourire complice.

— Les miens aussi, et j'ai failli être tué l'an dernier. Mais cela me donne une idée... Je ferai quelques recherches du côté des Afghans.

Le mercredi 20 avril

Les cinq Extra-terrestres — Garou, Jinik, Vlakoda, Val et Bolorta — avaient fait leurs adieux officiels au gouverneur général et à son épouse le vendredi 15 avril. Durant les trois jours qu'il avaient passés à Rideau Hall, ils n'avaient pas exprimé le moindre regret de partir, tout en évoquant avec plaisir les grands moments de leur séjour sur la Terre. Le fait de quitter la planète leur semblait tellement normal, après un an, qu'ils ne voyaient là aucune raison de s'émouvoir.

— Ainsi, vous n'êtes pas trop tristes de partir?

— Tristes? Pourquoi?

Ils ne comprenaient toujours pas grand-chose à ce type de question. Implacablement réalistes, les méandres de la sensibilité terrienne les surprenaient encore. Parfois ils y voyaient un dérèglement des mécanismes de compréhension du monde. D'autres fois, un univers artificiel de l'ordre des règles de courtoisie, qui exigeait que certains actes soient enrobés de sentiments convenus d'avance. Même s'ils avaient appris à côtoyer les Terriens, ils continuaient bien souvent à les trouver énigmatiques.

François n'appréhendait pas le jour du départ. Jinik avait tenu conseil avec ses camarades, et ils avaient tous accepté que François les accompagne. Ce dernier en avait parlé à Maya et à Francine, mais n'avait pas jugé bon de l'annoncer à

300

personne d'autre, afin d'éviter d'attirer l'attention sur une décision qui lui paraissait raisonnable et tout à fait personnelle.

— Mais tu es sûr de ne jamais regretter la Terre? insista Francine.

— Qu'y aurait-il à regretter? Et c'est quoi, un regret? Je regrette le Brésil, et je m'en passe très bien. Mais toi, cette aventure ne t'intéresse pas?

Francine secoua la tête, avec un sourire lumineux.

— J'aime Vlakoda, et je m'en passerai très bien. J'aimerai le vide qu'il laissera en moi. J'aime trop la Terre pour la quitter, tu comprends? J'ai tellement aimé l'Europe, le Japon, la Polynésie, l'Amérique! J'ai encore envie d'aimer des hommes.

— Des hommes?

— Des Terriens. J'ai été heureuse avec Vlakoda. J'ai appris de lui quelque chose de vital. J'ai aussi couché avec Bolorta, tu sais. Et même avec Jinik. C'était bon, c'était doux. Mais quand je pense à Chumoï, et que je pense à la Terre, je sens que je veux un destin sur la Terre.

D'une certaine façon, elle avait une idée assez nette de Chumoï. Elle avait collaboré avec Val, Jinik et Garou à un scénario que l'Office national du film tournerait à la Terre de Baffin, où l'on reproduirait des paysages de Chumoï d'après des croquis et des maquettes déjà préparés par les visiteurs. Elle connaissait aussi à fond les mœurs de cette planète, que le scénario mettrait en évidence.

— Je t'écrirai, fit François, en riant.

— Une carte postale en étoile filante... Mais, au cas où on ne délivre pas le courrier, je voudrais partager un beau souvenir avec toi.

Ils avaient donc fait l'amour, une dernière fois, avec toute la chaleur et la tendresse de leur amitié.

— Tu es peut-être ma dernière Terrienne.

— Peut-être. Mais je suis sûre que Maya partira avec vous.

Francine était restée très proche de Garou. Ils bavardaient souvent et longuement, et ils parlaient de Maya. Garou savait déjà que sa compagne était enceinte. L'idée de la quitter le bouleversait. Il trouvait injuste d'essayer de la convaincre d'aller avec lui sur Chumoï. Il trouvait aussi difficile d'envisager de rester sur la Terre. S'il admirait la facilité avec laquelle François avait pris sa décision, sa nonchalance s'estompait devant les liens étroits qui l'unissaient à Maya.

— Tu vois, Francine, même un Extra-terrestre peut se sentir troublé.

La jeune fille sursautait toujours lorsque Garou se qualifiait lui-même d'«Extra-terrestre». Parfois, dans des revues de second ordre, on trouvait des articles désobligeants sur les visiteurs, qu'on traitait de sous-hommes poilus, de singes verts, d'espions spatiaux. À l'occasion, on écrivait des choses scabreuses sur leurs relations sexuelles avec des Terriens. Garou et ses camarades ne s'en émouvaient guère, et il leur arrivait même de s'en amuser, mais Francine se révoltait devant cette expression de vieilles traditions racistes.

— Mais pourrais-tu partir et laisser ton enfant ici?

— *Mon* enfant? fit Garou. Nous n'employons pas le possessif en parlant des gens. L'enfant de Maya sera *un* enfant. Il faut bien s'habituer à l'idée que les contacts interspatiaux aboutissent à des échanges génétiques. Cet enfant sera alors le premier Terrien d'origine extra-terrestre, ou le premier chumoïen d'origine terrienne. C'est à Maya que je pense, pas à l'enfant.

— Vous avez encore quelques jours pour vous décider.

Leur séjour à la résidence du gouverneur avait été entrecoupé de rencontres et de conférences de presse. Ils avaient participé à un colloque en tchouhio, où on avait pu tester l'efficacité du système d'enseignement de leur langue mis au point sous la direction de Maya. On avait dû les entourer de fortes mesures de sécurité. Beaucoup de gens s'opposaient à ce qu'on les laissât partir, craignant leur retour à la tête d'une invasion venue de Chumoï. On avait découvert deux complots pour les assassiner. Encore là, les visiteurs avaient trouvé cela normal, tout en se réjouissant de l'efficacité des services chargés de leur protection.

La première ministre n'avait pas pu se trouver à Ottawa pour les adieux officiels. Elle participait à une semaine de rencontres de tous les chefs d'État ou de gouvernement de l'Alliance pacifique, qui se tenait à Tokyo. Après le sommet de Manaus, le secrétaire d'État, Bob Danburg, avait convoqué les ambassadeurs des pays alliés pour leur fournir un compte rendu édulcoré de la réunion. Il avait proposé une tournée du président Collinson dans les différentes capitales, pour traiter du nouvel équilibre politique, mais les alliés avaient préféré un sommet multilatéral, durant lequel on organiserait des rencontres bilatérales.

Les Extra-terrestres arrivèrent à la base Sir James Ross le 16 avril, afin de donner à Bolorta le temps d'examiner l'accélérateur magnétique avarié. Ils avaient profité de l'occasion pour faire une démonstration du contrôle des voies d'accès du vaisseau. Il s'agissait vraiment de simples écoutilles, que le mouvement giratoire de l'astronef colmatait durant le vol. Les Extra-terrestres consentirent à laisser à leurs hôtes un échantillon du métal qui enveloppait le vaisseau et dont l'élasticité rendait les savants aussi perplexes que les techniciens.

On avait alloué aux visiteurs une des coupoles de la base. Celle-ci, toujours en activité, même si les Européens et les Asiates n'y avaient pas eu accès durant l'hiver, disposait de tous les services techniques nécessaires pour aider à la réparation des instruments défectueux. Le premier essai devait se faire le 20 avril, durant l'après-midi. Maya s'était levée très tôt, avec Garou. Que de choses avaient changé dans sa vie, depuis un an! Le passage des Extra-terrestres n'avait pas affecté de façon significative le déroulement de l'histoire de l'humanité. Ils n'avaient joué qu'un rôle marginal dans les événements des derniers mois. On avait réussi à les impliquer dans des activités plus ou moins isolées, mais leur participation aux différents conflits n'avait nullement été déterminante. Ils n'avaient apporté ni la guerre ni la paix, ni même un message particulier de solidarité spatiale. Mais s'ils n'avaient fait qu'effleurer la vie de la Terre, Garou, lui, avait profondément marqué le cœur de Maya et l'idée qu'elle se faisait de son destin.

Garou et Maya finissaient déjà le déjeuner lorsque leurs camarades commencèrent à les rejoindre dans la cantine.

— Je nous souhaite un heureux 20 avril, dit Vlakoda, le dernier arrivé.

— Je suis sûr que ça marchera, dit Val.

— Je ne parle pas du vaisseau, mais du rendez-vous.

C'était pour ce rendez-vous qu'ils avaient tenu à se trouver à Sir James Ross le 20 avril. Fladia et Mino, dont on n'avait pas de nouvelles depuis si longtemps, essaieraient sans doute d'arriver à la base le jour fixé. Mais comment? En traîneau à chien, en skidoo, en avion, en sous-marin? Et s'ils ne venaient pas?

— Nous étions sept à l'arrivée, nous serons sept au départ. Huit, avec François. Nous ne pouvons pas abandonner nos deux camarades.

Le commandant Goldini, chargé des opérations de la base, les rejoignit. Il venait de recevoir un message important. Non, il ne s'agissait pas de Fladia et Mino. On lui demandait de remettre l'essai au lendemain. Garou, qui s'attendait plutôt à des nouvelles concernant leurs camarades, haussa les épaules:

— Aujourd'hui, ou demain... Mais pourquoi?

— L'essai du vaisseau m'obligeait à interdire tout mouvement aérien dans la région. Or, je dois accueillir un avion, vers quinze heures.

Qui pouvait bien venir les visiter? Le message ne donnait que les coordonnées du vol.

— Eh bien! nous attendrons, fit Val.

Francine sourit en constatant encore une fois cette extraordinaire faculté d'acceptation de la réalité. Elle savait que la passivité des Extra-terrestres recouvrait une volonté rigoureuse et déterminée, mais comment pouvaient-ils être aussi dénués d'enthousiasme?

Depuis quelques jours, elle faisait beaucoup l'amour avec Vlakoda, alors qu'ils ne l'avaient fait que deux ou trois fois par semaine au cours des derniers mois, quand Vlakoda multipliait ses amantes de passage. François riait, affectueusement, en voyant la joie vitale qui émanait de la jeune fille à mesure qu'elle se soûlait de sensualité. Garou lui disait qu'elle sentait comme un jardin de fleurs et l'appelait l'*Alhambra*. Jinik ajoutait qu'elle se souviendrait toujours de Francine comme d'un miracle de fraîcheur et de musique charnelle. Vlakoda ne parlait pas beaucoup. Il aimait la jeune fille avec appétit, avec gourmandise, et se sentait visiblement heureux avec elle, heureux du bonheur qu'ils fabriquaient et partageaient. Mais il se contentait de la riche réalité des gestes, sans les transformer en sentiments, sans les transférer dans le monde imaginaire d'un *amour*, à la façon des Terriens. Jinik et François semblaient vivre une liaison parfaite, d'une sérénité inébranlable. Garou était le seul, parmi les visiteurs, à éprouver un attachement sentimental.

Vraiment, se disait Francine, quels gens étranges! Ils s'étaient tous rendus à Sir James Ross pour attendre leurs deux camarades manquants. Or, à part une mention fortuite au petit déjeuner, personne n'en avait parlé. Rien, ils n'avaient rien à dire. Alors que les Terriens auraient passé leur temps à élaborer des hypothèses et à exprimer des vœux, les Extra-terrestres ne disaient rien. Peut-être n'y pensaient-ils même pas. Si Fladia et Mino arrivaient, on les accueillerait avec joie. S'ils ne venaient pas, on attendrait encore, ou on s'accomoderait de leur absence. Cette connivence profonde avec la réalité avait quelque chose de déconcertant.

Comment faisaient-ils? Les Terriens, depuis des millénaires, n'avaient jamais accepté la réalité. Ils avaient inventé des outils et des machines, des philosophies et des religions, ils avaient réussi à mettre la réalité en question dans leurs analyses épistémologiques, ils s'étaient engagés dans des guerres et des crises de conscience pour combattre la réalité, la rejeter, la transformer. Cela avait donné une civilisation boiteuse mais solide et intéressante. Comment les Extra-terrestres avaient-ils pu réussir à faire de même sur Chumoï, alors que leur acceptation tranquille de ce qui est aurait dû les avoir maintenu dans un équivalent de l'âge de pierre? François pourrait lui apporter la réponse, si jamais il revenait sur la Terre.

À deux heures, Goldini leur annonça que l'avion attendu était celui de la première ministre qui, de retour du Japon, avait choisi de faire un détour pour saluer une dernière fois les visiteurs.

— C'est très courtois de sa part, fit Val.

— C'est un grand événement, madame! s'écria le commandant. Non pas seulement à cause de votre présence. C'est la première fois qu'un chef du gouvernement canadien mettra le pied sur l'île Ellef Ringnes.

— Et sur le pôle Nord magnétique, ajouta François.

Aurélia David, qui avait toujours éprouvé une vaste sympathie personnelle pour les visiteurs, se serait sans doute déplacée de toute façon pour leur dire au revoir. Mais, en se rendant à Sir James Ross, elle posait également un geste politique important. Elle combinait un sens aigu des opportunités quotidiennes à une vision ambitieuse de l'avenir. Alors que ses collègues, à Tokyo, avaient surtout négocié des secteurs prioritaires dans les futurs échanges économiques entre les pays de l'Alliance et l'Union asiate, elle s'était approprié le dossier le plus prometteur, celui du contrôle des recherches et de la mise en valeur de la magnétosphère. En saluant les Extra-terrestres au pôle Nord magnétique, elle attirait l'attention de tous sur la réalité géographique du Canada, qui avait étayé son argumentation à Tokyo.

Son avion atterrit à quinze heures. Le commandant Goldini lui fit visiter la base, en compagnie d'une vingtaine de journalistes, et Jinik lui servit de guide à l'intérieur de l'engin spatial. La première ministre profita de l'occasion pour déclarer, au cours d'une interview, que le Canada s'engageait à ne capter l'énergie des aurores boréales qu'à des fins pacifiques et pour l'avancement de tous les peuples de la Terre. Finalement, ils se rassemblèrent tous dans un salon de la base.

— Je suis triste de vous voir partir, mais je suis heureuse de savoir que vous rentrerez chez vous sains et saufs, après un aussi long séjour dans des circonstances difficiles. J'espère que vous ne nous en voulez pas trop de vous avoir imposé le spectacle de nos querelles.

— Nous sommes surtout ravis que ces guerres aient pris fin sans avoir dégénéré en un conflit plus grave.

Aurélia David partageait d'autant plus cette satisfaction qu'elle venait d'apprendre que sa collègue mexicaine, «la Macha», allait passer la fin de semaine avec Roberto Duarte le puissant chef syndical. La chaleur du Yucatan encouragerait peut-être entre eux l'établissement de liens aussi personnels que politiques, en contrebalançant l'influence du Brésil dans un nouvel équilibre latino-américain.

— Ce n'est pas un métier facile, de gouverner un pays, commenta-t-elle. On se fait parfois des idées trop généreuses sur les intérêts de nos peuples, et on commence à jouer avec les frontières établies. Nous avons toujours fait cela, depuis des siècles. Nous avons créé des empires, et nous les avons défaits pour en refaire d'autres. Attribuez cela à une maladie, dont nous aimerions bien être guéris un jour. Ce mois-ci, comme tant de fois dans le passé, nous avons modifié la carte politique de la Terre. Je regrette qu'il faille tant de morts, tant de souffrance, tant de destruction chaque fois que nous le faisons. Un jour, peut-être, un nouveau Wakasondo parviendra à convaincre tous les Terriens que nous devons habiter la même maison, dans la paix, l'amour et la justice.

— Madame, dit Garou, l'accueil que vous nous avez réservé restera pour nous quelque chose d'extraordinaire.

Quelqu'un vint chercher Goldini, qui s'excusa et se retira.

— Je vous apporte aussi une bonne nouvelle, dit Mme David. Nous savons que vos deux camarades sont vivants.

Elle les regarda. Aucun ne manifestait la moindre émotion. François hocha la tête en souriant, pour expliquer à la première ministre qu'en dépit des apparences, les visiteurs étaient absolument ravis.

— Vous saviez que Mino et son interprète s'étaient réfugiés dans le Sahara après l'assassinat de Golonov. Fladia a été mêlée à un groupe clandestin chargé de l'exécution du président Moljoïkan. C'étaient des Afghans. Chazad s'en est mêlé, et le projet a pu être contremandé. D'après Chazad, Fladia et Mino ont été réunis. Nous faisons de grands efforts pour les localiser. J'ai confiance que nous réussirons.

Le commandant Goldini les rejoignit, l'air ennuyé. On venait d'arrêter un commando afghan à Aklavik. Ils étaient armés et détenaient des sauf-conduits américains, sans doute faux.

— Trois d'entre eux se sont échappés. L'alerte a été donnée. Votre avion pourra retourner sans problème à Ottawa, et nous accroîtrons les mesures de sécurité autour de la base.

Aurélia David approuva de la tête. Plusieurs commandos conservaient des tactiques imprévisibles. Après l'annonce de la conversion de l'Afghanistan en république autonome, la plupart des commandos avaient annoncé la fin des hostilités, mais d'autres avaient juré de poursuivre la lutte au nom d'un besoin historique de vengeance et de justice. On ignorait encore les intentions de ceux qui entouraient les deux Extra-terrestres.

— Comme vous voyez, fit Mme David, nous retrouvons nos problèmes familiers. Je souhaite que ce ne soit pas grave, et que vous retournerez chez vous sans incident. Avant de partir, je voulais vous remercier, monsieur Leblanc, ainsi que vous, madame Golinsky, et vous, madame Lacombe, d'avoir rempli vos tâches avec autant de dévouement et d'efficacité.

— C'était un plaisir, fit Francine.

Son visage radieux donnait à ce mot toute sa plénitude.

— Je sais, dit Mme David, en souriant. Cela aussi m'a paru très bien.

— C'est grâce à eux, ajouta Jinik, que nous garderons un si beau souvenir des Terriens. Votre accueil a été tellement civilisé! Et vous nous avez choyés en nous fournissant une telle escorte.

Aurélia David se rappela une expression de Collinson, lorsqu'elle lui parlait des Extra-terrestres trimbalés de gauche à droite selon les besoins publicitaires et politiques et les aléas des conflits: «Au moins, ils ont fait du grand tourisme.»

François, après avoir hésité, dit:

— Vous savez, madame, il est vrai que notre tâche n'a pas toujours été facile. Mais je sors gagnant de l'échange, car j'aurai, à mon tour, cinq — non, sept — agents de liaison. Car je sais que Fladia et Mino nous rejoindront.

La première ministre le regarda, sans comprendre. Puis tout s'éclaira. Ça alors! Elle se leva:

— Monsieur Leblanc, sans protocole et sans lettres de créance, je vous nomme ambassadeur de la Terre auprès de nos amis de Chumoï.

Et elle l'embrassa sur les joues.

Le vendredi 29 avril

Le commandant Goldini fit venir François Leblanc, d'urgence. Qu'est-ce qui pouvait le préoccuper? On avait procédé à trois essais du vaisseau spatial, jusqu'à une altitude de trente-cinq mille mètres: fonctionnement impeccable. Les visiteurs, nullement impatients, savouraient les beautés polaires de l'île Ellef Ringnes sans jamais mentionner les camarades qu'ils attendaient.

L'alerte de la semaine précédente n'avait pas eu de suites. Les autorités américaines avaient confirmé la validité des sauf-conduits accordés aux Afghans arrêtés à Aklavik, tout en affichant leur surprise que le commando ait choisi de passer par le cercle arctique pour se rendre du Texas à Kaboul. On avait évacué les douze Afghans sur Fairbanks, en demandant aux services américains de les surveiller de près. Les Afghans n'avaient pas semblé ennuyés par leur arrestation, ce qui laissait croire que leur mission avait consisté à déposer en territoire canadien les trois d'entre eux qui s'étaient enfuis, et dont on avait trouvé la trace à Tuktoyaktuk. Mais si c'était une manœuvre de diversion, pour détourner l'attention d'une opération plus importante?

Les jours suivants, on avait signalé la présence d'Afghans à Coppermine, Gjoa Haven, Frobisher Bay, Pond Inlet et Arctic Bay. Il s'agissait de citoyens canadiens d'origine afghane qui faisaient du tourisme à bord de petits avions de plaisance.

Chacun justifiait très bien sa présence dans la région, mais leur nombre pouvait difficilement s'expliquer par une coïncidence. Quand ils volaient au ras du sol, ces avions échappaient aux systèmes de radar. On avait donc décidé d'activer la ceinture de protection qui entourait la base: tout appareil qui approcherait à cent kilomètres de Sir James Ross serait aussitôt invité à s'éloigner, sous risque d'être détruit par des missiles automatiques.

— Monsieur Leblanc, fit Goldini, j'ai un problème. Un de ces biplaces à la mode demande la permission d'atterrir. Comme si on ne pouvait pas se choisir d'autre sport que de faire du tourisme dans le Grand-Nord! Celui-là prétend qu'il a eu une fuite dans son réservoir et qu'il doit se ravitailler en combustible. Si c'est vrai, je ne peux pas dire non.

On n'avait pas le choix. Les rigueurs de l'Arctique imposaient ce genre de solidarité, comme le sauvetage en haute mer.

— Pour lui permettre d'approcher, je dois désactiver le réseau de missiles. Or, on m'a signalé la présence de trois autres avions du genre dans un rayon de deux cents kilomètres.

Il était impossible d'ouvrir une porte de la maison à la fois. Si on laissait passer l'avion en détresse, d'autres pourraient s'infiltrer dans les environs de la base sans même être détectés.

— En nous sommes le 29 avril, rappela Goldini. C'est l'anniversaire de l'attentat contre le président Collinson. Les Afghans ont souvent été enclins à commémorer ce genre d'événement.

S'ils attaquaient la base, les commandos démontreraient qu'ils constituaient toujours une force redoutable. François suggéra de faire atterrir l'avion à l'extérieur de la zone réservée et d'organiser une opération de secours par voie de terre. Ce serait plus compliqué mais plus prudent. Goldini activa l'intercom et demanda à la cabine de contrôle de le mettre en communication avec le *Chazad VII*.

— Attendez! s'écria François. Le Chazad? Ça change tout. Je suis prêt à tenter la chance, commandant. Le Chazad *sept...*

François rassembla son équipe. Trois des Extra-terrestres prirent place dans leur engin, qui s'éleva rapidement à cinq mille mètres. Francine demeura dans la cabine de contrôle.

— Tu sais, il y a vraiment quelque chose de maladif chez nous.

— Plus d'une chose, ma douce.

La jeune fille se sentait les larmes à l'œil chaque fois que François, par son calme, lui rappelait celui des Extra-terrestres.

— On a quelque chose de maladif, répéta-t-elle, et Garou a attrapé ce microbe. Il est prêt à rester si Maya reste. Maya est prête à partir si Garou part. C'est une situation impossible.

— Un homme et une femme, attirés l'un par l'autre, et qui se séparent parce que chacun attendait, par respect, par pudeur, par discrétion, par timidité, que l'autre fasse le premier pas... Ça ne te donne pas envie d'aller sur Chumoï?

Elle secoua la tête, avec un brin de mélancolie.

— J'aime la gaucherie des amours terriennes, François.

— Parce que toi, tu t'y débrouilles bien.

L'avion apparut. L'analyse échoscopique révéla que le pilote était seul à bord. Déçu, François fit une petite grimace. Il avait espéré y voir les deux Extra-terrestres qu'ils attendaient.

Tout à coup, Jinik l'appela, depuis le vaisseau spatial. Elle apercevait deux avions au nord de l'île. Ils atterrissaient le long de la plage, sur la côte ouest. Dix minutes plus tard, elle signalait qu'un des appareils redécollait, le cap sur l'île Ellesmere. Goldini envoya un avion de surveillance en direction de la plage dont Jinik avait fourni les coordonnées. Entre-temps, le *Chazad VII* atterrissait sur la piste de Sir James Ross. Le pilote se dirigea vers l'entrée de la coupole, sous le regard vigilant de deux soldats armés.

— Bonjour, commandant. Je vous remercie de votre aimable permission. Vous me sauvez la vie.

— C'est la loi du Grand-Nord.

Le pilote lui remit sa carte d'identification, pour la facturation du combustible. Ensuite, il se tourna vers François.

— Monsieur Leblanc, je suppose? Je suis porteur d'un message du docteur Chazad à l'intention de Mme Cynthia Irving, à Washington.

François sourit. Il avait bien eu raison de conseiller à Goldini d'accueillir cet avion. Mais pourquoi les Afghans étaient-ils restés si compliqués?

— Le docteur s'était engagé à lui rendre un petit service en échange d'une certaine adresse. Je n'en sais pas plus. Quant au message, le voici: «*Les Afghans n'oublient jamais.*»

C'était tout. Le pilote leva les yeux vers le ciel. Le vaisseau spatial brillait comme une lune.

— C'est très beau, fit-il. Bon, je m'excuse des inconvénients que je vous ai causés, mais je suis heureux d'avoir saisi cette occasion pour vous faire part de ce message.

Un soldat s'approcha de Goldini. On avait effectué des cercles de reconnaissance autour de la plage, jusqu'à cinquante kilomètres. Le second avion inconnu s'était volatilisé. Goldini hésitait à laisser partir le pilote afghan: il savait quelque chose, il y avait une complicité, c'était un coup monté. François rejoignit le pilote, qui surveillait la fin du remplissage de son réservoir. Pourquoi n'avait-il pas télégraphié son message à Mme Irving?

— Par courtoisie, cher ami. Je passais par ici, et j'ai voulu vous saluer. Et puis, nous avons toujours certaines nostalgies... Les Afghans n'oublient rien. Ça s'est passé ici, en l'an 2031. J'ai fait... un pèlerinage.

Le pilote sourit, et ajouta:

— Ne vous inquitez plus. Nous sommes très contents. Nous regrettons d'avoir dû prendre autant de temps pour exprimer notre reconnaissance à Mme Irving.

L'homme inspirait confiance. François dit à Goldini de le laisser partir, de rappeler l'astronef et de réactiver les mesures de protection. Il se rendit ensuite au centre de documentation. En l'an 2031, une équipe de savants soviétiques travaillait sur la base. Deux membres de leur équipe, des experts afghans qui effectuaient des sondages bathymétriques, s'étaient noyés au large de la côte lors d'une tempête. Les Soviétiques avaient présenté une demande pour donner à l'endroit le nom de «baie des Afghans», mais la requête avait été rejetée par la Commission des désignation géographiques, qui estimait inconvenant de considérer une proposition émanant d'une puissance étrangère. La baie ne portait toujours pas de nom.

Quelle étrange histoire! Après le retour de l'engin spatial, François raconta l'anecdote à ses camarades et ils décidèrent d'aller visiter cette baie. Ils trouvèrent une plage rocailleuse admirablement belle, couverte d'os de baleine blanchis par les siècles. Des blocs de glace dérivaient encore à l'horizon. Quelques rochers jaillisaient de la mer, menaçants. C'était un endroit dangereux en cas de tempête, mais la surface de l'eau était maintenant presque immobile.

François, malgré son instinct, n'était toujours pas sûr d'avoir pris la bonne décision. Il avait cédé au nom de Chazad et au chiffre sept. Après tout, le docteur afghan avait joué un certain rôle dans le retour de Val, il lui avait annoncé celui de Bolorta et il l'avait rassuré sur celui de Mino. Il avait conclu, ou il servait d'intermédiaire à quelqu'un qui avait conclu, un marché avec Cynthia Irving, dont François ignorait la nature.

Chazad, lié aux commandos? Pourquoi pas? Les terroristes deviennent souvent les héros de la libération quand ils gagnent la partie. Mais Mme Irving? Quel rôle jouait-elle? Celui de manigancer la prise du pouvoir, à Kaboul, par un homme respectable qui lui devait quelque chose? Un allié de Washington à proximité de Tachkent?

Mais tout cela pouvait être faux. Les commandos n'étaient surtout pas fiables. Il aurait peut-être dû retenir le pilote, du moins jusqu'après avoir éclairci le mystère de l'avion disparu au nord de l'île.

— Que tout est tranquille, ici! murmura Francine.

— Si jamais des gens de Chumoï venaient s'établir sur la Terre, ils choisiraient des paysages comme celui-ci, commenta Val.

— Ce ne serait pas impossible, fit François. Les Terriens n'aiment pas ces froids. Les Inuit vous laisseraient de la place.

Francine s'éloigna avec Vlakoda et Bolorta. Jinik, Val et Garou cherchaient des fossiles. François se retrouva avec Maya.

— Tu as bien changé depuis juin dernier, ma très belle. L'amour t'a épanouie, rassérénée. C'est bon, de te voir ainsi.

— Et toi?

— Moi, je ne change plus. J'ai trouvé ma musique et l'air que j'aime respirer.

Maya s'arrêta. Les rayons du soleil faisaient jaillir des éclats de couleur des blocs de glace.

— J'aimerais bien t'accompagner, tu sais, fit-elle.

François lui prit le bras, avec une nonchalance affec-tueuse. Qu'est-ce qui la faisait hésiter?

— Mon enfant, peut-être. Non, c'est faux. J'attends... j'espère que Garou me le demande.

— Qu'on est donc fragile quand on aime quelqu'un! s'écria François. Avec toutes ces précautions et ces susceptibilités qu'on prête aux autres, pas étonnant qu'on fasse autant de sottises!

La jeune femme le regarda. Et elle éclata de rire, comme si quelque chose, brusquement, venait de fondre en elle.

— C'est vrai! Que je suis bête! Garou! Garou!

Elle courut vers lui. Il se précipita à sa rencontre, puis s'arrêta brusquement, en montrant la mer. Une embarcation jaillissait des flots et se dirigeait vers la rive.

— Attention! cria François. Éloignez-vous! Disper-sez-vous!

La capsule cylindrique remontait la plage, sur des che-nilles. Quand elle s'immobilisa, François s'en approcha, mé-fiant. Il n'avait jamais vu ce genre d'appareil amphibie. Le haut de la capsule s'ouvrit et deux têtes en sortirent.

— Mino! Fladia!

Maya contemplait, émue et heureuse, la grande scène des retrouvailles. Mais, avec cela, elle n'avait pas pu parler à Garou. François lui fit un clin d'œil et leva le doigt:

— La réalité avant tout, dit-il, solennel.

— Le rêve est aussi une réalité, riposta Maya, en souriant. Le désir également, et les souhaits, les appréhensions, l'incerti-tude...

— Il faut bien s'habituer, à la fin d'une histoire, à revenir au point de départ, soupira François.

À côté d'eux, les visiteurs parlaient vivement entre eux.

— Zut! fit-il. Je devrai apprendre le tchouhio.

— Je te donnerai des leçons particulières, dit Maya, suffi-samment fort pour que Garou l'entende.

Ce dernier la prit par les épaules et l'embrassa.

— Eh bien, nous serons neuf!

Francine, soulagée, demanda à François comment il avait fait pour convaincre la jeune femme.

— Je l'ai fait rire. C'est la meilleure chose pour tuer les fantômes. Une de nos inventions terriennes...

Jinik leur présenta les nouveaux venus.

— C'est amusant, cet appareil, raconta Mino. C'est un avion, un sous-marin, un bateau, un véhicule vraiment tout terrain.

— Je crois même qu'il a été conçu par Jules Verne, par l'entremise d'un certain Robur, commenta François. Mais c'est la première fois que j'en vois un.

Il était midi. François se sentait un creux dans l'estomac, mais ce n'était sans doute pas seulement la faim. Il apporta la bonne nouvelle à Goldini, qui pâlit en apprenant la façon dont les Afghans avaient réussi à s'introduire sur l'île, puis il se rendit dans la cuisine. Commander du filet mignon? Ou du poisson frais? Ce serait leur dernier repas sur la Terre.

Il haussa les épaules. Il prendrait de la Terre ce qu'elle lui donnerait. Ç'avait toujours été comme ça. Il avait pris sa carrière, ses amours, la baie James, le Brésil, les Extra-terrestres, Inowa, les tournées à droite et à gauche, en s'arrangeant avec les événements, en se tirant d'affaire, surtout soucieux de préserver son équilibre dans le désordre, les passions, la guerre, la paix, les folies, les bêtises et les étranges bouffées de générosité qui les accompagnent.

Mais quitter la Terre, c'était mourir un peu. Et alors? Depuis l'âge de vingt ans, quand il s'imaginait en train de mourir, dans un avenir indistinct, et qu'il pensait à la vie, il se disait: «Bon débarras.» C'était tout. Mais était-ce vrai?

Il avait quarante ans. Donc, vingt, trente, cinquante années à vivre. Pourquoi Chumoï? À cause de Jinik? Ou bien parce que, en fin de compte, il n'avait guère d'attaches sur la Terre? Cette aventure — être le premier homme à découvrir cette autre civilisation, une autre planète, un autre univers —, cette aventure ne l'exaltait nullement. Donc, était-ce Jinik? Jinik avait, avant tout, une façon *réaliste* de vivre, dans la sexualité et le reste des relations humaines. Il n'avait jamais connu cela avec *aucune* femme. Mais cela dépendait-il de Jinik ou plutôt de lui-même?

Il aperçut Francine dans le corridor qui menait à la cantine.

— Tu ne vas pas... passer ces derniers moments avec Vlakoda?

Elle le regarda, infiniment sereine, pleine de vitalité.

— Ça fait bien des jours que nous faisons l'amour pour la dernière fois.

Il l'enlaça. Ses doigts couraient sur son dos, ses reins, s'accrochaient à ses hanches. Il avait besoin de la toucher. Il avait besoin d'un contact humain.

— As-tu... peur? demanda-t-elle, surprise.

Elle restait blottie contre lui, comme un miracle de complicité.

— Ce n'est pas de la peur. C'est... Je ne sais pas.

Ils s'assirent à terre, tout bonnement, le dos contre le mur. Le jour fatidique était bien arrivé. Le vaisseau était prêt, Fladia et Mino étaient arrivés, Maya s'était décidée à partir...

— Et toi, tu hésites? demanda Francine.

Il se rappela le jour où il l'avait rencontrée dans l'édifice du Parlement. Elle était toujours aussi ravissante. Comme il l'aimait! Mais était-ce elle, ou l'immense douceur, si connue, si familière, qui émanait de la Terre? Comment s'arracher à tant de douceur quand cette douceur prenait la forme de cette jeune fille exquise, et tellement aimante?

— Ce n'est pas si simple, de tout quitter... murmura-t-il.

Francine lui prit la main. Elle jouait avec ses doigts, caressante, absurdement tendre.

— Viens avec nous. Je t'invite sur Chumoï.

— Pas maintenant, François. Dans... dans dix ans.

Elle avait vingt ans. Lui aussi, à cet âge, il avait eu un appétit lyrique pour toutes les beautés de la Terre. Et il y avait goûté. Les joies terrestres s'étaient faites rares avec le temps, mais il se souvenait suffisamment de sa jeunesse pour comprendre Francine.

— Je viendrai te chercher. Je serai un jeune vieillard, fit-il, en badinant. Mais je t'aimerai encore. J'aurai pris des réserves de *bsha*.

— Je serai une dame très sérieuse, dit-elle, avec une gravité amusée. Nous ferons un beau couple.

Il se rapprocha d'elle. D'elle, ou de la Terre?

— Je m'engage dans cette histoire les yeux fermés. Mais c'est la seule façon de s'engager dans son destin.

Il la dévisagea, profondément. Il ne remettait pas sa décision en cause. Il se sentait déchiré, tout simplement. Serein, mais *déchiré*.

— Je suis content... que tu sois... mon plus beau souvenir... murmura-t-il.

Le visage de la jeune fille s'illumina.

— Et si tu restais?

— Non. Pour les mêmes raisons qui te retiennent de partir. Tu sais, Francine? Le piège, le doux piège de l'existence, c'est d'avoir faim. Faim d'amour, faim d'un biftek, faim d'un voyage, peu importe! Ça nous permet, ça nous force à passer à travers la journée, à travers l'année, à travers la vie. On décide de sa vie à l'aveuglette, et c'est très bien.

— Je vais te dire un secret, François: tu as été... le meilleur homme.

Et elle posa sur ses lèvres le plus tendre des baisers.

À seize heures, le vaisseau spatial décolla, tranquille, immaculé, une boule argentée qu'absorbait le ciel bleu. Francine suivit l'engin des yeux. Qu'il était étrange de penser que François Vlakoda, Maya et les autres Extra-terrestres se dirigeaient vers Chumoï, ce monde dont elle ne pouvait se faire aucune image charnelle. Elle s'essuya les larmes sur les joues, et sourit. On sourit toujours quand on pense à ceux qu'on aime. Elle aurait pu partir, elle aussi, et ne l'avait pas voulu, même en sachant qu'elle ne se sentirait peut-être jamais aussi à l'aise qu'en compagnie de ses amis maintenant envolés vers un monde apparemment plus sain. Comme elle l'avait dit à François elle aimait la gaucherie, la tendre gaucherie des amours humains. Touchée par la sérénité des Extra-terrestres devant les complications séculaires des relations entre les gens, toujours marquées par des conflits, des mésententes, des guerres et les grands et petits malheurs de la vie quotidienne, elle avait pourtant choisi la Terre. Mais elle se rendit compte, en évoquant les visages de Vlakoda, de Garou, de Bolorta, de François et des autres, qu'elle s'était imprégnée de leur sérénité, de leur vigoureuse sérénité dans l'appétit de vivre, en la transformant en un sourire sur l'étonnante, la douce et familière absurdité terrienne. Et à cause de ce sourire, son cœur était plus riche que le ciel bleu.

Ottawa, 6 février — 18 avril 1983.

Composition et mise en pages:
LES ATELIERS CHIORA INC.
Montréal

Achevé   Imprimerie
d'imprimer Gagné Ltée
au Canada Louiseville